D1108924

CRÉPUSCULE DU TOURMENT

DU MÊME AUTEUR

RED IN BLUE TRILOGIE, *théâtre*, L'Arche Editeur, 2015.

LA SAISON DE L'OMBRE, *roman*, Grasset, 2013. Prix Femina.

HABITER LA FRONTIÈRE, *conférences*, L'Arche Editeur, 2012.

ÉCRITS POUR LA PAROLE, *théâtre*, L'Arche Editeur, 2012, Prix Seligmann contre le racisme 2012.

CES ÂMES CHAGRINES, *roman*, Plon, 2011.

BLUES POUR ÉLISE, *roman*, Plon, 2010 et Pocket, 2012.

LES AUBES ÉCARLATES, *roman*, Plon, 2009 et Pocket, 2010. Trophées des arts afro-caribéens 2010.

SOULFOOD ÉQUATORIALE, *nouvelles*, Nil (collection Exquis d'écrivains), 2009.

TELS DES ASTRES ÉTEINTS, *roman*, Plon, 2008 et Pocket, 2009.

AFROPEAN SOUL ET AUTRES NOUVELLES, Flammarion (collection Etonnants Classiques), 2008.

CONTOURS DU JOUR QUI VIENT, *roman*, Plon, 2006, Pocket, 2007 et Pocket Jeunesse, 2008. Prix Goncourt des lycéens 2006. Prix de l'Excellence camerounaise 2007.

L'INTÉRIEUR DE LA NUIT, *roman*, Plon, 2005 et Pocket, 2006. Prix Louis Guilloux 2006. Prix René Fallet 2006. Prix Montalembert du premier roman de femme 2006. Prix Bernard Palissy 2006. Prix Grinzane Cavour 2008 pour la traduction italienne.

LÉONORA MIANO

CRÉPUSCULE DU TOURMENT

I. Melancholy

BERNARD GRASSET
PARIS

Photo de la jaquette : © PeopleImages.com/Gettyimages

ISBN 978-2-246-85414-2

Some folks will tell you the blues is a woman...
CORNELIUS EADY, *I'm A Fool To Love You*

ce n'est pas seulement se garder de les dire. C'est, en quelque sorte, les nourrir. C'est à l'ombre que s'épanouissent certaines douleurs. C'est dans le silence que fleurissent ces obsessions qui deviennent le moteur et le tracé de nos existences. Je sais nommer l'épine qui, logée en moi depuis le plus jeune âge, est ma torture et ma boussole. Ma véritable identité. Je connais les raisons qui me poussent et ne me raconte jamais d'histoires à ce sujet. Entendons-nous : que tout parte d'une fêlure ne signifie pas que j'aie tort. Notre plaine côtière, notre pays, ont leurs usages. Leur compréhension des choses. J'ai fait avec. Il m'a fallu de la finesse, de l'habileté, de l'attention en permanence, pour longer cette faille en évitant la chute, et je n'ai dérapé qu'une fois ou deux. J'étais une toute jeune mariée, une femme encore un peu sentimentale. Il n'y a pas de place pour la romance, pour les mièvreries, dans la vie des femmes d'ici. Sous ces latitudes où le ciel n'est ni un abri ni un recours, être femme, c'est mettre à mort son cœur. Si l'on n'y parvient pas, il faut au moins le museler. Qu'il se taise. Le tenir en laisse. Qu'il ne nous entraîne pas où bon lui semble. Le dresser à n'obéir qu'à la raison. Les robes à fleurs, les corsages à bretelles, le trait de khôl bordant les paupières baissées, ce lent déhanchement sous le soleil ou sous la pluie et ce parfum qui flotte dans notre sillage, sont les pièces de l'appareillage derrière lequel le cœur ne bat que pour lui-même. Nous ne crions ou ne pleurons que pour faire diversion. Nos chagrins véritables ne s'exposent pas, ne s'énoncent pas. Celles qui ouvrent leur cœur s'en mordent les doigts. Il n'y a pas d'exception.

Être femme, en ces parages, c'est évaluer, sonder, calculer, anticiper, décider, agir et assumer. Ne s'appuyer que sur soi. La confiance est un risque à ne pas prendre, et la chance, un animal rusé qui s'attrape au lasso après qu'on l'a traqué de nuit, de jour, au péril de sa propre vie. Parfois, épuisée par l'attente, l'effort, la lutte avec la bête qui ne se laisse pas prendre sans combattre, on ne peut plus la savourer, la chance. On la regarde dans les yeux pour s'apercevoir qu'on ne la désire plus, qu'il n'est plus temps. L'amitié est conditionnée. Elle n'est pas un lien affectif, mais social. Les amis sont ceux qui peuvent rendre service. Il faut donc, soi-même, avoir quelque chose de concret à offrir. On n'est pas auprès des gens, encore moins avec eux, uniquement pour le plaisir, la joie du partage. La sororité est affaire de classe. Comme dans les familles de sang, on ne choisit pas les membres du groupe. La différence ici réside dans la possibilité de répudier les contrevenantes aux lois non écrites, non formulées, mais connues de toutes. Jadis, on faisait d'abord partie d'une génération, sans distinction de rang social. Les temps ne sont plus, de cette initiation collective qui imposait, aux filles d'une même classe d'âge, respect et solidarité. Je n'ose parler d'amour. Il en fut pourtant question, sous diverses formes, mais nous l'avons oublié. Nous ne savons plus les caresses échangées, entre jeunes initiées, dans le secret de la case commune. Les femmes de mon époque ne connurent pas la proximité, l'intimité de cet apprentissage.

Jamais nos aînées ne nous massèrent le clitoris pour nous faire visiter le royaume dont nous seules serions souveraines. Jamais elles ne nous dirent que l'équilibre affectif reposerait sur notre capacité à nous épanouir auprès de l'un et l'autre sexe, sans exclusivité. Elles ne nous révélèrent pas que, pour chacune, il devait y avoir non pas un, mais deux couples. Nos aînées ne nous apprirent pas à faire l'amour à une femme, à le découvrir d'abord dans les bras, dans le souffle, dans les humeurs d'une femme. Savaient-elles que les femmes n'habiteraient plus que nos désirs inavoués, que ces derniers nous épouvanteraient tant que nous les réprimerions avant de les avoir vraiment éprouvés ? Savaient-elles que dans un monde régi par une puissance masculine mal ordonnée les femmes ne pourraient être que rivales, n'employant leurs forces qu'à séduire, à ferrer, à tenter de conserver ce pantalon sous leur toit ? Elles ne l'ignoraient pas, c'était ainsi qu'elles-mêmes avaient vécu, puisqu'elles étaient descendues, avant nous, dans un *shéol* qui ne dit pas son nom, ce culte qui ne célèbre que le Père et le Fils.

Jamais nos aînées ne nous approchèrent, esquissant devant nous puis tout contre nous, les mouvements d'une danse lascive, pour nous montrer comment nous comporter avec nos hommes. Savaient-elles qu'il n'y aurait pas d'hommes pour nous, au sens premier et plein de ce terme ? Le patriarcat ne sème, de par le monde, que des mâles. Peu d'hommes parviennent à arracher le principe masculin à l'étroitesse d'une virilité ayant pour totem le phallus. La puissance de ceux qui devaient être nos hommes fut ensevelie en un lieu dont nous ne possédons pas la clé. Leurs pères s'automutilèrent en se laissant corrompre par la pauvreté de spiritualités pour lesquelles la divinité était masculine, donc incomplète. L'émasculation se mit en marche quand ils renoncèrent à leurs archétypes, pensant acquérir un pouvoir qui ne leur fut pas remis, et qu'ils ne purent transmettre. Lorsqu'ils reçurent ces armes à feu, ce fut pour les retourner contre eux-mêmes. Lorsqu'ils goûtèrent ces alcools forts, ce fut pour déposer leur esprit au fond de la bouteille. Lorsqu'ils se vêtirent à la manière de leurs faux amis, ce fut pour faire prospérer les industries du Nord.

Si les pères de ceux qui devaient être nos hommes se sont à ce point égarés, faut-il que les femmes leur aient fait défaut. L'univers s'appuie sur ces deux énergies. Il faut que nos aïeules aient failli pour que leur voix ne porte plus. Pour qu'elles aient été abaissées au rang de servantes. Pour qu'elles n'aient plus existé qu'à travers la maternité, à condition, d'ailleurs, de mettre au monde des enfants mâles. S'il y eut de leur part une faute, elle nous est inconnue, mais nous en supportons le châtiment depuis des générations. De l'aube à l'aube, mortes nous-mêmes en esprit, nous ne faisons que veiller sur des dépouilles. Enfin, celles d'entre nous qui veillent encore. J'ai quant à moi pris un congé bien mérité, le repos de la guerrière. Le mort-vivant qui longtemps remua en ces murs a trouvé un ailleurs où traîner ses chaînes rouillées, l'insanité de sa présence au monde. Je ne lui reproche pas son état, mais à lui comme à ses congénères, j'en ai voulu de s'y être accoutumé. Ci-gisent les descendants de ceux qui se laissèrent ravir la voie, ceux qui se laissèrent subjuguer. C'est ainsi qu'ils furent défaits, et nous avec eux. Je ne parle pas d'or, d'argent, de pétrole. Je parle du sens et de la valeur donnés à sa propre existence. Je parle de ce qui ne peut être récupéré qu'au prix de luttes sans concession avec soi-même.

Ce que nous fûmes jadis est désormais consigné dans les ouvrages d'anthropologie, d'ethnologie. Quels qu'en soient les auteurs, la vérité y côtoie le mensonge. Le Continent et ses peuples sont des fantasmes, des fantaisies. Pour eux-mêmes et pour les autres. Ici résident la fascination et le fasciné. Ici est la vacuité. Une béance. Chacun la remplit selon ses besoins. Ici demeure le silence, intense. Ce que nous fûmes jadis traverse nos songes, nos émotions, comme un éclair dont la vivacité strie les nuages. Cela se déroule parfois si vite que nous le voyons à peine. Il n'y a que cette impression d'avoir senti passer quelque chose de fort, mais qu'était-ce ? Nos existences sont des questions sans réponse. Nos aînées nous envoyèrent à l'église, au temple. Le corps contraint par des tenues ajustées à la taille. Les seins emprisonnés dans les armatures métalliques du soutien-gorge. Les orteils enroulés dans des souliers à bride. La tête couverte de chapeaux, dans nos milieux en particulier.

Dans l'enceinte des chapelles, le foulard pouvait se porter à l'occasion d'obsèques. La plupart du temps, il était la marque d'une basse extraction. On se présentait plus volontiers en cheveux, faute de posséder le couvre-chef adéquat pour pénétrer dans la maison de Dieu. Nos aînées furent rigides et distantes. Parfaitement victoriennes. Ayant à cœur de se venger des violences subies, elles furent sévères et brutales. En parole comme en action. N'eurent plus à nous transmettre que la robe créée par l'épouse d'un missionnaire d'Angle-Saxe, le Livre d'après lequel Dieu n'avait pas eu de fille. De leur temps déjà, on avait couvert sa nudité, on s'était massé dans les églises. On priait, depuis, *in nomine Patris*. On saluait la Vierge, l'Immaculée, qu'une prophétie avait rendue grosse. Elle non plus n'avait pas eu de fille.

Je me suis longtemps demandé ce qu'il y avait à tirer d'une telle figure, pour une femme vivant sur cette terre. Quels étaient les mérites de cette Vierge, de façon concrète. Sainte Marie, Mère de Dieu... Élue entre toutes pour enfanter un illuminé, assister à sa mort par crucifixion, le mettre en terre puis, éperdue de chagrin, s'imaginer le voir apparaître, l'entendre parler. Que ne dirait-on pas, de par le monde, si nous avions été les auteurs de semblables billevesées. Voici ce que je crois : Cette femme vaquait comme d'habitude à son ennui quotidien, lequel devait provoquer des vertiges, puisque son esprit fabriqua un ange. Grâce à la mystification dont elle était à la fois la conceptrice et l'objet, bien que sans en avoir conscience, celle qui deviendrait la Vierge souhaitait atteindre deux objectifs : régler son compte à la morosité de ses jours, et se donner de l'importance. Elle y parvint.

La légende est connue. Et s'il y a chez elle quoi que ce soit dont une femme puisse s'inspirer, c'est cela : faire un rêve, y croire assez fort pour qu'il devienne la réalité de tous. Chacune dans la mesure de ses possibilités. Elle s'est bien amusée. Aucune salutation n'est adressée à Joseph, qui n'a pas dû démériter. Il n'a été qu'un homme. Le monde, tel qu'il le connaissait, était la propriété de ceux de sa caste. Il n'avait donc pas à rêver, à ruser, pour s'y faire une place. La femme joua des coudes sans se faire remarquer, se servant des armes mises à sa disposition. C'est ainsi qu'elle se divinisa, transmit sa condition à son fils. On dit qu'elle alla voir sa cousine, après la rencontre

15

avec l'ange. On dit qu'à peine avait-elle passé le seuil que cette parente voyait, en elle, la future Mère de Dieu. Hum. Hum. Cette présentation des choses permet de ne pas ébruiter l'évidence : elles se sont entendues. Ma lecture de ce conte est la plus plausible.

Ici, sur cette plaine côtière où l'on se glorifie encore d'avoir été les premiers à rencontrer les maîtres du monde, on s'empressa de jeter au feu masques et objets rituels. On mit de l'ardeur à faire la preuve de son renoncement à l'idolâtrie, cette compromission spirituelle, cette barbarie. On feignit de ne pas voir, dans les icônes, statues ou reliques de saints, des fétiches comme les autres, des idoles en bonne et due forme. C'est de cette façon que nous embrassâmes la duplicité, le langage codé, les stratégies de contournement, le travestissement. Nous étions sur nos terres, mais le Ciel n'était plus nôtre. Il fallait tenter de conserver un peu de soi sous le régime de l'assimilation, lequel imposait, pour avoir le droit de respirer un peu, que l'on révoquât toute cette malpropreté que l'on prenait pour une civilisation. Plus que jamais, nous portâmes des masques, remplaçant, par nos propres visages, ceux que nous avions livrés aux flammes. Ce qui était un moyen d'endiguer les flots menaçant de tout emporter, devint bientôt une condamnation.

On ne confie pas impunément ce que l'on a de plus cher à l'opacité. Encore faut-il en apprécier la qualité, ce que l'on négligea de faire. Ne plus vénérer au grand jour la divinité telle qu'elle s'est fait connaître à soi, ne plus l'appeler qu'en secret, est plus signifiant qu'on ne l'admet. Cela vicie la relation. À présent camouflées, remisées dans ces zones obscures où l'on pensait les préserver, nos croyances n'exprimèrent plus que leur aspect ténébreux, l'occulte supplantant le sacré, se confondant avec lui. L'ombre ne fut plus cette matrice d'où la lumière jaillit comme poussent les plantes, après avoir enfoui sous terre leur précieuse germination. Les souterrains où nous allions mettre en sûreté ce qui restait de nos spiritualités étaient habités, nous ne l'ignorions pas, nous avons négocié. Là non plus, nous n'étions pas les maîtres. L'ombre ne fut plus alors qu'elle-même, et devint une totalité. En surface, elle était la domination coloniale, dont les missionnaires furent de redoutables agents, ceux qui devaient s'emparer des âmes, quand l'école régnait sur les esprits. Dans les profondeurs, l'éclipse se fit déviation mystique, inversion des principes.

J'ai appris à exister dans cette société de la dissimulation où, à vouloir se cacher, on s'est soustrait à soi, perdu sans pouvoir dire comment. J'ai appris à me déplacer, à me situer dans ce contre-jour permanent. Nyctalope, j'ai tracé mon sillon dans cet espace crépusculaire, dans cette nuit qui réside en nous plus qu'au-dehors. J'en maîtrise les arcanes et n'aurais qu'à me féliciter du chemin parcouru, si tu ne te révélais, Dio, mon fils, un si cuisant échec. Je l'accepte. Ma quête ne fut pas celle du bonheur. Mon souci ne fut pas de transformer notre société, mais d'y survivre. Gare à qui voudrait y pénétrer sans avoir d'abord préparé les flèches et bandé l'arc. Les pointes devront, de plus, avoir été enduites de poison. Ici, on tire pour tuer. Je ne me rêve pas gardienne des décombres de nous-mêmes, restauratrice des principes bafoués. Venue en ce monde bien après la chute, je ne convoite pas le statut d'héroïne, et n'ai pas de désir pour la chimère.

Me restent bien, je l'avoue, quelques certitudes – donc une ou deux faiblesses – mais cette seule conviction : lorsque nous n'en pourrons plus d'avoir tant projeté alentour la figure de nos spectres intérieurs, lorsque nous serons saturés de nos propres abaissements, nous retrouverons la flamme. Celle qui réchauffe. Celle qui éclaire. Toute splendeur est en nous. Pour l'heure, nous sommes des trous noirs, d'où l'impression de vide. Ces crevasses célestes sont, cependant, des résidus d'étoiles ayant explosé. C'est pourquoi il arrive que des rais de luminosité émanent de nos terres. Ce sont ces rires, ces rythmes, ces couleurs. Cela n'est même pas l'écume de l'essentiel… Si la levée de l'ombre doit se produire un jour, je n'y assisterai pas. Les générations passeront avant que n'advienne ce moment. Ne croyant pas aux révolutions solitaires, je garde pour moi ces réflexions, fais avec ce qui m'est proposé. Je m'en saisis et le modèle de mon mieux, afin que cela me serve à n'être pas, dans ce pandémonium que nous avons fondé, parmi les souffreteux. Ici, les derniers seront les derniers : notre réel ne goûte que la trivialité.

Ta sœur et moi avons fêté mes cinquante-huit ans il y a six mois. Hum. Elle m'a encore demandé quels parents il avait fallu que nous soyons pour lui donner ce prénom. J'ai à nouveau raconté ce voyage que nous avions fait, votre père et moi. C'était quand nous pensions devenir un couple. Je veux dire : quand j'envisageais que nous devenions un couple, puisque ce *nous* fut ma seule initiative.

Amos ne fit que se laisser convaincre, séduire aussi, sans doute, mais pas par moi. C'était un aristocrate sans le sou. J'offrais ma personne et les biens qui allaient avec. Alors, pourquoi pas. Ce n'était pour lui qu'une formalité, son existence véritable serait ailleurs. Enfin, j'ai redit à ta sœur que j'avais bêtement cédé à la fantaisie de votre père qui lui a donné le nom d'une région parcourue lors de ce séjour à l'étranger. De mon côté, je l'ai baptisée Tiki et ne l'ai jamais appelée autrement. Elle était née fille, dans nos contrées où les filles ne sont plus rien. Je voulais qu'elle se sache aimée, précieuse. Face à elle, je me suis montrée telle qu'en moi-même, sans rien dissimuler. Tiki m'a vue pleurer. Ses oreilles ont su capter l'histoire dont tu ignores tout. Elle sait quelle épine mal placée, impossible à retirer, me cause la douleur que je change en froideur afin de me préserver. Nous ne parlons pas de ces choses. Un jour, j'ai compris qu'elle était en mesure de nommer ce qui se cachait derrière chacun de mes actes. Même opposée à mes décisions, jamais elle ne m'a abandonnée.

Elle porte bien son nom. Tiki, mon trésor, ma précieuse. Elle a fait un gâteau pour mon anniversaire, qu'elle m'a servi au petit-déjeuner. Une de ces nouvelles recettes sans protéines animales. Je ne peux dire quel goût cela avait, c'était peut-être bon, je me suis coupé le souffle pour ne pas être déçue. Manger comme s'il s'agissait de prendre des médicaments m'ôte l'appétit. Elle avait fait fleurir chaque pièce de cette grande maison, afin qu'un sourire m'accueille où que je pose le pied. Même dans les sanitaires. Même dans la cuisine et dans les garages. Elle m'a étourdie de joie. L'après-midi, à *l'heure du goûter* comme elle dit encore, nous nous sommes étendues sur la méridienne du petit salon où je me trouve en ce moment, lovées l'une contre l'autre comme quand elle était petite, et nous avons écouté ce vieux disque. Ella & Louis. *Moonlight in Vermont, The nearness of you...* Là, elle s'est souvenue que je mangeais pour le plaisir, pas pour guérir de la vie. J'ai eu droit à des pilons de poulet grillé, à des frites de plantain, à des beignets de maïs. Tiki, ma petite fille...

Je ne lui en dis rien, mais je souffre de la savoir seule. Quand elle a quitté le pays pour te rejoindre au Nord, j'ai espéré qu'elle y fasse la rencontre que sa terre natale ne lui aurait pas offerte. Pour une jeune femme issue de notre milieu, l'amour n'est pas le sujet, comme tu le sais. Je voulais pour elle ce que je n'aurais pu imaginer pour moi-même. Peut-être est-il encore temps... Peut-être, mais alors que cette idée me traverse l'esprit, je me dis que l'amour reçu de sa mère n'est pas un bagage suffisant pour attirer à soi le partenaire idéal. L'amour compliqué d'une mère aux prises avec tant de troubles. Sans doute aurait-il fallu avoir sous les yeux une image de couple acceptable. Vous avez grandi au milieu d'un champ de bataille. Tiki a vu sa mère survivre, pas vivre. C'est ainsi. Elle s'est accrochée à moi dès le premier cri, à l'inverse de toi qui as très tôt fui mes caresses. Quand tu as eu sept ans, je n'ai plus eu le droit de te border le soir.

Tu n'étais pas là, pour mon anniversaire. Tu ne t'es pas manifesté. Puis, tu as débarqué sans t'annoncer, avec tout ça dans tes bagages : cette femme, l'enfant qu'elle avait eu de ton ami décédé. Ce ne fut pas un beau jour,

Dio, que celui de ton retour chez toi. Tu ne vis que pour nous faire payer, à nous, ta famille, d'être ce que nous sommes. Des nantis dans un pays où abondent les misérables. Des collaborateurs, dans un pays où l'on perdit la vie en s'opposant au pouvoir colonial. Depuis la défaite, nous ne cessons de capituler et n'avons d'autre projet. Si tu as des propositions, mon fils, ne te gêne pas, cela nous changera. La jeunesse de ce pays, celle du Continent même, se cherche des mentors. Elle ne trouve, pour l'inspirer, que des morts qui n'auraient su quoi faire en ce siècle de grandes angoisses et de petites espérances. Ces héros furent surtout de beaux parleurs. Ils ne laissèrent que des discours, ce qui fit croire à beaucoup que parler était agir.

Or, dans ce cas précis, la parole est une forme de gesticulation, une sorte de trouble du comportement. Elle n'a rien à dire de soi, mais toujours beaucoup des autres. Leurs crimes. Leur racisme. Leur vénalité. Crois-tu fils, crois-tu toi aussi qu'il a suffi que des hommes viennent sur les terres d'autres hommes pour que, tout d'un coup, la lumière ne soit plus ? En dépit de nos divergences, je sais que tu ne peux penser cela. Tu es mon fils, Dio. Tes errements – déjà extrêmes et fort coûteux, mon petit – ne sauraient te conduire au-delà d'un certain seuil. Tu sais, ou supposes au moins, une faille par laquelle le mal s'est invité avant de prospérer. Lorsqu'il se présente à la porte des demeures, il a toujours la courtoisie d'attendre qu'on le convie à prendre place. Il se déguise, bien entendu. Jamais assez bien, cependant, pour que sa nature profonde ne soit pas révélée. Rarement assez bien pour que nul, depuis l'intérieur, ne donne l'alerte. S'il n'est pas reconnu, s'il n'est pas repoussé, le mal fait ce qu'il doit, ce qu'il sait.

Peut-être n'as-tu pas réfléchi à tout cela, dans le fond. Sans doute ne t'es-tu pas demandé comme moi ce que les nôtres faisaient ici, tandis que là-bas, on bâtissait des cathédrales, on construisait des caravelles. Je veux dire à ce moment-là. Pas plusieurs millénaires auparavant. Les pyramides nous font une belle jambe. Les restes du grand Zimbabwe aussi. Je parle d'un antan de loin postérieur aux âges antiques, mais dont nous ne savons rien. Quand l'Orient n'avait pas commencé. Quand le Nord n'avait ni poursuivi, ni achevé. Il n'en finit pas d'achever. Je sonde une mémoire somme toute assez proche. Que se passait-il dans l'entre-soi du Continent, dans l'intimité de ces peuples qui se disent frères depuis que, la même épreuve leur ayant été infligée, ils échouèrent au même endroit. Tous. Nous tous. Voici le trouble : être devant la porte, reconnaître les murs de la maison, en avoir égaré la clé. On rôde aux abords de la case, on prétend habiter quelque part. On se fait beau avec des vêtements empruntés, on se parfume, on traîne près de la demeure, pour feindre de ne pas l'avoir perdue au jeu de l'éclipse. Enfin, j'ai des raisons de m'être souvent interrogée sur l'état de notre conscience collective.

Pour toi, tout est personnel. Tu n'es pas en guerre contre l'Histoire, seulement contre la tienne, telle que tu la perçois. Que l'Histoire y ait sa part, tu le soupçonnes à peine, on ne t'en a rien dit. Certaines questions ne sont pas abordées avec les enfants, mais rien ne leur interdit de tendre l'oreille. Es-tu si sûr de n'avoir rien entendu, de n'avoir eu accès à aucun élément t'ayant permis de comprendre ce qui se jouait et ce dont tu étais issu ? Ne remets pas ta destinée en d'autres mains, fils. Tes parents ne sont responsables que de t'avoir mis au monde. Par-dessus tout, tu nous reproches, à ton père et à moi, d'avoir été un couple malheureux. C'est moi que tu hais le plus, je crois, de n'avoir pas quitté un homme qui me brutalisait et m'humiliait dès qu'il le pouvait. Ce que nous possédons, nous ne l'avons pris à personne, et tu en as bien profité. Quant à Angus Mususedi, ton grand-père paternel, s'il fut bien un administrateur colonial, nul autre que toi dans ce pays ne voit en lui un traître. Lorsque nous l'avons enterré, la ville entière a retenu son souffle. C'est par centaines que les gens l'ont accompagné à sa dernière demeure. Tu n'avais que trois ans, tu ne t'en souviens pas.

Cet homme austère et travailleur était aussi d'une probité dont j'hésiterais à faire l'éloge, tant elle semble inopportune dans cet univers de rapaces. Lui, qui signait les titres fonciers des autres, s'en est allé sur l'Autre Rive sans avoir acquis d'autre bien que la maison dans laquelle il avait vécu. Dans la cour assez spacieuse, ses enfants firent bâtir des espèces de dépendances qu'ils baptisèrent *studios* afin de les louer et d'en tirer un revenu. Angus était certes prince, mais le dernier d'une fratrie qui le spolia et contre laquelle il ne se défendit pas, préférant étudier, puis rejoindre l'administration coloniale. Ce n'est pas seulement parce qu'il était le plus jeune, que ses frères le privèrent de ses droits. On chuchotait dans le temps que sa mère avait eu une liaison. Les tests de paternité n'étaient pas en vogue à l'époque et il aurait été impossible d'en faire pratiquer un, de toute façon, sans éveiller les soupçons.

En outre, selon ce qui nous reste de tradition, l'enfant d'une femme mariée est celui de son époux. Quand il entama son cycle d'études supérieures, Angus vit mourir un à un ses frères et sœurs. La famille Mususedi enterrait tous les ans l'un de ses membres, jusqu'à la quasi-extinction de la fratrie. Seul ton grand-père survécut. La chefferie lui revenait, mais il refusa de l'occuper. On s'était bien sûr dépêché de lui imputer tous ces décès, on racontait qu'il avait sacrifié ses frères et sœurs pour s'asseoir sur le tabouret d'autorité, mais aussi, pour réussir si brillamment dans les études. Il renonça donc au titre de *janea*, priant le Conseil des anciens d'introniser un cousin germain. Puis, s'enrôlant dans l'armée coloniale, il s'en alla combattre le nazisme.

Tu méprises Angus, fils. Tu détestes qu'on l'ait fait chevalier dans l'ordre de la Légion d'honneur, et à titre militaire. Il était alors plus jeune que tu ne l'es aujourd'hui. Tu méprises. Tu as même honte. Mais toi, qu'as-tu accompli ? Le vieil Angus a fait en conscience le choix de lutter de l'intérieur. Il croyait important que les siens soient représentés au sein des instances où se décidait leur destinée. Il pensait se faire leur porte-parole. On raconte encore, dans certaines arrière-cours, qu'il faisait fouetter ses subalternes blancs, lorsqu'il jugeait cela nécessaire. On sait qu'il n'avait plus la nationalité coloniale, lorsque la mort s'est emparée de lui. Voilà ce que fut sa vie sociale et professionnelle. Il s'y jeta à corps perdu, afin de se soustraire à la solitude qu'il connaissait depuis l'enfance. Face à des frères qui le traitaient en paria. Face à une mère qui retenait son affection pour lui, craignant d'apporter crédit aux commérages, angoissée à l'idée que son époux ne la rejette. Face à une société qui attendait de le voir se désagréger, ce qui aurait confirmé qu'il n'était pas vraiment de sang noble.

L'administration coloniale ne remplaça pas la famille, mais elle fournit un cadre dans les limites duquel il put se déployer, montrer ses qualités, éprouver sa force, faire quelque chose de sa blessure. Pour un homme dont le nom était synonyme de puissance, il fallait trouver le moyen de conquérir ce pouvoir. Angus n'eut pour ses propres fils que des exigences. Il était imparfait, et nous le sommes tous. Si tu avais cherché à en savoir plus, peut-être son nom pèserait-il moins lourd sur tes épaules. J'avais de l'affection pour cet homme contrasté. Serviteur de grands idéaux, mais un père et un époux déplorable. L'amour n'était pas venu à sa rencontre lorsqu'il en avait eu besoin. Il n'avait su que travailler, tenter de se rendre utile. Il fut le seul, chez les Mususedi, à me traiter avec égards. Le seul à ne jamais faire allusion à l'Histoire dont tes oreilles ne surent capter la rumeur, ici même, dans cette maison.

En m'épousant, ton père, Amos Mususedi, ne possédait que son titre de noblesse, son diplôme et l'éventualité d'un avenir. Il faudrait de la rigueur, du travail, pour se lancer à l'assaut de ce futur. Cela ne fut jamais que secondaire, pas tellement parce qu'il n'aurait pas aimé accomplir certaines choses. Sa nature ne le prédisposait pas à l'effort. Il s'épuisait sitôt qu'il avait mis en route

25

un projet, ne trouvant d'excitation que dans les commencements. Il en est ainsi de tous les séducteurs. Une fois l'objet de leur désir à leur portée, ils s'en détournent pour un autre. Amos a bien dû créer trois ou quatre entreprises, dans des domaines aussi divers que la production de musique ou de films, l'importation de voitures, l'agriculture. Disons qu'il poursuit cette dernière activité, dans un certain sens. Il y a aussi cette boutique d'artisanat local qu'il a installée dans une des galeries du Prince des Côtes, mais tu sais que cet hôtel me vient de mon père. La fortune, la tranquillité matérielle, c'est moi qui les ai apportées à mon époux dont le talent n'est pas de gagner de l'argent mais d'en jouir. Le manque ou même l'idée du manque le plonge dans des abîmes de dépression. On le supporte mal, quand il est comme cela.

J'ai su veiller sur mon patrimoine, le vôtre à ta sœur et à toi, pendant qu'il dilapidait, avec application, le moindre sou gagné dans ses affaires. Tiki et toi n'avez manqué de rien parce que vous aviez une mère. De votre père vous hériterez un nom respecté, de votre mère la fortune qui solidifie le respect. Cela, tu l'as toujours su. Est-ce pour cette raison que tu aurais souhaité me voir m'affirmer davantage ? Ta sœur et toi avez vu des choses terribles. Un jour, Amos m'a jetée hors de la voiture. Il était au volant, moi sur le siège du passager, Tiki et toi sur la banquette arrière. J'avais désapprouvé une de ses futilités, une raie au milieu de sa tignasse crépue. Nous étions au milieu des années soixante-dix, il portait déjà des lunettes à grosse monture d'écaille, qui lui donnaient l'air louche. Point n'était besoin d'en rajouter, ce que j'ai exprimé avec une désinvolture un peu lasse.

Nous sommes sortis, je nous revois comme si c'était hier, Tiki portait une robe jaune, dont le corsage à col Claudine était orné d'un biais vert. Pour faire ressortir cette petite fantaisie, je lui avais acheté des sandales de la même couleur exactement. Elles m'avaient coûté un bras, déjà avant la dévaluation de notre monnaie coloniale. Après, les enseignes nordistes ont quitté le pays. La monnaie coloniale se montrait au grand jour pour ce qu'elle était : des bouts de papier sans valeur... Je me rappelle chaque détail de cette journée. Nous sommes allés déjeuner, nous le faisions souvent, au restaurant de l'hôtel. Nous avons mangé du faisan. Une extravagance d'Amos, qui réclamait du gibier ayant gambadé dans la brousse nordiste, ainsi que des fromages qui suaient tant qu'il fallait les réfrigérer, quoique cela fût sacrilège, d'après ceux qui goûtent ces denrées.

Pendant tout le repas, Amos s'est senti mal à l'aise. Ma remarque sur sa coiffure de proxénète lui avait ôté toute confiance en son charme. Ses œillades aux dames de l'assistance manquaient d'assurance, ne faisaient pas mouche. Il avait dans le viseur une femme en particulier, de bonne famille côtière, connue pour se passer de sous-vêtements. Sans doute pour ne pas gêner la circulation du sang. Elle ne lui accorda pas un regard, jetant son dévolu sur un avocat nordiste cuit et recuit par le chaud soleil de ce pays, devenu inadaptable aux contrées tempérées. C'était ma faute. Il ne parla pas d'elle, il n'est pas si grossier. Nous savions tous deux ce qui provoquait en lui cette crise de rage qui atteignit son paroxysme lorsque nous quittâmes le restaurant. Sur le chemin du retour, je fus donc éjectée de la voiture en marche. Le port de la ceinture de sécurité n'était pas systématique à l'époque, loin de là. Le mot d'ordre était *Walk on the wild side*, même ici, où nous avions reçu la chanson de Lou Reed en différé. Elle faisait donc encore fureur vers la fin de la décennie. Que te dire, fils. Ta sœur et toi m'avez vue rentrer, des heures plus tard, sans imaginer – qui l'aurait pu – l'incroyable périple que fut ma traversée de la ville. À pied. La moitié du corps écorchée. Ma robe déchirée. Je n'ai même pas songé à prendre un taxi que j'aurais payé à l'arrivée. Je n'ai pensé qu'à mettre un pied devant l'autre pour rentrer chez moi. Oui, chez moi. Amos a fait rénover et agrandir la maison. Je veux dire par là qu'il l'a rêvée, qu'il en a fait redessiner les plans, qu'il aurait souhaité du marbre de Paros plutôt que de Carrare.

C'est à moi qu'appartient la bâtisse. Je l'ai achetée environ huit ans après notre mariage à son ancien propriétaire, spécialiste des baux emphytéotiques. Il ne fut pas facile de convaincre cet homme. Il avait trouvé un système lui permettant de faire valoriser ses terrains par d'autres, avant de les récupérer au bout d'un certain temps. Vingt-cinq ans, dans la plupart des cas. S'il ne le faisait pas lui-même, ses rejetons les reprendraient. Cela convenait bien aux gens de cette côte, descendants de pêcheurs, nés sur les rives d'un fleuve se jetant dans l'Atlantique. Des siècles durant, ils n'eurent qu'à se baisser pour ramasser de quoi manger, n'apprirent pas à thésauriser, encore moins à faire fructifier leurs avoirs. C'est ce qui les pousse sur les voies de la truanderie, dans ces temps où l'être est défini par ses possessions matérielles. Je ne suis pas faite de la même glaise... Ton père ne vit plus dans cette maison depuis bien des années. Il joue les châtelains à la campagne, au milieu de ses plantations. Les contremaîtres viennent me rendre compte. C'est moi qui les paie, bien entendu. Si Amos est blessé ou malade, j'en serai avisée. Ce modus vivendi me sied. Nous nous parlons peu, ce n'est plus très utile. Lorsque viendra l'heure, la mort rassemblera nos corps. Notre union aura été honorable, car elle n'aura pas été rompue. Nos cadavres reposeront dans le même caveau, celui des Mususedi.

Ta famille, mon fils, n'est pas pire que la plupart. L'indigence matérielle n'est pas synonyme de vertu. L'opposition frontale au système colonial ne fut pas, non plus, le fait d'humains dépourvus de vices. Tes analyses mêlent, depuis toujours, des considérations sans rapport les unes avec les autres. Il te fallut nous châtier pour avoir fait ce que nous avons pu avec les cartes que la vie nous avait distribuées. Tu savais ta marge de manœuvre restreinte. À l'étranger, tu pouvais prétendre nous renier, pas vraiment nous nuire, même si certains ne se privaient pas du plaisir de colporter des ragots. Ils t'inventèrent des vies dont tu n'as pas idée, mais il fut aisé de les faire taire, et sans payer pour leur silence. Ta petite comédie n'eut d'autre spectateur que toi-même. Ce sont des années de ta propre vie que tu as gâchées en refusant d'occuper ton rang, d'exercer un emploi correspondant à tes qualifications, de fréquenter ton milieu. Nos amis — car nous en avons au Nord — auraient été heureux de te faire bénéficier de leur carnet d'adresses. Il n'y aurait pas eu, pour toi, de plafond de verre. Ce réseau fut un soutien précieux, lorsque notre monnaie fut dévaluée. C'est ainsi que ta sœur, par exemple, ne tira pas le diable par la queue lorsqu'elle était étudiante.

Par chance, j'avais conservé un patrimoine au Nord. Rien d'extravagant, mais j'avais eu la présence d'esprit de n'en rien faire savoir à Amos, même si nous sommes mariés sous le régime de la séparation de biens, ce qui ne fut pas simple à obtenir de lui. *La ville entière le saura*, avait-il dit, *et je perdrai la face.* Je m'étais montrée intraitable, à ma façon. Sans rien laisser paraître de ma détermination à préserver mes avoirs, j'avais expliqué qu'une telle mesure était, pour lui, la meilleure assurance. Après deux jours de réflexion, Amos s'était rendu à mes arguments. Il n'eut jamais à le regretter. Sous la plus furieuse tempête, je me tins à deux impératifs : ne pas me refuser à lui s'il faisait connaître son désir, et payer pour ses inconséquences, ses paris perdus, ses affaires foireuses. Payer. Les époux se doivent assistance. Il me reviendrait de m'en souvenir, je le sus dès que je posai les yeux sur lui. Je sus que devenir son épouse serait onéreux. Cette légèreté des nobles de la côte. Cette futilité. Ce n'était pas Angus, le benjamin mal-aimé d'une fratrie de huit enfants, qui avait dû trouver en lui les leviers pour s'élever, arracher son identité puis l'imposer au clan.

Ton père était le fils aîné d'un homme qui avait su ajouter, à la noblesse de sa naissance, ses mérites personnels. La figure d'Angus était écrasante, inatteignable. J'avais pourtant mes raisons de m'unir à celui qui devint mon époux. Amos faisait de l'effet aux dames. Il faisait partie d'une lignée prestigieuse, ce qui importe ici. Il était agréable à regarder, avait de l'humour et une sorte de fantaisie qui vous divertissait, ce qui était un atout lors des réceptions. Il avait de la culture et pouvait tenir une conversation sans surchauffe du cerveau, ce qui n'est pas si courant. Ces quelques qualités me suffisaient, j'étais déjà au fait de ce qu'une femme pouvait attendre d'un homme. D'une manière ou d'une autre, il faudrait payer. Dans ces conditions, j'estime avoir fait le bon choix. Il me fallait passer une porte dont Amos était la clé...

Tu nous as tourné le dos avec opiniâtreté, ne donnant pas de nouvelles une fois tes études achevées. Tout cela pour revenir, en fin de compte, t'installer sous le toit familial. Ici, dans cette maison qui te vit grandir ou ailleurs dans le pays, ton ascendance prévaut sur ton individualité. Tu es le fils d'Amos Mususedi. Le petit-fils d'Angus Mususedi. Ton nom te précède et te survivra, puisque tu as adopté l'enfant de ton ami-frère. Qu'il le veuille ou non, que tu le veuilles ou non, ce petit Kabral ne sera désigné que comme ton fils. En dehors de la salle de classe, aucun adulte ne lui demandera comment il s'appelle, mais qui sont ses parents. Avant l'établissement d'un patriarcat allogène qui imposa le pouvoir du patronyme, l'être s'inscrivait, de toute façon, dans deux lignées. L'obligation lui était faite, pour se présenter aux humains comme à la divinité, de convoquer ceux à travers lesquels il était venu parmi les vivants. Nous fonctionnons encore ainsi.

Cette femme et l'enfant de ton ami sont, entre tes mains, les instruments d'une vaine tentative de revanche. Tu es un piètre stratège, fils. Tu négliges l'état des forces en présence et n'as, en outre, qu'un objectif assez médiocre. Entrer en conflit avec une part inaliénable de soi-même est un combat perdu d'avance. Tu ne divorceras

31

pas du sang qui coule dans tes veines. Ce n'est pas ainsi qu'il faut s'y prendre, pour habiter une identité jugée inconfortable. Mieux que quiconque, j'aurais pu t'éclairer en la matière. Tu as creusé entre nous un fossé qui ne le permet plus. Je le répète, on ne peut tout dire aux enfants. Lorsqu'ils sont en âge de ne plus être considérés comme tels, il est enfin permis de se montrer à eux comme des individus face à d'autres. Avec pudeur. En y mettant les formes afin d'éviter tout embarras. Nous n'aurons pas ces conversations. Les paroles que je t'aurais adressées ne seront pas prononcées. Tout est ma faute. C'est toujours la faute de la mère. Qu'il en soit ainsi.

L'air est aussi lourd que la décision prise, l'acte posé ensuite, en pleine conscience. J'assume mon geste et ses mobiles. J'ai su que je ferais cela un matin. Elle était là. Cette femme que tu nous as ramenée du Nord. Dès le début, j'ai pensé qu'elle ne te convenait pas, mais ce matin-là, alors que l'aurore se prélassait encore là-haut, je l'ai surprise. Sur la véranda. Armée d'un balai dont j'ignore où elle l'avait trouvé. Peut-être s'imaginait-elle rendre service, faire la démonstration de qualités utiles à notre famille, m'être agréable puisque cette demeure est mienne, enfin, je ne sais ce qu'elle pouvait avoir en tête. Cette femme. Celle que tu nous as ramenée du Nord avec un enfant qui n'est pas de ton sang. Tu as choisi de l'adopter pour cette raison précise. Pas vraiment parce que son père, ton ami d'antan, était décédé. Tu aurais pu nous en parler. Avant de transmettre à un étranger le nom de tes pères, le patrimoine que j'ai fait fructifier, tu aurais dû me demander mon avis. Ce qui est fait est fait. J'accepte l'enfant. Il est jeune encore, et nous saurons le façonner, lui enseigner ce que je n'ai pu te transmettre. Tu n'auras pas la satisfaction de dévoyer ton titre, de détourner ta fortune pour la remettre en des mains inappropriées. Cet enfant sera prince, et agira comme tel. Il sera fortuné, tiendra à le rester. Je ne reculerai devant rien pour garantir ce résultat. Cette femme, en revanche, ne sera pas tolérée. C'est ce que je me suis dit, ce à quoi j'ai œuvré, dès l'instant où je l'ai trouvée dans cette attitude de bonniche.

À vrai dire, ce n'était pas la première fois. Une semaine auparavant, après le déjeuner, mue par un curieux instinct, cette femme s'est mise à débarrasser la table, prêtant main-forte à Makalando, notre cuisinière. La stupéfaction m'a laissée sans voix. Et toi qui ne disais rien. Je t'ai soufflé, je m'en souviens, qu'il était étonnant qu'elle ne voie pas, ne comprenne pas, j'en suffoquais. Tu as haussé les épaules, mon fils. *Ixora ne pense pas à mal, elle veut aider. Je lui parlerai…* Makalando, qui connaît sa place et sait se tenir, lui a expliqué que nous ne procédions pas ainsi. Cette femme que tu nous as ramenée du Nord la dérangeait, lui faisait, de plus, perdre la face, suggérant, en lui apportant cet appui non requis, qu'elle exécutait mal les tâches qui lui incombaient. Cette femme n'a rien compris, évidemment, est revenue à table penaude, n'a pas touché le sorbet de *kasimangolo* qu'on lui a présenté.

Que veux-tu faire d'une personne à ce point dominée par ses émotions et qui se met en tête de devenir l'amie de la bonne. Parce qu'elle se sent seule. Parce qu'elle a besoin de chaleur humaine. Parce qu'il lui faut découvrir ces vérités que, d'après elle, seules les petites gens détiennent.

Elle veut toucher du doigt le Pays authentique. Se mêler au *vulgum pecus* et retrouver ainsi l'enfance du monde, comme tous les Nordistes qui viennent chez nous. Que ne l'as-tu emmenée dans les bas-fonds de la ville, vivre sans groupe électrogène ni eau courante, dans ces baraques que les pluies de juillet emportent vers le néant. Que ne l'as-tu installée aux abords de ces rigoles qui charrient en toute saison une eau croupie d'où s'élèvent, à la nuit tombée, des nuées de moustiques guerriers, immunisés contre tous les insecticides.

Je n'aurais eu à m'occuper de rien. Les microbes et le tempérament revêche de notre peuple l'auraient essorée en moins de temps qu'il ne faut pour le dire. Elle s'en serait retournée vers des cieux plus cléments. Tu serais resté avec l'enfant, c'est de lui que tu as besoin. Tu aurais trouvé le chemin vers moi. Un sentier escarpé, dissimulé sous les avalanches de roches que tu n'as cessé d'y répandre au fil des ans, mais j'aurais fait l'autre moitié du parcours. À mon tour, je me serais avancée vers toi. Pour t'aider à élever le fils que tu t'es choisi. Tu aurais marché, Dio, mon petit, sur une voie sans détours. Je t'aurais accueilli sans t'embarrasser, sans ces effusions dont nous nous passons l'un et l'autre. Mais non. Tu es venu avec elle. Comme ça. Tu ne feras plus route vers ta mère, à présent. Qu'il en soit ainsi. Je ne me plains pas, ce n'est pas mon genre, et je n'ai plus de larmes. Je te regarde agir, repasse derrière toi, en silence. C'est ce que j'avais décidé de faire ce matin-là, lorsque je l'ai vue, brandissant l'artillerie de la femme de ménage. Il était urgent d'agir. Réparer les dégâts. Assainir ce qui pouvait l'être. Tu ne me remercierais pas, mais je ferais mon devoir.

Un jour, je ne serai plus de ce monde. Cependant, jamais je ne sortirai de ta vie. Tu n'as pas de vie sans moi. Aucune puissance dans l'univers tout entier ne peut rien contre cela. Tu mets tant d'énergie à me tourner le dos. Tu dois bien l'entendre, parfois, la petite voix qui te rappelle que ton corps a poussé dans le mien. Il n'y a que des fables pour évoquer la femme tirée de la côte de l'homme. Et ces inepties ne sont pas de notre conception. Pourtant, nos hommes se sont empressés d'y souscrire, sans comprendre qu'ils se soumettaient ainsi à des forces qui les piétineraient. Depuis, il n'y a plus d'hommes sous nos cieux. Seules les femmes demeurent. Elles font ce qu'elles peuvent. Ce qu'elles doivent. Si cette personne que tu as ramenée du Nord avait mérité le nom de femme, je t'aime, Dio, mon tout petit, mais j'affirme qu'elle ne t'aurait pas suivi. Depuis que vous êtes ici, tu ne l'as pas touchée. Le blanchisseur me rend discrètement compte de votre intimité. J'ai des yeux et des oreilles partout dans cette maison. Et je les récompense comme il convient, pour les précieux services rendus. Nous ne sommes pas ingrats vis-à-vis de ceux qui nous servent, pas sous ce toit, tu le sais. Mais la familiarité n'est pas permise. Eux-mêmes en seraient incommodés. Ils m'appellent *Madame* et baissent la tête en ma présence. En signe de respect. Ici, chacun sait que l'égalité n'est pas dans la nature. Autrement, les doigts de la main auraient tous la même taille. Ta prétendue fiancée ne survivra pas à notre mode de vie.

Elle ne s'est d'ailleurs pas arrêtée en si bon chemin, après avoir été surprise sur la véranda. Le soir, je veux dire

35

ce soir-là, pas le lendemain, cette femme n'a pas supporté la présence de quelques assiettes sales dans l'évier. Makalando fait la vaisselle à la première heure, avant de recevoir de moi les directives pour la journée, et de se rendre au marché. Le bruit m'a alertée. Je l'ai trouvée là, cette femme. Les mains plongées dans la mousse. Elle avait lavé deux casseroles dont l'aluminium étincelait comme jamais. Une machine n'aurait pu égaler ce résultat. C'était effrayant. Je me suis maîtrisée, je sais faire cela. Demeurer impassible en toute circonstance. Bien sûr, je n'ai pas exprimé mon horreur, ce que j'aurais pu faire avec tact. Je lui ai simplement dit que nous laissions la vaisselle ainsi jusqu'au matin, non parce que nous ignorions la propreté, mais pour nourrir nos ancêtres. Ta sœur et toi avez toujours entendu cela. Tu sais donc que c'est vrai. Nous offrons la première gorgée de chaque boisson aux morts qui ne sont pas, pour nous, des disparus. Nous leur laissons, de manière symbolique, leur part du dernier repas partagé.

Cette femme. Hum. Elle m'a regardée, interdite, la mousse lui recouvrant les avant-bras. Elle ne m'a pas crue, je l'ai vu dans ses yeux. Elle a souri, je suppose, s'est excusée en se séchant les mains, tandis que ses bras laissaient goutter un peu de mousse qu'elle s'est empressée d'éponger avec sa robe. Enfin, sa robe. Un petit morceau de tissu percé de trois trous. N'allons pas investir ce terrain-là, il y aurait trop à dire. Vraiment trop, mon fils. Cette femme s'est tenue devant moi, bras ballants, me fixant en silence comme une gamine prise en faute. Puis, elle a cru bon de me faire savoir que, n'ayant jamais eu de personnel à son service, elle faisait naturellement ces choses. C'est le mot qu'elle a employé : *naturellement*. Que devons-nous faire de cette indigence satisfaite d'elle-même... Je lui ai souhaité une bonne entrée dans l'obscurité.

Tu sais, je la comprends mieux qu'elle ne s'en doutera jamais. Cela ne change rien à la situation. Il y a ce que nous ressentons, ce à quoi nous aspirerions, et il y a la réalité. Ici comme ailleurs, nous avons des codes. Une vision du monde. Une manière d'être. Et, pour nous, l'ascendance servile est une des pires choses qui soient. Lorsque, par-dessus le marché, elle s'expose à travers gestes et attitudes... Cette femme ne sera pas tolérée, tu ne l'épouseras pas, nous ne célébrerons pas vos fiançailles. Je sais que les cartons d'invitation ont été envoyés, je m'en suis occupée moi-même. Une salle de réception a été réservée au grand hôtel Prince des Côtes, j'y ai veillé. Il y a quelques années, si tu étais rentré au pays quand nous t'attendions, c'est sous notre toit familial que de telles festivités auraient été envisagées. Ce temps n'est plus et, je viens de le dire, cette union ne verra pas le jour. Pour entendre la nouvelle qu'il nous faudra leur annoncer, j'aime autant que nos convives soient reçus dans un espace neutre.

Nous n'aurons pas le cœur à la fête ce soir-là, ni toi, ni moi, ni cette femme, où qu'elle se trouve alors. Or, cette maison a accueilli son lot de souffrances. Cette fois, c'est hors ses murs que nous sentirons monter en nous le chagrin. Toi, parce que tu seras placé face à toi-même, privé de l'échappatoire que constitue cette mascarade de couple. Moi, parce que je n'aurai pas réussi à faire de toi un homme, un héritier selon nos conceptions, et qu'il me faudra bien l'accepter. Je ne marierai pas mon fils, c'est une immense douleur. Je te perdrai peut-être. Une fois la chimère envolée, il est possible que tu ne supportes pas ta nudité, que tu n'aies pas la force... Nous verrons bien. Quoi qu'il en soit, l'enfant sera là. Piètre consolation, mais je m'en contenterai. Au moins, son géniteur était-il fils de ce pays, un homme sans titre, certes, mais pas sans dignité, et libre.

Pour le moment, je ne m'en approche pas tellement, de ce petit Kabral. Je l'observe. Un point positif a attiré mon attention. S'il aime sa mère comme tout enfant de son âge, comme toi au même âge mais tu l'as oublié, il n'est pas, cependant, accroché à elle comme une algue à son rocher. Cet enfant connaît la solitude. Il sait qu'il faut aimer les êtres sans en avoir besoin. Il sait des choses que tu n'as toujours pas apprises, nous t'avons trop protégé. Tu penses le contraire, te prends pour une sorte de martyr d'on ne sait quelle tragédie, ne cesses de nous embarrasser avec tes caprices. Crois-tu que j'ignore contre qui sont dirigées tes transgressions ? Il me semble pourtant que tu ne détestes pas le confort de cette maison, ses six chambres toutes pourvues d'une salle de bains, ses deux salons, sa piscine, son jardin paisible et élégant, l'air conditionné que tu laisses fonctionner en permanence pour maintenir à dix-huit degrés la température des pièces que tu utilises le plus. Il me semble que tu n'as pas souffert que ton patronyme t'ouvre les portes du monde des affaires, lorsque tu as choisi de t'établir ici. Tu as pris pour prétexte la mort de ton ami, l'enfant qu'il avait laissé, le devoir de pallier, auprès du garçonnet, l'absence du père.

Depuis quand as-tu le sens du devoir, toi le premier-né qui t'es dérobé devant ta charge ? Prendre les autres pour des idiots n'est pas une marque de bon sens. Surtout lorsqu'il s'agit de ta mère. Tu te fiches bien du devoir, de l'importance d'élever ce petit dans un pays où les hommes noirs ne sont pas méprisés. Ayant atteint le fond de l'impasse, il t'a fallu faire demi-tour, c'est tout, sans bien savoir d'ailleurs où tu irais. Ici plus que n'importe où, la défaite des hommes noirs est visible à tous les coins de rue. Certains pensent faire illusion en accumulant des biens, mais rien ne leur appartient, puisque le pays est entre des mains étrangères. De la cave au grenier, il n'est pas un millimètre carré qui ne soit la propriété du pouvoir postcolonial ou des multinationales qui le prolongent. Je n'ai pas ménagé mes forces pour vous assurer un héritage confortable, à ta sœur et à toi. Pourtant, je n'accorde pas la moindre importance aux choses matérielles. Je connais les symboles qu'y attachent le regard et la pensée – un grand mot, je sais – dans notre société exsangue pour ce qui est de l'esprit. J'agis en conséquence.

Tu peux considérer – je n'en serais pas étonnée si nous avions cette conversation – que mon approche est un avilissement consenti, pire que tout autre, de ce fait. Je suis venue au monde, fils, porteuse d'un poids bien assez lourd. J'avoue avoir capitulé devant ce nettoyage des écuries d'Augias. Nous avons plus d'une fois offensé le divin. Mon fourvoiement individuel, personnel, s'il ne lui retire rien, n'ajoute pas, non plus, à l'absurde de nos existences. De loin, j'observe les militants. Peu nombreux, ils poussent ce rocher qui roule vers le bas sitôt le sommet atteint. C'est qu'il nous faut laver, fils, et d'abord en dedans. Ce n'est pas la pente qui fait choir la pierre. C'est la boue. Ne me reproche pas ma trop grande lucidité. Ne me tiens pas rigueur de refuser le rôle de pionnière ou même d'agneau sacrificiel. Si tu as à redire, ne te plains pas du monde que t'ont laissé tes aînés. Ceins-toi la taille, empoigne le chasse-mouches, bats-toi pour ce en quoi tu crois.

L'air est irrespirable. Chargé. Il vaut mieux fermer la fenêtre. La pluie qui vient n'est pas ordinaire. D'ailleurs, ce n'est pas la saison. Quelque chose va se produire ce soir. Cela va arriver cette nuit, au plus tard. Tu ne comprendrais pas, si je m'en expliquais. Alors, je ne te dirai rien. C'est à moi seule que je parle. On m'obéit – pas toi –, on ne m'écoute pas. Lorsque je l'ai vue, cette femme sans généalogie que tu nous as ramenée de là-bas, faire le ménage dans le jour à peine levé, fredonnant une chanson guillerette comme si tout allait bien, comme si tout était normal, je me suis décidée à agir. Elle a souri, lorsque j'ai pris place sur ma chaise en rotin favorite, celle avec un grand dossier aux bords si savamment ouvragés que l'on dirait des pétales de fleurs. Je n'ai fait que hocher la tête. Je venais l'observer de près. Confirmer mon intuition. Apprécier la réalité de ce qui m'avait épouvantée.

Qu'elle s'engage dans cette activité sans nécessité, sans avoir été sollicitée en ce sens, pouvait déjà vous ébranler. Il y avait autre chose. Au début, j'ai cru reconnaître le plaisir, un contentement à mes yeux fort déplacé. Pourtant, ce n'était pas en cette troublante satisfaction que résidait le problème. Il m'a fallu un instant pour identifier la source de ma gêne. Cela m'a sauté aux yeux à un moment donné. Elle semblait avoir quatre bras, pour ainsi soulever chaises et poufs tout en continuant de nettoyer. Elle paraissait dotée d'un pouvoir lui permettant d'amener le balai à rétrécir pour pénétrer le fond du moindre recoin, afin d'en extirper une poussière que nul œil humain n'eût décelée. Cette femme que tu traînais derrière toi à l'heure de ton retour, fils, révélait, pour ce travail, une compétence suspecte. Atavique. C'était dans ses gènes. Ce savoir ménager était ce que lui avaient légué ses ancêtres. Voilà ce dont témoignaient ses gestes.

Une autre que moi se serait réjouie, voyant en cette personne un être corvéable. Une villageoise considérant sa bru non pas comme la compagne, mais comme la servante de son fils, aurait remercié la divinité de lui avoir envoyé ces bras industrieux, cette ferveur à briquer. Dans notre milieu, la chose est inconcevable. Nous employons des gens pour ces travaux. C'est à la fois une affirmation de notre statut, et le témoignage de notre solidarité avec les moins bien lotis. Avoir des domestiques est aussi une obligation morale. J'aurais pu le lui dire. Lui faire comprendre le caractère inapproprié de son attitude. Elle m'aurait entendue. On ne l'y aurait pas reprise. Cela n'aurait fait que camoufler l'élément servile. La chose apprise puis transmise au point de se confondre avec la nature, l'essence même de l'être. J'ai toujours su lire le dessous des cartes, anticiper les problèmes, les résoudre avant qu'ils ne se posent vraiment. S'il n'en avait pas été ainsi, la vie aurait depuis longtemps eu raison de moi. Cette femme s'en est allée ranger le balai, non sans m'avoir demandé si je voulais quelque chose, elle avait remarqué que je prenais un thé noir à cette heure, avec une cuillerée de miel sauvage et, aussi, des dés de plantain frits, un légume vert ou de l'avocat. Elle se proposait de préparer le tout. Hum. Mon fils. J'ai répondu que je n'avais pas faim.

Que penser d'une personne qui, pour s'attirer vos bonnes grâces, ne trouve qu'à se rabaisser ? On n'y songe pas. En général, on n'accorde pas d'importance à ces détails. Moi si, depuis toujours. Il était urgent de défaire cette mésalliance par laquelle tu t'apprêtais à nous compromettre tous. Esclave. Esclave. Esclave. Ce mot a tournoyé dans mon esprit la moitié de la journée. Il a fait gronder en moi un désordre tellurique, m'a fait vaciller d'un socle construit puis consolidé avec patience. On ne peut permettre quoi que ce soit qui fasse souffrir autant. Esclave. Le corps de cette femme ne connaît la date d'aucune abolition. Il n'a pas rompu avec ces ères que, pourtant, elle n'a pas vécues en tant que telles et, ce qu'il lui en reste, ce n'est pas la révolte. La prise de risques du marronnage. Elle se soumet, choisit le camp des subalternes. Sans attendre l'assignation, elle prend la place la moins enviable, courbe d'avance l'échine. Même Makalando, notre cuisinière issue d'une communauté sans titre ni gloire, se tient devant la vie et face aux êtres avec plus de hauteur. Elle gagne son pain comme domestique, mais se définit comme un être libre. Une habitante de Vieux Pays. Elles sont ainsi. Jamais il n'est possible de manquer de respect à Makalando. Elle l'impose.

Ce n'est pas moi qui l'ai embauchée. Elle était dans votre famille paternelle depuis ses années d'adolescence. Amos a souhaité sa venue sous notre toit et, lorsque nous nous sommes mariés, elle s'est arrangée pour me faire comprendre que nous ne ferions que lui verser un salaire. Son existence était sienne. Elle se présente à son heure, fait ce qu'elle doit, s'autorise une sieste de temps en temps. Quand vient le moment pour elle de nous quitter, Makalando passe une robe à fleurs ou une jupe plissée, glisse ses pieds plats dans des sandales à petit talon, se dirige vers ce qui l'attend loin d'ici. Alors, elle n'est plus Makalando, ce nom qui rappelle combien on l'a trouvée foncée à la naissance, sans grâce, donc. Car lorsqu'elle naquit, les peuples de cette région du monde avaient déjà été frappés de noirceur et portaient sur eux-mêmes un regard étranger. Lorsqu'elle s'en va étreindre son existence, elle devient Mado. Sa peau, ointe avec soin, brille un peu sous les derniers rayons du soleil, précédant avec douceur les étoiles qui siégeront là-haut à la nuit tombée. Ses coiffures, toujours hautes, lui dégagent la nuque, attirent l'attention sur son cou, sur la symétrie de ses épaules. Ses hanches opulentes roulent comme elle avance. Chaque pas, faisant tressauter le bas du vêtement, dévoile un bout de mollet. Parfois, avant de s'en aller, elle vient me demander *moni mwa ndio, l'argent du transport*, comme elle dit. Parce qu'il pleut. Parce qu'elle est trop fatiguée pour marcher. Parce qu'elle a un rendez-vous. Parce qu'on le lui doit bien. Je lui remets une provision mensuelle. C'est alors moi qui baisse la tête, gênée de n'y avoir pas songé la première.

Peu avant le déjeuner, ce jour-là, ce fameux jour où cette femme a entrepris de balayer la véranda, je t'ai vu rentrer, l'enlacer. On aurait dit deux êtres désincarnés. Tu la touchais, il ne se passait rien, ni en toi ni en elle. Si quelque scrupule avait pu m'assaillir, il se serait dissipé à ce moment-là. Ce que je m'apprêtais à détruire était sans signification ni valeur. D'abord, j'ai pensé casser le couple que vous finiriez par former une fois l'union consacrée, faire en sorte que le mariage annoncé au lendemain de ton retour au pays n'ait pas lieu. Puis, je me suis dit que, malgré tout, tu ferais partie de cet appareillage. Les armes que j'emploierais pourraient ne pas t'épargner. J'en ai choisi d'autres, pour ne viser, n'atteindre que cette femme. Je ne désire pas sa mort, sans en repousser l'éventualité. On m'a dit, là où je me suis rendue pour régler le problème, qu'il n'était pas possible de maîtriser tous les effets de l'opération. Les forces invoquées gouvernent seules l'issue. Tout ce que je peux affirmer, c'est que les épousailles n'auront pas lieu. Quelque chose est en marche pour se dresser en travers de votre chemin.

On m'a rappelé qu'il n'y avait pas d'actes sans conséquences, que je serais un jour affectée par les énergies sollicitées. Nous verrons cela. J'ai demandé si le choc en retour pouvait être de nature à vous priver de vos biens, vous, mes enfants. Il m'a été répondu que non, non, je serais seule touchée, atteinte avant tout dans mon âme. Hum. Je ne suis pas très inquiète. Mon âme n'a pas souvent été à la fête. Aurais-je pu la préserver en refusant le corps-à-corps avec cette société côtière tellement corrompue, me serais-je élevée en choisissant de nager à contre-courant ? Il est permis d'en douter. Il n'y a pas de modèle. Alors, j'ai pris le parti de l'ombre, sans aller trop loin, toutefois. Avant qu'il ne soit nécessaire d'extirper cette femme de ton existence, j'ai peu fréquenté l'occulte. Lorsqu'il fallut m'y résoudre, ce fut toujours pour vous protéger, Tiki et toi. J'ai su qu'il le faudrait la première fois que tes tantes paternelles, les sœurs d'Amos, sont venues ici pour me battre. Me remettre à ma place. Quand elles en ont eu assez, elles m'ont demandé de leur servir à boire. Du gin. Du whisky. Puis, l'une d'elles, Sulamite, a dit : *N'oublie pas que la royauté se forge d'abord dans le ventre des mères. Ton mariage avec notre frère ne lavera pas le sang de tes enfants.* Et elle a ri, de ce rire d'ogresse. Son corps monumental était immobile. En dehors de la bouche qui s'ouvrait, s'ouvrait, s'ouvrait, sous l'effet de l'hilarité. J'ai parfaitement compris son propos. J'étais enceinte de toi. Ma grossesse n'avait pas un trimestre, et j'aurais pu te perdre, sous les coups de ces monstres. C'est une jeune femme apeurée qui te porta dans son sein. Amos était à l'étranger, un prétendu voyage d'affaires, dont il profitait bien sûr pour voir une autre femme. À son retour, pas un bleu ne me marquait la peau. Pas une plainte ne me vint. Je ne lui parlai pas de la visite de ces harpies.

C'est à cette époque, celle de ma première grossesse, que je fis la connaissance de Sisako Sonè, qui s'occupe de nous trois depuis tant d'années. Vous, mes enfants, et moi, votre mère. Comme bien des personnes de sa génération sur cette côte, un prénom biblique lui a été donné, mais malheur à qui l'appellerait Ruth. Voici comment je la rencontrai. Après le départ de tes tantes, Makalando se chargea de nettoyer mes plaies, de me prodiguer les premiers soins. Pendant qu'elle massait mes bosses, s'assurant de ne déceler aucune fracture, elle se mit à fredonner : *Le nom de ton mari est Mususedi. N'oublie pas ce que cela signifie. Toi, tu es née Mandonè. Ton aïeul, Makakè*

45

Mandone, ne fut pas nommé ainsi par hasard. Ses enfants — filles et fils — héritèrent tous du nom de Mandone que nul autre ne portait dans la communauté. Il importait d'annoncer clairement cette filiation. Tu sais pourquoi. L'histoire de Makake Mandone est connue sur toute la côte et au-delà. La grandeur est de ton côté, femme, mais tu vois le monde à la manière de cette vermine qui se targue d'être bien née. Vois comme elles t'ont traitée. Sulamite et Judith, ces deux tortionnaires. Dis-moi où est la noblesse ? C'est pourtant ainsi qu'elles la conçoivent. C'est ce qu'on leur a enseigné. C'est aussi ce que tu leur permets. Tu peux encore quitter ces gens et faire honneur à Makake Mandone.

Je me redressai de mon mieux, pensant avoir mal saisi les paroles de sa mélopée incantatoire. Je voulus les lui faire répéter. Makalando sourit comme elle sait le faire, seulement du regard. *Sona Madame, Petite Madame*, dit-elle, *tu es épuisée. Je n'ai fait que chantonner pour apaiser tes douleurs, je n'ai rien dit de notable. Les soins que je te prodigue ce jour ne suffiront pas. Tu devrais voir une* nganga, *avoir la tienne. Cherche celle qui se nomme Sisako Sone, elle reste à Vieux Pays...* Makalando et moi n'évoquâmes plus Sisako. Je ne lui appris rien de mes entrevues avec la guérisseuse, ne sus pas si elle-même la consultait ni quels étaient leurs rapports, bien qu'elle résidât aussi à Vieux Pays. Chacune reprit sa place et son rôle dans la maison. Lorsque tu naquis, elle ne m'appela plus *Sona Madame*, mais *Madame*, tout court.

Par la fenêtre, j'observe le jardinier. Ses gestes réguliers, sa manière de mesurer l'effort, de l'économiser, tout en effectuant à la perfection la tâche qui lui incombe. Il

46

est à notre service depuis si longtemps. Si l'envie l'en prenait, il pourrait dévoiler mille secrets. Ce qu'il a vu de nous au cours des ans. Ce que beaucoup ne peuvent imaginer, même s'ils ont parfois entendu quelques bruits échappés d'ici. Cette demeure imposante ne pouvait les retenir tous. Ils se sont évadés, se laissant happer par les lèvres des commères qui les ont propagés. Partout où une oreille disponible voulait les recevoir. Sachant qu'il en serait ainsi, je vous ai enseigné, à ta sœur et à toi, que vous aviez un patronyme. Que vous étiez ce nom. Que n'ayant pas nécessairement à le défendre, vous deviez laisser les médisances vous glisser sur la peau. Comme l'eau sur les plumes du canard. Il n'y a que deux catégories de personnes : ceux dont on parle, et ceux qui parlent des autres. Appartenant à la première par votre naissance, vous deviez, contrairement aux gens du commun, avoir de l'élégance. Ne jamais vous abaisser à répondre aux insultes. Ne jamais devenir, vous aussi, des êtres sans substance, ne sachant que regarder vivre les autres.

Ai-je mal agi ? Ce n'est pas mon opinion. Même si je ne vous ai pas tout dit. Surtout à toi, qui avais besoin de savoir. Deviner les choses comme le fit ta sœur ne t'aurait pas suffi. Tu avais besoin de cette conversation que je ne peux avoir avec personne. Quel âge avais-tu lorsque, prenant ton courage à deux mains, tu es venu me supplier de quitter Amos... Cela m'a déchiré le cœur, mais je n'en ai rien laissé paraître. Je t'ai dit que les enfants n'avaient pas à se mêler de ces affaires-là. Tu as dû présenter tes excuses, promettre de ne pas recommencer. Quelques années plus tard, accompagné de ta sœur, tu as pourtant récidivé. Il faut dire qu'Amos s'était surpassé. J'ai répondu que les enfants n'avaient pas à s'immiscer dans les affaires des grandes personnes. Tu ne m'as plus accordé un regaid. J'étais dure, je sais. Je vous interdisais, à Tiki et à toi, de pleurer, de manifester la moindre émotion, lorsque vous me voyiez le visage tuméfié ou incapable de me mouvoir des jours durant, après une des crises de votre père. Très tôt, ta sœur est passée outre à ces consignes.

Elle venait près de moi, m'imposait ses soins de fillette, puis d'adolescente, pleurait à chaudes larmes. Parfois, je pleurais avec elle. Chaque fois qu'elle demandait comment cela était possible. Amos était-il fou ? Elle n'avait pas tort de s'interroger de la sorte. Votre père vous adorait. Pour vous faire plaisir, il se livrait à des activités dont j'étais incapable : raconter des histoires et même les inventer, faire de la balançoire, danser ou faire le pitre pour vous amuser. Je vous ai souvent corrigés. Jamais Amos n'a levé la main sur vous. Jamais il n'est rentré à la maison le soir sans vous avoir acheté une douceur. Alors, ta sœur avait raison. Il y avait, dans ces accès de violence comme dans certains autres comportements, la marque d'un déséquilibre psychologique. Le genre de choses que l'on ne détecte pas avant d'avoir vécu avec quelqu'un. Or, de notre temps – dans notre milieu du moins – il fallait se marier pour loger sous le même toit sans offenser la morale. Il était trop tard, lorsque le compagnon choisi libérait les démons tapis en lui.

Cette pièce est ma préférée. Je l'ai entièrement meublée et décorée. Le cuir du canapé Chesterfield s'est patiné avec les ans. L'acajou de la table basse est demeuré intact. Sur le buffet, un vase en cuivre retient toujours ce bouquet de plantes séchées. Au milieu, un minuscule épi de maïs continue de trôner. Enfant, tu as tenté de le dévorer, manquant t'étouffer avec les grains durcis. Je l'ai tout de même conservé. Il est là, presque intégralement dénudé. Chaque fois que je le vois, je me souviens du garçonnet qui portait à la bouche tout ce qu'il trouvait beau. Aujourd'hui, tu aurais plutôt tendance à te méfier de ce qui t'attire. Tu te tiens à distance. Ton corps repousse ce qui lui plaît. Tu n'absorbes pas, ne te laisses pas absorber, renies toute sensualité. C'est pourquoi tu l'as choisie, cette femme que tu nous as ramenée du Nord. Tu ne l'aimes pas, ne la désires pas. Au début, elle a été ta complice dans cette comédie du couple. Puis, cela s'est arrêté. J'ignore pourquoi elle a cessé de jouer. C'est arrivé un jour. Elle était sortie seule, au tout début de l'après-midi, lorsque le soleil rosse les vivants et les morts. Lorsque la terre semble sur le point de s'embraser et que la vie s'écoule au ralenti. Elle avait revêtu une de ces tuniques qu'elle prend pour des robes, je n'ai pas remarqué ses chaussures. Ce vêtement me perturbait, comme tout ce qu'elle arbore. Elle ne doit pas connaître sa taille. Ce n'est pas sa quasi-nudité qui m'a dérangée. Je déplore que le christianisme soit venu recouvrir les corps de nos ancêtres et ne me sens bien qu'une fois libérée du soutien-gorge.

Pourtant, j'avoue porter peu d'estime à certaine expression de la féminité. Je n'aime pas que les femmes soient légères, même en apparence. Lorsque nos aïeules allaient découvertes, leur attitude était fort différente de celles qu'adoptent ces femmes d'aujourd'hui qui n'ont rien d'autre en tête que se faire remarquer. Passé l'âge de quinze ans, cette immaturité a de quoi inquiéter.

Cela peut masquer un désordre, une plaie intime. Peut-être une agression sexuelle dont on affronte l'empreinte de cette façon. Esclave et désaxée ? Dio, mon enfant, prends pitié de nous, toi aussi… Un seul des deux termes suffirait à ravager une famille dans ce pays. La réputation. La valeur du nom. Tout cela serait menacé. J'entends d'ici les commères se gausser en tapant des mains : *Vous avez alors vu la* bordelle *du fils Mususedi ?* J'entends ce qui se dira dans les lourds silences qui l'accompagneront où qu'elle aille. Que tout de même, on le sait ici sur cette côte, le *nyunga bakom* a d'abord servi à se débarrasser des fauteurs de troubles, des malfaisants. Ceux qui viennent à nous plusieurs siècles plus tard, de qui sont-ils les descendants ? Ont-ils tous des ancêtres innocents ? J'entends affirmer que *rien n'est pour rien*, que Nyambe sait ce qu'Il fait. J'entends la déploration, la feinte compassion pour les souffrances endurées dans ce système barbare que les Nordistes mirent en place puis, très vite, le mépris, malgré tout, parce que, coupable ou non, un vaincu n'est rien. Tu vois, nous disons *nyunga bakom, commerce des esclaves*, et prenons ainsi nos distances avec ce qui devrait nous être un traumatisme. Le point de vue de celui qui fut arraché, celui de ceux à qui on le déroba, ne nous importe guère. Nous disons *commerce*. Pas razzia. Pas terreur. Pas perte. Pas deuil. Nous disons *esclaves*. Pas sœurs, filles, promises.

Comprends-tu ce qu'il faudrait affronter pour faire accepter cette femme que tu as cru devoir nous ramener du Nord ? Elle n'aurait pas été la première sans généalogie à s'établir ici, ni même à épouser un homme de notre côte. Les autres, qui ne furent pas nombreuses, eurent, pour leur faciliter la vie, trois avantages que le sort refusa d'accorder à cette femme. D'abord, elles avaient le teint clair. Le genre de complexion qui ne s'achetait pas encore chez l'esthéticienne dans le temps. Ensuite, elles avaient les cheveux longs. Plus frisés que crépus. Enfin, ces révélateurs d'une ascendance blanche – donc supérieure – étaient soulignés par la distance qu'elles mettaient entre elles et tout ce qui était d'ici. Cela devait requérir bien des efforts, mais elles surent tenir bon. Passer pour hautaines. Retourner à l'envoyeur le crachat, avant même qu'il ait été expulsé. On ne les aimait pas. Ce n'était pas bien grave : qui aimait-on, dans le fond ? Cette femme n'est pas de la même trempe. Celle que tu avais amenée avant non plus, mais elle aurait trouvé un autre modus operandi. Son prénom lui-même levait le poing. Je ne l'ai jamais oubliée, Amandla. Venue au monde hors de toute lignée elle aussi, mais dotée d'un esprit, pleine de quelque chose. Tu éprouvais pour elle des sentiments puissants. T'y abandonner revenait à changer de cap. Pour l'épouser ou même partager son quotidien, il t'aurait fallu faire plus que tolérer la vie. Y sauter à pieds joints. Je ne lui ai pas fait bon accueil, mais je connaissais sa valeur. Vous vous êtes quittés sans mon intervention. Puis tu es revenu, avec cette femme.

Elle était sortie seule alors que le soleil redessinait le monde au chalumeau. Était-elle allée te trouver à ton bureau, errait-elle dans les rues lorsque ta route croisa la sienne ? Toujours est-il que vous êtes rentrés ensemble. Elle avait changé. Je l'ai vu dans ses yeux. Ils s'étaient ouverts. Détournés de toi. Ils avaient entrevu l'inattendu. Contemplé leur propre vérité. Leur éclat ne serait plus pour toi. D'ailleurs, depuis ce jour-là, vous vous disputez sans cesse. J'ai songé que l'œuvre était en cours. J'avais fait ce qu'il fallait et n'avais plus qu'à attendre. Pourtant, il était un peu tôt. Je ne m'en étais remise à l'occulte que la veille. Sisako m'avait, pour la première fois, refusé son appui. Nommant comme toujours ma mère puis mon père, elle m'avait enveloppée d'un regard las, avant de lancer : *Fille d'Ebokolo et de Mandonε, n'auras-tu donc rien appris à mon contact au fil des ans ? Ne viens pas m'insulter en me demandant cela. Et n'attends pas de moi que je t'indique le chemin. Tu trouveras seule la porte à passer pour accomplir ce travail. Tu es femme, comme celle que tu t'apprêtes à blesser. Elle ne t'a causé aucun tort. Tu n'as donc pas l'excuse d'agir pour te défendre.* Sisako a ajouté qu'elle avait su, dès le début, que mon âme serait difficile à soigner. Elle reconnaissait sa défaite, se tiendrait à mes côtés lorsqu'il faudrait retirer les souillures que mon *crime* aurait déposées en moi. Baissant la tête, elle avait soufflé : *Va-t'en à présent, ne reviens pas avant d'en avoir fini avec l'ombre, si tu persistes dans ton choix. Je ne t'abandonnerai pas, fille d'Ebokolo et de Mandonε. Tu m'enseignes l'humilité. Souviens-toi que je t'aime, même si cela ne te suffit pas, même si cela ne te guérit pas.*

Ces paroles m'avaient valu nombre de nuits sans sommeil. Des hectolitres de larmes versées dans la solitude de ma chambre. Une confrontation sans faux-semblants avec mes mobiles, une immersion dans leur source. Une fois de plus, j'avais admis, reconnu et nommé ma douleur. Une fois de plus, j'avais dû m'avouer mon incapacité à la transcender, même après tout ce temps. Je n'étais descendue en moi-même que pour y trouver ces deux spectres qui gardent les portes de ma conscience depuis si longtemps : la peur, la honte. L'idée que la famille soit raillée, regardée de haut pour avoir accueilli cette femme m'angoissait jusqu'à la nausée. Ce que j'avais supporté dans le huis clos des relations avec ma belle-famille et parfois avec votre père lorsque son intérêt était d'aller dans le sens de son clan ne pouvait devenir, par bru interposée, une affaire publique, incontrôlable.

C'est en tremblant que je me suis rendue chez un être dont la fonction n'a pas de nom. C'est à voix basse que j'ai demandé que cette femme soit séparée de toi. C'est tout. On m'a ordonné de préciser ce que j'entendais par séparation. J'avais pris le temps d'y réfléchir. Ce que je désirais, c'était qu'elle ne se marie pas avec toi, mais qu'il te soit permis de garder l'enfant que tu avais adopté. À ce jour et peut-être pour toujours, il est mon unique petit-fils. On ne s'est pas enquis de mes motivations. Néanmoins, on a tenu à me rappeler ceci : *Quoi qu'il arrive, l'enfant procède de sa mère et d'elle d'abord. Cette femme ne pourra être séparée que de ton fils, pas de l'enfant qu'elle a mis au monde.* J'ai hoché la tête. Le mal était rarement absolu. Un espace demeurait pour que justice soit rendue. J'ai parié sur l'avenir... En la voyant à ce point changée, un éclat dans les yeux qui n'était pas pour toi, je me suis reproché mon empressement. Puisqu'il n'y avait rien entre vous, la séparation aurait sans doute fini par se produire. Un divorce. Par exemple. Une rupture avant la publication des bans. L'idéal. Tant pis. J'avais agi.

Le jour s'évanouit peu à peu. Le jardinier lave ses outils à grande eau, tire sur le tuyau d'arrosage pour se rincer les pieds. D'un geste rapide, recueillant au creux de ses mains l'eau d'un robinet, il se nettoie les mollets, les tibias. Il me salue en passant devant la fenêtre avant d'aller ranger ses outils. Je hoche la tête. Sans dire un mot. Sans esquisser un sourire. Ma morosité l'inquiète moins que les nuages qui enflent là-haut. Il lève les yeux au ciel, presse le pas. Que la pluie ne le trouve pas en chemin. Ici, la pluie est comme le soleil de midi : implacable. Lorsque vient sa saison, elle peut durer plusieurs jours d'affilée. L'homme a raison de se hâter. Comme pour tous mes employés, je sais où il reste. J'ai tenu à connaître leurs conditions et lieux de vie, avant de sceller l'embauche. Savoir qui ils étaient vraiment. Où rendre visite à leurs enfants malades. Où faire porter des vêtements à leurs épouses. Ils se sont étonnés de cette marque d'intérêt. Dans ce pays, nul ne se soucie du personnel, toujours taillable et corvéable à merci. On leur verse un salaire. Parfois de manière très épisodique, mais ils ont un travail. Un statut social. Que faudrait-il faire de plus ? C'est ce que l'on pense, dans notre bonne société, surtout parmi les gens *bien nés*.

Vêtus de leurs beaux costumes, bardés de diplômes obtenus au Nord, ils ont conservé la mentalité des castes privilégiées d'il y a plusieurs siècles. Les usages des notables que l'on enterrait avec leurs serviteurs, leurs femmes. Être à leur service, c'était leur vouer son existence. Ne plus s'appartenir. Précéder puis assouvir leurs moindres désirs. Aujourd'hui encore, il n'est pas rare qu'untel exige d'être conduit par son chauffeur à toute heure. Sept jours par semaine. Les Mususedi sont de ceux dont les ancêtres prenaient comme gens de maison, et comme main-d'œuvre agricole, des captifs venus du *mbusa mundi*, l'arrière-pays. À leur arrivée, un nom côtier leur était imposé.

L'obligation leur était faite de ne jamais plus mentionner leur pays natal. Leur descendance ne saurait ni le nommer, ni le situer. C'était à ce prix qu'ils trouvaient leur place au sein de la communauté : on prétendait les vider d'eux-mêmes, les remplir d'autre chose. La culture côtière exigeait d'être absorbée autant qu'elle dévorait, ne se laissant en rien imprégner par les usages des assujettis. Bien que possible et assez fréquente, l'ascension sociale des descendants de captifs ne permettait pas que l'on oublie leur origine. Elle leur interdisait d'occuper le tabouret d'autorité. En certaines circonstances, le sang parlait plus fort que tout le reste. Cet état de fait perdure. Nul ne se vante d'une ascendance servile. Nul ne s'enorgueillit d'être un descendant de vaincu. Le courage et le sens de l'honneur face à la défaite sont des victoires sur le plan spirituel. Les gens de notre côte n'élèvent pas jusque-là leur compréhension des choses.

Je n'ai pas fait tourner la climatisation. J'entends le cri des oiseaux, les rumeurs du voisinage. Les employés de maison rentrent chez eux. Les veilleurs de nuit prennent place devant les grilles en fer forgé des villas ou des résidences cossues. Les uns et les autres échangent de longues salutations, des rires. Nous habitons un de ces quartiers résidentiels dont on ne voit que rarement les habitants. Tout juste a-t-on le temps de les apercevoir, lorsqu'ils regagnent leurs pénates, bien à l'abri dans l'habitacle de leurs berlines à air conditionné. Ensuite, ils se terrent derrière les hauts murs d'enceinte qui clôturent leurs demeures massives. Désormais, on se barricade. Une fois chez soi, on active les systèmes d'alarme, on met en route les caméras, on ferme à double tour. Les agressions à domicile sont monnaie courante, et ne sont plus le fait de la dictature qui faisait autrefois passer ses assassinats pour des crimes de droit commun. Nos veilleurs de nuit ne montent plus la garde que pour la forme. Ils ne font pas le poids face aux bandits de nouvelle génération, jeunes déterminés à ne pas laisser passer l'occasion de jouir des biens de cette terre. Je le répète : ici, les derniers resteront les derniers, nul n'aspire à faire partie de ce contingent. La bourgeoisie actuelle emploie des agents de sécurité en uniforme. Cela ne change rien. Nous vivons comme nos voisins. Chacun chez soi. Nous ne nous fréquentons pas forcément. À mon âge, on ne tisse pas de nouveaux liens. D'ailleurs, le pays pullule à présent d'individus à la fortune douteuse. Il y en a toujours eu, mais c'est pire qu'auparavant.

Les riches du XXIᵉ siècle n'ont ni manières ni éducation. Jamais ils n'ouvrent un livre, ne possèdent pas de bibliothèque. Tout ce qu'ils savent, c'est le prix des choses. Alors, ils se couvrent jusqu'à l'asphyxie d'effets de marque. Quoi qu'ils fassent, on les reconnaît. Ils parlent, marchent, agissent comme ce qu'ils sont. Des gens trop vite passés de la natte au lit *king size*, du bain dans l'eau sale du marigot aux remous du jacuzzi. Ils n'en reviennent pas de manger avec des couverts, ne touchent plus rien avec les doigts. Il ne faut pas s'attendre, lorsqu'on est reçu chez eux, à ce qu'ils aient la délicatesse de prévoir un rince-doigts pour qui voudrait déguster avec plaisir l'aile ou le pilon de son poulet grillé. Non. Le Blanc leur a fait découvrir la fourchette. Peu leur importe que l'élégance consiste d'abord à ne pas embarrasser les autres, à les mettre à l'aise. Pour le malheur de ce pays, ces gens sont

56

partout. Armés de billets de banque, ils se sont frayé un chemin vers des espaces autrefois relativement préservés de pareille engeance. Ceux de notre génération mettaient un genou à terre avec la dévaluation de la monnaie, mais aussi parce qu'ils avaient souvent été plus cigales que fourmis. Contre une aide financière qui tombait à pic, certains n'hésitèrent pas à coopter ces riches sans mémoire, leur permettant ainsi de prendre place dans le cercle.

Dans ces clubs hérités des colons, on prétend s'atteler à des actions caritatives. En réalité, on s'y compromet les uns les autres. On se tient. *Si je tombe, vous dégringolez tous*, voilà ce qui résume chaque conversation. Le pays est le domaine de ces groupes mafieux déguisés en organisations diverses dont il importe de faire partie, et qui reçoivent leurs ordres de l'extérieur. Rien d'étonnant. Le pays n'est pas vraiment de fabrication locale... On ne pénètre pas accidentellement dans ces sphères privilégiées. On vient y chercher quelque chose. Pour l'obtenir, on paie un prix souvent élevé. C'est ce que j'ai fait, d'un certain point de vue. Non pas en épousant votre père, mais en refusant de le quitter. À la différence d'autres, ce n'était pas la quête du pouvoir qui me motivait. C'était celle de la respectabilité. Ai-je mal agi ? Hum. Je ne me suis pas dressée contre ce système, j'ai composé avec. Pour que l'on ne vous regarde pas, que l'on ne vous parle pas comme on avait pu le faire avec moi. Il m'arrive parfois de me traiter d'idiote. Cela ne dure pas longtemps. Je vous ai donné un nom que nul ne foulera aux pieds. Je vous ai garanti un patrimoine. Le reste, il vous faudra le conquérir. Tu vois, les mères ne peuvent pas tout.

Ces mots qui défilent dans mon esprit, je les ai couchés sur les pages d'un cahier. En partie. On ne peut tout écrire, mais je consignerai l'essentiel. Tu pourras m'accuser d'avoir eu recours à la sorcellerie pour rompre tes fiançailles. Une question me taraude. Faut-il te remettre ces confessions sitôt la rupture constatée, ou serait-il préférable que ta sœur et toi les trouviez plus tard. Quand je serai morte et que l'on fera le tri dans mes affaires. C'est Tiki, j'en suis certaine, qui trouvera ces lignes. Elle remarquera qu'elles s'adressent à toi. J'espère qu'elle comprendra. Je m'y suis mise quelques semaines après ton retour. J'aurais tant voulu te parler. J'aurais dû venir te voir là-bas, au Nord, quand tu ne nous écrivais pas, quand nous avons compris que tu coupais les ponts. Tu t'en souviens, la monnaie que nous prêtent les Nordistes a été dévaluée. Nous avons connu des périodes difficiles. Il a fallu s'y adapter. Encaisser les loyers de nos locataires était tout à coup devenu un emploi à temps complet. Maintenir le bon fonctionnement des plantations situées à la lisière du *mbusa mundi*, aussi. Et puis, je trouvais ton attitude inqualifiable, ce qui m'a empêchée de me conduire en adulte. En mère. D'appliquer à la situation une saine autorité, au lieu de cette rage froide devant les caprices d'un enfant.

Ce que j'ai commencé à noter, j'ai tenté de te le dire. Ce n'était jamais le bon moment. Soit tu étais occupé, soit tu n'étais pas seul. La plupart du temps, avant le jour où elle n'eut plus d'yeux pour toi mais pour un indicible caché en elle, cette femme te suivait comme une ombre. Se glissait dans le moindre de tes pas, cherchant son souffle dans le tien, incapable de respirer sans ton assistance. Ses journées se passaient à t'attendre, elle ne reprenait vie qu'à l'approche de ton retour. C'était alors seulement que la voix de son enfant lui parvenait. J'aurais voulu m'expliquer de vive voix. J'aurais parlé et toi aussi. Je n'aurais pas ordonné son départ, tu as passé l'âge de telles injonctions. Je t'aurais fait comprendre que cette femme et moi sommes les deux faces d'une même pièce. Il nous est impossible de nous regarder, encore moins de nous rejoindre. Je n'ai pas voulu cela. Nous sommes, elle et moi, condamnées à nous donner le dos. Le profond agacement qu'elle suscite en moi, l'angoisse de la déchéance sociale, toutes ces émotions dénuées de grandeur ne doivent pas être comprises comme de la haine. Ou alors, si je hais, ce n'est pas elle.

Sa présence sous notre toit ravive une peine dont tu ne sais rien, mon fils, et qui est pourtant l'une des réponses que tu cherches. Une des clés de cette histoire familiale que tu déchiffres mal. Tu ignores sur quels éléments elle repose, les fragiles fondations du foyer que j'ai pensé créer avec ton père. La réalité a mis en lambeaux mes ambitions, comme un rocher l'aurait fait d'une fine étoffe accrochée à une falaise. C'est cela. Je me tiens seule au bord de la falaise et mon existence, telle que tu l'as connue, telle que tu la connais encore à ce jour, se résume à m'efforcer de ne pas tomber. Ne pas me laisser abattre par les coups de tes tantes paternelles, autorisées à me corriger, à me redresser. Ne pas me laisser détruire par ton père qui n'a épousé qu'un compte en banque. De cela, je ne me plains pas. C'est ce que je lui ai montré de moi, pensant n'avoir que cet atout.

Ta sœur et toi avez assisté à l'escalade de notre échec en tant que couple. Vous avez grandi en vous interrogeant sur la relation dont vous étiez le fruit. Et vous en avez souffert, chacun à sa manière. Tu m'aurais trouvée plus digne si j'avais plié bagage, exigé que votre garde me soit confiée. Hum, fils. Dans une société telle que celle-ci, cette dignité-là ne vaut pas grand-chose. S'il ne faut me reconnaître qu'une seule qualité, c'est la lucidité. Jamais je ne me suis prise pour l'héroïne que tu aurais voulu me voir devenir. Rien ne m'y prédisposait. De plus, j'avais vu sombrer des âmes nobles, périr les espérances pourtant légitimes de personnes refusant de se conformer au modèle dominant. Tu connais mon amie Solace. Tu sais ce qu'elle a vécu, ce qui lui est arrivé. Tu le sais. Ta sœur écoutait aux portes quand vous étiez petits. Elle te rapportait ce que tu pouvais entendre. Je sais qu'elle t'a parlé de Solace. Elle l'a entendue me confier les frasques de Richard, son mari. Parler des enfants qu'il semait à travers la ville et qui lui ressemblaient comme deux gouttes d'eau. De ses maîtresses qui déambulaient partout avec les mêmes vêtements que ceux de Solace. Ce qu'elles racontaient en pénétrant dans un salon de coiffure, dans un restaurant où se réunissaient les membres de leurs tontines, à propos des voyages effectués aux côtés de cet homme, de la maison qu'il était en train de leur faire construire.

Pendant ce temps, mon amie peinait à joindre les deux bouts. Ils habitaient une villa immense, tu t'en souviens, encore plus impressionnante que la nôtre, avec une armée de domestiques qui n'étaient pas rémunérés, des factures d'électricité au montant significativement plus élevé que le salaire de Solace, et il est arrivé qu'elle ne puisse inscrire à temps ses enfants à l'école faute de moyens, qu'elle ne puisse acheter leurs fournitures scolaires, parce que Richard dépensait tout son argent hors de la maison, où il ne rentrait d'ailleurs que pour la rabrouer, l'insulter, quand ce n'était pas pire. Elle a demandé le divorce, l'a obtenu. L'affaire a été sanglante. La ville et les alentours s'en souviennent. Le cosmos lui-même a eu vent de l'affaire. Comme la majorité des hommes de sa génération, Richard a vu un affront dans le fait que sa femme se dresse contre lui et le quitte. Elle a fait ses valises, laissant ses enfants sous le toit de leur père qui pensait ainsi la faire revenir, et la tête basse.

Voyant qu'elle persistait dans son refus de reprendre la vie commune, il a payé des gens pour surveiller ses faits et gestes, menacé de mort chaque amant potentiel, a soudoyé les juges, tout fait pour retarder l'énoncé de la décision de justice. Il a fallu des années pour que le divorce soit acté. Des années durant lesquelles Solace n'a vu ses enfants qu'en cachette, quelques minutes chaque fois. Le divorce a été prononcé aux torts exclusifs de Richard, on ne sait d'ailleurs par quel miracle. En revanche, Solace n'a pas obtenu la garde de ses petits, et l'homme ne lui a, bien entendu, pas versé un sou d'indemnité compensatoire. Même si les attendus du jugement l'y contraignaient. En dehors de moi, toutes les femmes de notre bonne société se sont détournées d'elle, l'extrême solitude étant, dans notre monde, la rétribution de ceux qui cherchent l'épanouissement hors des sentiers balisés. Je reste convaincue qu'il n'y avait rien à gagner pour moi, si je me séparais de votre père. Lorsque notre histoire est passée de la chimère à la farce macabre, je m'y étais déjà trop investie pour courir le risque de finir comme Solace, dont les enfants n'hériteront même pas des biens de Richard, qu'il a dilapidés. S'ils acceptent la succession, il ne leur restera qu'un lourd passif à combler, et d'interminables disputes avec les enfants du dehors.

Pour Tiki et toi, j'ai su empêcher cela. Votre père n'a pas de bâtards. J'ai réussi à me ménager une forme de tranquillité, puisqu'il ne vit plus guère ici. Il reste désormais dans l'arrière-pays, à la campagne. Installé là, il rêve de refaire le monde, se prend pour un châtelain, le futur bâtisseur d'une grande cité subsaharienne. Il en a déjà trouvé le nom. Pour lui, ça y est. Tu connais ton père. Il confond parler et faire. Tu n'as pas compris, lorsque je t'ai reproché de rentrer au pays avec, à ton bras, une sans-généalogie comme cette autre que tu avais déjà amenée ici. Cette Amandla. Au moins avait-elle des manières respectables. Une certaine allure. Un fond. Comparée à celle que tu prétends faire entrer dans notre famille. Tu as pensé qu'une fois encore, je tentais de régenter ta vie. Nous n'avons jamais abordé le sujet véritable. Je me dis que tu es assez grand, un homme à présent, que tu as le droit de savoir, mais ce n'est pas facile. Ce n'est pas si simple. Il faudrait remonter si loin, évoquer des époques inconnues de moi, nous confronter, l'un et l'autre, aux ombres qui planent sur mon existence. Même pour moi, elles sont impossibles à saisir. Parfois, j'essaie de leur donner forme, de recouper toutes les informations, de parvenir à des certitudes définitives sur cette question dont tu ne soupçonnes rien. Je sais peu de chose au fond. Et ce que je sais ne m'a pas été clairement exposé. On m'en a chuchoté des bribes. On m'en a craché de petits bouts. De temps en temps. Pour me ramener plus bas que terre, me soumettre.

Tes tantes paternelles étaient expertes à ce jeu-là, bien qu'elles n'aient pas été les premières. Elles ont initié ton père qui a vite cessé d'être l'homme que j'espérais le voir devenir en lui offrant tout le confort nécessaire. Il m'a fallu m'endurcir. Être capable de ne plus sentir les coups, faire en sorte que ceux qui les portaient se brisent avant moi. Ne pas répondre à l'injure. La laisser choir à terre et s'assécher comme un vulgaire détritus. Pendant que je faisais tout cela, j'ai perdu en chemin la douceur, la tendresse, l'écoute. Comme j'ai dû te manquer, fils. C'est ma très grande faute : avoir dû serrer si fort les dents qu'il devenait impossible de prononcer le moindre mot d'amour. Vous êtes tout pour moi, ta sœur et toi. C'est en vous que les parts réprimées de ma sensibilité cherchent refuge : ma quête d'absolu, mon aspiration à la liberté, mon intégrité, mon désir de vivre un amour puissant et indestructible. Mon cœur espère encore vous voir donner vie à cela… Comment te dire, Dio, mon fils, que je te souhaite, en réalité, tout ce dont tu penses avoir été privé par moi ?

Hum. Que se passe-t-il encore. Ne peut-elle se taire ou, au moins, mettre une sourdine. Cette femme. Depuis qu'elle s'est échappée de ton ombre, elle révèle un tempérament bagarreur. Elle n'est pas faite pour être ton épouse et serait la première à le reconnaître. Sa voix me vrille les tympans. Apparemment, vous êtes sur le point de sortir, tu n'aimes pas la robe qu'elle a choisie, elle insiste pour la porter, la passe en dépit de tes réserves. C'est la première fois, depuis que vous êtes là, qu'elle te tient tête si ouvertement. Bien qu'il s'agisse d'une futilité, une toilette qui te déplaît, elle est en train de te donner congé. Vous haussez le ton l'un et l'autre. Je ne saisis plus vos paroles. Peu importe. C'est fini. Votre histoire ne pouvait éclore, de toute façon. Je n'y suis pour rien, en vérité. J'aurais pu éviter de me salir les mains... Je t'ai recommandé de choisir une compagne ici, puisque tu es venu, contre toute attente, t'installer au pays, disant que le Nord marchait sur la tête, qu'il avait plus de passé que d'avenir. Il n'y avait pas de raison d'habiter une maison en flammes. Je ne t'ai écouté que d'une oreille. Tu n'exposais pas le fond des choses. Combien la mort de ton unique ami t'avait ébranlé. Combien il t'était devenu impossible de vivre là où il avait exhalé son dernier souffle, on ne savait trop comment. Son cœur s'était arrêté. Comme ça. Il était assis dans le métro, et son cœur avait cessé de battre.

On avait trouvé ton numéro de téléphone sur lui. Dans la partie : *Personnes à contacter en cas d'urgence* d'un agenda qu'il avait dans sa veste. On t'avait appelé. A ton tour, tu avais contacté la mère de son enfant. Son numéro figurait après le tien dans le carnet. Tu ignorais jusqu'à l'existence de cette femme avant l'événement, ce qui ne t'a pas empêché de débarquer ici avec elle. Tu as dit : *Voici Ixora. Nous allons nous marier.* Kabral, le garçonnet, traînait la patte derrière vous. Ce pays, c'est son père qui aurait dû le lui faire connaître. Pour lui, ce sont encore les petites vacances. Vous l'avez inscrit à l'école nordiste. Il y en a au moins une dans tous nos pays. Il y suivra le programme auquel il est habitué, entendra l'accent qu'il connaît. Il est jeune. Passé le premier jour, il se fera des amis. Les rues de la ville lui tendront les bras. Après tout, il est ici chez lui. Les enfants procèdent de la mère, certes. Si le père n'avait aucune importance, je n'aurais pas tellement tenu à ce que vous portiez un certain patronyme. D'ailleurs, quelle que soit la qualité de la relation entre mère et père, toutes les unions ne sont pas fécondes. Ce petit est des nôtres. Il le sentira. Sa mère, en revanche, ne trouvera rien ici.

L'ombre est descendue alentour. Combien de temps ai-je passé dans cette pièce ? Rien ici n'a changé depuis nos débuts. Lorsque nous avons emménagé dans cette maison et qu'il a fallu la décorer. C'est pourquoi j'aime ce petit salon. Lorsque j'y viens, je ne suis plus cette femme épuisée d'avoir dû se tenir droite en toute circonstance. Je suis une toute jeune épousée. Je ne me l'avoue pas en ces termes, mais je suis éprise de mon mari et espère me faire aimer de lui. Bien des femmes lui courent derrière, mais c'est moi qui suis ici. Je ne suis pas laide. Je sais mettre en valeur mes charmes, sans tomber dans la vulgarité. C'est important. L'image. Les hommes aiment avec les yeux. Ma petite taille me donne l'air fragile. C'est important. Les hommes aiment se sentir puissants auprès de nous. Je sais recevoir avec élégance et originalité. Ma table sera enviée, imitée. On parlera des soirées passées chez moi. C'est important. Les hommes aiment ce qui les valorise. Je serai parfaite. Amos oubliera que ma fortune n'est pas tout à fait la sienne et qu'elle lui retire un peu de pouvoir. Ma compagnie lui sera agréable. Jamais je ne me refuserai à lui. Jamais je n'ébruiterai ses secrets, ses fragilités. Nous serons heureux.

Je regarde en souriant l'alliance qui brille à mon annulaire. La cérémonie a été un peu triste. Ma famille n'y a pas assisté. Nous nous sommes mariés au Nord. Nous avons prétendu avoir choisi cet espace parce que nous nous y étions rencontrés. La vérité était autre : mes proches désapprouvaient notre union. Surtout mon père. Il pensait que certains dans l'entourage de votre père n'avaient aucune considération pour moi, qu'ils n'en auraient jamais. Seuls les intéressaient les biens dont je disposerais un jour, ils pourraient même tenter de me spolier. Il disait que la descendance de Makake Mandone portait son nom avec fierté, mais qu'il fallait garder en mémoire la naissance de notre lignée. L'ancêtre Makake avait été élevé par l'ajout du nom de Mandone à celui qu'il portait déjà. Or, seules les femmes étaient appelées ainsi. Il était homme. C'est en le baptisant Endene qu'on l'aurait honoré sans équivoque. Les deux termes recouvraient la même réalité, celle que l'on était forcé de reconnaître, tant Makake l'avait manifestée : la grandeur. On avait tenu à lui faire savoir qu'aux yeux de tous sur la côte, sa gloire demeurerait femelle. De celles qui ne pouvaient prétendre au tabouret d'autorité. La royauté se forge dans le ventre des femmes, mais le pouvoir qu'elle confère revient aux hommes. De même, la grandeur de Makake demeurait au service de ceux qui l'anoblissaient. Il leur fut aussi loyal qu'une épouse.

Je n'ai pas écouté mon père. Je portais déjà ces ombres en moi : la peur, la honte. La mémoire de celui à qui nous devions d'être *la grandeur* ne m'était pas source d'orgueil. Papa n'aurait pu comprendre cela, lui qui m'avait enveloppée d'amour. Lui qui avait passé son temps à m'enseigner la noblesse véritable. Celle des actes. Celle du cœur. D'après lui, l'obligation faite aux hommes de sa famille de transmettre un nom féminin leur avait forgé le caractère. Avant l'âge de dix ans, devenus insensibles aux railleries, ils se concentraient sur les tâches à accomplir. Je l'entends répondre à mes questions d'enfant. Quelles qu'elles soient. Avec patience et précision. Devant mon entêtement à épouser Amos Mususedi, il a dit : *Ma fille, ne crains pas de reconnaître ton erreur. Je viendrai moi-même te tirer de la demeure de cet homme, si tu me le demandes.* Il avait les larmes aux yeux. Lorsque j'ai pensé m'en remettre à lui, il n'était plus de ce monde. Ni ta sœur, ni toi, ne l'avez connu. Je n'en parle pas beaucoup. Vous savez qu'il s'appelait Conroy Mandone, et c'est à peu près tout. Pourtant, si j'ai su quelque chose de l'amour, c'est à lui que je le dois. C'est également de lui que je tiens la force qui m'a permis de ne pas m'écrouler. Quoi que l'on me fasse. J'affronte les événements, ne les subis jamais. C'est ma seconde qualité.

Le tonnerre éclate à l'instant même où j'entends claquer les portières de ta voiture. La pluie est pour bientôt. Vous vous disputez encore, cette femme et toi. Un frisson me traverse. Sous un prétexte quelconque, j'aimerais t'inviter à ne pas sortir. Quelque chose est en marche, et cela me dépasse. Je le sais. Ce qui vient est au-delà de mon désir, de mon imagination. On croit manipuler ces forces et ce sont elles qui nous possèdent. Toujours elles qui l'emportent. Ai-je mis ta vie en péril, l'ai-je risquée en jouant le destin de cette femme. Les pneus de ta voiture crissent sur le gravier de l'allée. Ta conduite est nerveuse.

Ta main se crispe sur le volant. Tu ne devrais pas sortir. Je pense me lever, m'approcher de la fenêtre pour que tu me voies. Tu comprendrais que j'ai besoin de te parler. En pensée, je me hâte, te fais un signe de la main, crie ton nom. En pensée. Je me demande comment nous en sommes arrivés là. Pourquoi l'amour n'a pas triomphé de la peur, de la honte. Pourquoi un sentiment si puissant n'a pas balayé les fragilités, les misères intérieures. Je te laisserai des biens, mon fils. Qu'importe, si tu ne m'as pas connue. Si tu n'as vu de moi que le masque arboré pour dissimuler mes déchirures. Je parle de blessures que mes propres parents ne purent aider à cicatriser et que ton père ne causa pas. Ce que j'ai vécu dans cette maison est une atrocité. Sans l'avoir voulue, je l'ai suscitée, puis entretenue. Oui, j'aurais pu m'en aller. Et vivre. Même sans mari. La société ne m'aurait pas tout à fait rejetée : j'étais devenue mère. Mon honneur était sauf.

J'avais les moyens de vous élever, un emploi. J'aurais eu des hommes à temps partiel, car je serais restée associée à l'époux répudié. Dans l'esprit de tous, je serais demeurée sa femme, et n'aurais eu, pour m'étreindre, que des hommes mariés. Ils l'étaient tous, d'une façon ou d'une autre, passé un certain âge. Ce n'était pas ce que je souhaitais. J'aurais pu m'établir dans un autre pays. Tout recommencer. M'offrir une existence renouvelée, tenir le passé à bonne distance. J'ai eu le choix... Tiki et toi étiez jeunes encore, mais tu dois te souvenir de ce voyage. Nous étions partis tous les trois, pendant vos grandes vacances. Notre absence ne devait durer qu'un mois, mais au bout d'un trimestre, nous n'étions pas rentrés. Cette année-là, vous reprendriez les cours avec bien du retard. Amos m'a écrit : *Renvoie au moins les petits.* Vous lui manquiez. Il prétendait que moi aussi. Ce n'était peut-être pas faux. Amos est malade, pas mauvais. Il y a une dualité en lui qu'il ne comprend pas et ne peut dominer. S'agissant de notre couple, j'admettais enfin que l'amour ne lui viendrait pas par accoutumance. S'il l'avait jamais éprouvé, le sentiment avait fait long feu après notre mariage. Est-ce parce que je ne me racontais plus d'histoires, parce que mes yeux s'ouvraient sur cette partie de ma réalité ? Quoi qu'il en soit, lors de ce séjour à l'étranger, j'ai rencontré quelqu'un. Tous mes verrous ont cédé en douceur, sous l'effet émollient d'un timbre de voix, d'un balancement du corps, la chaleur d'un regard.

Une porte s'est ouverte en moi, dévoilant un espace dont j'ignorais l'existence. Ce territoire était si vaste que je ne sus comment le traverser. Ce que je trouverais au bout du parcours était visible depuis l'orée. Il suffisait de faire le chemin. De me décider à emprunter une des voies qui mèneraient toutes à bon port. J'étais libre. Tout était possible. Alors, ils se sont rappelés à moi. Ces fantômes qui m'habitent et me rivent aux convenances : la peur, la honte. La peur d'avoir honte, de faire honte, encore et toujours cela, ma muselière, ma chaîne. Que dirait-on ? Que vous dirais-je à vous, mes enfants ? Cet épisode de ma vie ne sera pas consigné dans le cahier que ta sœur trouvera lorsque vous rangerez les affaires de votre mère défunte. On ne peut tout écrire. On ne peut tout dire aux enfants, même quand ils sont devenus grands et qu'il faut leur faire savoir qui étaient leurs parents. Quels individus.

Pendant ces vacances, t'en souviens-tu, Dio, nous habitions un petit appartement, au premier étage d'un immeuble ancien. Les fenêtres du séjour donnaient sur une cour intérieure. Elle était pavée, mais des touffes d'herbe poussaient entre les pierres, les repoussaient avec vaillance, en silence, afin de croître. Vivre. Des arbustes en pot renforçaient la présence de la nature. Le lieu était source d'apaisement. Au point du jour, bien avant la chaleur, une de nos voisines descendait dans la cour. Elle y faisait de l'exercice, un mélange de gymnastique et de mouvements adaptés de quelque art martial. Puis, elle s'étirait. La première fois que je l'ai vue faire cela, je n'avais rien prémédité. Puis, l'observer de loin est devenu une habitude, sans que je sache ce qui m'attirait tant, ce qui me faisait me lever moi aussi avant le soleil, pour m'assurer de ne rien manquer. Je me cachais dans l'angle, derrière les plis du voile qui tenait lieu de rideau en cette saison. Un matin, je ne l'ai pas vue.

J'ai attendu. Le cœur battant, le souffle court. Une espèce de panique s'est emparée de moi. Cela ne se traduisait pas par de la fébrilité. C'était tout l'inverse, une forme de paralysie. Vous vous êtes levés. Le son de vos voix, l'urgence de vos besoins m'ont obligée à m'éloigner de cette fenêtre. Je serais restée là jusqu'à ce qu'elle apparaisse de nouveau. Son absence avait logé en moi l'angoisse d'une double perte. En la perdant, c'était de moi-même que j'étais dépossédée. Nous sommes allés nous promener l'après-midi. Vous aimiez encore les manèges, les ambiances de kermesse ou de fête foraine. Moi, si peu douée pour le jeu et dont la compétence se limitait souvent à vous conduire puis à veiller sur vous, je m'adonnai avec entrain à tout ce qui vous faisait plaisir. Ces instants sont-ils dans ta mémoire comme dans la mienne ou n'as-tu conservé que les mauvais souvenirs ? Hum. Je connais la réponse à cette question. Tu cultives la rancœur. Tu fais partie de ces personnes qui viennent au monde munies de deux sacs : un pour les bienfaits de la vie, l'autre pour toutes les saloperies. Le premier étant troué, il ne contient rien, au bout de quelque temps. Le second, au contraire, a un fond renforcé, des coutures à toute épreuve. C'est celui-là que tu emportes, où que tu ailles.

Lorsque nous sommes rentrés, elle était dans la cour. La nuit n'allait pas tomber, c'était la saison des jours longs. Le soir se donnait de faux airs de petit matin. Elle était là, rattrapant les exercices sautés à l'aurore. Je vous ai pressés de monter sans moi, j'arrivais dans un moment et, comme je te tendais la clé, je m'interrogeai sur mes actes, sur ce qui me faisait m'attarder auprès d'elle, ce qu'il fallait dire à présent que nous étions seules. Là, au milieu d'une petite cour pavée où l'herbe poussait, forçant la pierre. Je me revois lui sourire, tenter sans réussite de maquiller ma joie derrière des façons civiles. Toutes ces années après, je m'entends dire : *Bonsoir, je suis...* Pour une fois, je ne me présente pas comme Madame Mususedi. Je veux qu'elle me connaisse moi, celle que je ne permets à personne d'approcher. Elle s'appelle Eshe. C'est sa réponse. Plus tard, je saurai que ce nom signifie *la vie* dans la langue de son peuple. Chez elle, le port des noms coloniaux a été abandonné. Les gens ne sont pas plus heureux pour autant, ni plus libres, ni moins aliénés. Ils ont cependant des noms que leurs ancêtres reconnaîtront au moment d'accéder à l'Autre Rive.

Eshe et moi aurons bien des conversations, à partir de ce premier soir. Elle est venue dîner chez nous, après avoir pris sa douche. Elle avait revêtu un pagne bleu rayé de jaune, une camisole jaune à fleurs bleues, chaussé des *samaras* teintées de pourpre. L'harmonie de l'ensemble m'avait stupéfaite. Elle portait une bague au majeur droit, des boucles d'oreilles dépareillées, non pas un, mais deux fins bracelets à la cheville gauche, ce que j'avais toujours voulu faire sans oser. Ce n'était pas parce que nous étions deux femmes noires, deux Subsahariennes loin de notre terre, que nous nous rapprochions. Nous le savions. J'appris qu'elle m'avait vue dès le premier matin, que mon attention l'avait contrainte à plus de rigueur qu'à l'accoutumée. Elle dit : *Si je ne t'avais pas croisée dans la cour ce soir, je serais venue frapper à ta porte.* Qu'aurait-elle dit alors ? *J'aurais fait comme toi, je me serais présentée.* Vous avez regardé la télévision tard. Et je crois que vous êtes allés au lit sans vous brosser les dents. Eshe et moi. On ne peut tout écrire, tout dire. Raconter l'amour tient un peu du blasphème. Les mots révèlent leur étroitesse, leur incapacité à circonscrire, leur pouvoir de nuisance, de dégradation.

De moi, j'ai tout dit à Eshe. Il n'y a eu ni peur, ni honte. Elle ne m'a pas jugée. Je me suis sentie comprise, aimée telle que j'étais. Elle a vu mes ombres, mes failles, ne s'en est pas alarmée. Eshe a su pourquoi l'affection de mon père n'avait pas suffi à terrasser mes monstres intimes. Lorsque je lui ai dévoilé cette partie-là de mon histoire, elle m'a caressé la nuque et s'est mise à rire. *Tu m'as reconnue. Tu es venue à la fenêtre un matin, et tu m'as reconnue. Nous avons cheminé ensemble il y a des siècles. Peut-être alors étais-je ton époux ? Nous avons été séparés, mais nos âmes n'ont pas oublié.* Elle disait ce genre de choses, Eshe, avec un naturel désarmant. Nous nous étions aimées, aimés, dans une existence antérieure. Notre rencontre n'en était pas une, il s'agissait de retrouvailles, d'une seconde chance. *Tu sais qu'il n'y en aura pas de troisième ?* Eshe portait à la cheville des bracelets qui la faisaient mal voir. Elle avait fait ce choix après avoir découvert, dans sa famille, une histoire semblable à celle qui me rongeait. À l'inverse de moi, elle se l'était appropriée, arborait ces bijoux en mémoire de ceux qui avaient souffert. Cela paraissait si simple. J'interrogeai : *Nous sommes deux femmes. Pourquoi penses-tu avoir été mon époux ? Je ne sais pas,* répondit-elle, *c'est ce qui m'est venu. D'ailleurs, seule une femme pourrait être les deux à la fois.* Ce n'était pas ma vision des choses, mais je n'y songeai que plus tard. Dès que nous pouvions nous échapper, vous laisser seuls ta sœur et toi, nous partions à la redécouverte de ce que les siècles avaient cru nous dérober. La royauté. J'ai su pourquoi les membres de certaines sociétés de femmes, accusées de sorcellerie, étaient jadis amputées du clitoris. J'ai su pourquoi cette même excision pouvait être pratiquée lors de conflits, lorsque l'agresseur qui avait déjà incendié vos cases et pillé vos greniers, voulait marquer sa victoire. Il lui fallait alors sa moisson de clitoris.

Il n'est pas utile de fréquenter longuement un être pour que le simple fait de l'avoir frôlé devienne un événement. J'ai eu du mal à renoncer à Eshe. Du mal à demeurer dans cet espace insoupçonné. Du mal à accepter ce que le regard des autres ferait de cette inclination. Les lettres de votre père me ramenaient vers une réalité dont Eshe ne faisait pas partie, et qui pesait sur moi de tout son poids. Il aurait fallu plus que quelques mois pour opérer tant de transformations. N'être que moi. Ne me soucier que de mon bien-être – je n'ose dire de mon bonheur – et y faire pénétrer ce qui m'importait, car c'est ainsi que les choses devaient se dérouler. Nous adaptons nos vies à l'inattendu qui survient, dès lors que nous reconnaissons cette chance que d'autres tenteront de prendre au lasso, après des années de planque. Je n'étais pas prête à abattre les cloisons, à nettoyer les gravats, à lessiver puis repeindre les murs de mon intérieur. Or, il fallait cela, au moins cela, pour accueillir Eshe et moi. Alors, plutôt que de me concentrer sur elle, sur nous, je songeais au qu'en-dira-t-on, à la honte. Ce faisant, j'autorisais les autres à se prononcer, retirant toute noblesse à Eshe et moi. Je n'ai pu dépasser cela.

Autre chose m'inquiétait. À mes yeux, cet amour-là, créé pour échapper à la reproduction et donc à l'une des expressions les plus abouties de la fécondité, devrait chercher en lui-même son renouvellement. S'il échouait, il serait cette fleur condamnée à faner pour avoir été cueillie. La mission m'a semblé colossale. Cela nécessitait des ressources dont je ne disposais pas, surtout s'il fallait envisager l'exclusivité. Je compris que j'étais de celles pour qui l'équilibre affectif ne pourrait exister que dans des sociétés leur permettant d'aimer une femme, et de porter les enfants d'un homme. D'aimer un homme, et de recevoir le plaisir de la part d'une femme. D'aimer une femme et un homme, corps et âme, sans avoir à choisir.

Pas l'un après l'autre, pas l'une à l'insu de l'autre. Les deux. En même temps. Au grand jour. Jusqu'à la fin. Dans ce monde idéal, il n'y aurait pas de justification à trouver, on aimerait chacun pour ce que l'on partageait avec lui d'essentiel et d'unique. On donnerait à chacun ce que lui seul pouvait recevoir. Ainsi, nous serions plus proches de la complétude, quand nous ne pensons la trouver que dans l'alliance avec l'autre sexe.

Je l'ai dit, j'étais hésitante. Pour un tas de raisons, certaines plus valables que d'autres. Eshe n'avait pas l'ombre d'un doute quant à ce qu'elle souhaitait. Elle aussi avait un époux, un enfant, dans son pays situé non loin des Grands Lacs. Elle irait chercher sa fille. Personne ne la lui disputerait. Nous nous installerions avec nos enfants dans cette ville où nous nous étions connues, et nous serions heureuses. Il nous faudrait simplement un plus grand appartement. Eshe est retournée dans les Grands Lacs sans m'avoir convaincue. Nous avons échangé nos adresses. Je ne lui ai fait aucune promesse. Jamais elle n'a su combien il m'a été difficile de retrouver votre père, sa famille, notre bonne société et sa cruauté à peine policée. Elle n'a pas su qu'un mois encore après son départ, j'errais dans la ville à la poursuite de nos ombres, laissant nos billets d'avion arriver au terme de leur validité. J'ai découvert le pouvoir anesthésiant des aliments sucrés, me suis empiffrée avec méthode tout le jour. Ce dernier mois de vacances a été un calvaire pour vous. Nous ne sortions plus guère. Je me tenais près de la fenêtre, les yeux rivés sur la cour désormais déserte, des envies de suicide me traversant. Puis, cela a pris fin. Je me suis rendue chez un coiffeur, me suis fait couper les cheveux afin de les porter comme le faisait Eshe, courts, sans altération. Lorsqu'ils auraient repoussé, je me ferais tresser pour honorer le souvenir de notre amour.

Nous avons fini par rentrer tous les trois. J'ai pris conscience des vécus féminins autour de moi, des relations des femmes entre elles. Il m'a semblé déceler, souvent, derrière certains comportements, ce que nous faisons du lien intime avec d'autres femmes, tel qu'il ne nous a pas été transmis. Nous en éprouvons le manque, et repoussons avec force celles qui incarnent l'apaisement. Un adage dit : *Les femmes n'aiment pas les femmes.* Ce dicton n'explique pas pourquoi, ni depuis quand, les femmes ne s'aimeraient pas les unes les autres. Parmi nous, certaines savent nommer leur tourment. Elles en ont identifié la source aussi bien que la destination, savent qu'elles seraient mal reçues, si elles se déclaraient. Elles vivent, dans le secret, des attachements qui sont autant d'arrachements. Parfois, ne pouvant se résoudre à souffrir sans agir, elles se font reines de la tactique, ce qui sied à notre univers où masque et visage sont désormais confondus. As-tu jamais imaginé, par exemple, qu'une femme séduise le mari d'une autre uniquement pour l'approcher elle ? La seconde prendrait ses jambes à son cou, criant à la sorcellerie si la première venait à lui ouvrir son cœur, son désir.

Cette idée m'est venue un jour, chez la couturière. Depuis la cabine d'essayage, j'entendais des femmes discuter, l'une d'elles choquée d'apprendre que l'autre avait couché avec l'époux d'une amie. L'incriminée a soupiré : *Je m'en tape, de ce mec, mais elle en parle comme s'il était la huitième merveille du monde. J'ai voulu goûter ce truc qui la fait tellement tripper. La toucher comme elle me touche chaque fois qu'elle chante les louanges de ce bonhomme.* C'est cette dernière phrase qui m'a mis la puce à l'oreille ou simplement troublée, je ne sais que dire. *La toucher comme elle me touche.* C'était son amie. Elle ne désirait pas cet homme. Ce qu'elle voulait, c'était faire quelque chose à la femme. La toucher. Il y avait une sorte de rage dans le ton de sa voix. Une frustration que l'acte posé n'avait pas apaisée. Une soif toujours à étancher qui ne le serait pas. En sortant de la cabine, j'ai traîné un peu pour voir son visage. J'ai su, en les voyant toutes les deux, laquelle de ces femmes était la séductrice. Celle qui s'amusait avec les hommes et se jouait d'eux. Celle qui aurait voulu toucher l'interdite. Était-ce mon obsession qui me faisait imaginer tant de femmes désirant d'autres femmes. Je n'en suis pas si sûre.

Je recevais les lettres d'Eshe à la Direction du Prince des Côtes où j'avais mon bureau. J'aurais pu louer une boîte postale, lui en indiquer les coordonnées. Cela se serait su. Ici, la notion de vie privée n'existe pas. Tout le pays aurait su que l'épouse d'Amos s'était fait attribuer une boîte aux lettres particulière, quand la famille disposait d'un abonnement auprès des services postaux. Même en soudoyant les employés de la poste, je n'aurais pas eu la garantie de leur discrétion. Sur mon lieu de travail, les risques étaient aussi importants. Mon courrier m'était remis en mains propres, mais je tremblais à l'idée que l'une des missives d'Eshe n'attire l'attention de curieux, avec son timbre étranger. Je n'ai répondu à aucun de ses envois et, comme je l'avais imaginé, elle s'est lassée de m'écrire. Je suis devenue une machine de guerre. L'amour avait été sacrifié, ce ne devait pas être en pure perte. Je n'ai plus vécu que pour faire croître votre patrimoine. C'est à cette époque que j'ai acheté notre maison à l'insu d'Amos. Lorsqu'il l'a découvert, j'ai été battue au-delà du sens de ce mot. Il m'a jetée sanguinolente et à moitié nue devant les grilles en fer forgé de la maison, sur la route qui n'avait pas encore été goudronnée. Il a eu ces propos : *Si je te tue, on ne me fera rien.* Ce n'était pas faux. Il faut dire que la nouvelle lui avait été révélée lors d'une partie de *jambo*, ce jeu que les hommes pimentent en misant ce qu'ils ont de plus cher. Amos n'était pas en veine ce soir-là. Quelqu'un lui avait lancé : *Tu ne peux pas jouer ta baraque, vieux. Madame l'a payée au père Bosadi. Et cash. Tu vis donc sous son toit. C'est sur elle que tu devrais parier. Madame est une valeur sûre.* Tout le monde a ri. Beaucoup. La ville entière a ri. Ceux qui l'ignoraient parce que le notaire auquel nous avions fait appel était mon cousin, ont su que nous étions mariés sous le régime de la séparation de biens. Amos n'apparaissait donc plus comme l'élément viril de notre couple. L'exploration par les hommes de leur féminité n'était pas un concept dans le vent, à l'époque. Nos relations sont devenues exécrables. Il n'y a plus eu d'accalmie. Un jour, j'ai dû menacer Amos d'une arme que je m'étais procurée. Bon. Ne revenons pas sur cet épisode. Ta sœur t'en a parlé, je le sais. Je conclurai ce chapitre en disant que votre père n'aurait jamais réalisé cette acquisition dont nous n'avons qu'à nous féliciter.

Je reste plongée en moi, dans toutes ces histoires qui n'en font qu'une, la mienne. Ta voiture est loin à présent. L'orage explose au cœur de la saison sèche pour se faire déluge. Je m'entends à peine penser. De quels ravages le déchaînement des éléments est-il annonciateur ? Cette pluie n'est pas simple, et j'y laisserai des plumes, c'est une certitude. Je me lève, quitte le salon pour rejoindre le petit Kabral qui doit être dans sa chambre. Ou en train de regarder un film dans la grande salle de séjour située au premier étage. De larges baies vitrées ouvrent sur le jardin, ses arbres fruitiers, ses frangipaniers, ses hibiscus. Je sais qu'il aime la vue. Nous sommes équipés d'un groupe électrogène. Lorsque l'internet ne fonctionne pas faute de réseau, il est toujours possible de se divertir. Il aura peut-être branché sa console de jeux ? Cet enfant ne se plaint jamais. Il se débrouille pour trouver des solutions à ses problèmes. Nous nous entendrons bien. C'est à moi de briser la glace. Tandis que j'avance dans les couloirs, je me rappelle les paroles de la personne chargée d'empêcher ton mariage avec Ixora. Kabral est son fils, elle l'élève seule. Il ne saurait s'attacher à quiconque détesterait sa mère. Je n'ai pas de haine. Je n'ai pas voulu sa mort. Je souhaite que sa vie soit épargnée. Si c'était à refaire... Rien n'est jamais à refaire. Une fois de plus, il me faut espérer ton retour, fils. Me tenir droite face à mes actes et voir venir.

Depuis toujours. J'aime attendre que les éléments exercent leur pouvoir. Avoir le sentiment d'être tout à coup propulsée dans une autre dimension. Le Suprême parle sans cesse à ceux qui savent écouter. Nous sommes avec Lui et en Lui. Minuscules particules de Son immensité.

Une pensée pour toi monte et se loge en moi comme un mauvais pressentiment. C'est tenace. Je ressens cela depuis que je t'ai vu l'autre jour. Où que j'aille il me semble que tu pourrais surgir inopinément devant moi. Je m'adresse à toi en pensée. Souvent. J'aimerais que mes paroles intérieures te soient transmises par une sorte de télépathie. C'est possible. Nous étions assez connectés pour qu'au moins tu éprouves quelque chose lorsque je pense à toi. Les derniers jeunes de *l'École de Heru* sont partis. Heru est le nom originel de celui que d'autres appelèrent Horus. T'en souviens-tu ? Ce n'était pas tellement ta tasse de thé. La matrice égypto-nubienne de nos peuples. Les humanités classiques des Kémites… Tu moquais mon insistance à refuser le nom racial de Noirs pour nous désigner.

Je n'étais qu'une enfant lorsque ma mère m'apprit à récuser les appellations par lesquelles notre identité fut bafouée. Ces mots à travers lesquels on s'employa à nier notre humanité. Je sus très tôt que la terre où l'espèce humaine vit le jour s'appelait Kemet. Que nous étions des Kémites. Pas des Noirs. La race noire n'avait été inventée que pour nous bouter hors du genre humain. Justifier la dispersion transatlantique. Faire de nous des biens meubles que l'on achèterait à tempérament. Des bêtes que l'on marquerait au fer rouge avant de les baptiser selon le rite chrétien. Nous résiderions désormais entre l'objet et l'animal. Tel est le sens du nom racial dont on nous affubla. Jamais il ne fit référence à nos trente-six carnations. Je ne comprends pas que nous soyons si nombreux à nous définir ainsi. À nous approprier l'injure. À prétendre l'investir d'une autre signification. C'est comme habiter une benne à ordures après l'avoir récurée et repeinte...

Les rires des gamins résonnent encore dans ma cabane. Le bruit de leurs pas pressés. Leur vitalité. La force qu'ils insuffleront à nos lendemains. Si nous le voulons bien. Ils viennent me voir après la classe ordinaire. En plus grand nombre pendant les vacances. Tous sont issus de familles modestes. Celles qui ne peuvent payer ni cours du soir ni vacances à l'étranger. Celles qui n'ont pas les moyens de voyages fréquents vers le village où les proches espèrent un peu d'argent. Impossible d'y envoyer les enfants les mains vides. Ceux de la campagne attendent une aide. De quoi survivre à l'enclavement. De quoi tenir face à l'aridité des sols. De quoi affronter la spoliation des terres agricoles. Le gouvernement les vend à des concessionnaires miniers. À des entreprises forestières. Le gouvernement n'a pas de pays. Il ne reconnaît comme sien aucun peuple. C'est au-delà de l'aliénation. Au-delà de la haine de soi. Les anciennes valeurs périclitent. Les liens familiaux se distendent. C'est en ville que c'est le plus terrible. On ne peut compter que sur soi. La communauté d'antan n'est plus. Celle qui voyait en chaque enfant celui de tous.

J'ai abandonné mes délires sur le paradis communautaire. Tout est à faire. *Umoja* est une utopie diasporique récemment transposée dans quelques esprits ici. Cette idée d'unité est trop neuve encore. Il lui faudra s'enraciner. Ce n'est pas simple mais cela se fera. Je suis revenue du rêve. La solidarité comme une seconde nature. L'amour dans le regard porté sur l'autre et sur soi. L'amour *a priori*. La ville et ce dont elle émane dévorent tout sur leur passage. Il faudrait que nous soyons plus nombreux. Pour empêcher cela. Sauver l'avenir. Rendre cette terre à elle-même. À ses gens. Il faudrait que nous soyons plus nombreux à croire en nous. Le Nord amorce sa chute. Il tente de résister mais la fin est là. Les nôtres ne sont pas faits pour un système à ce point dépourvu de spiritualité. Affranchie de l'illusion je m'accroche à l'action. J'agis. Je fais réciter aux enfants les *nguzo saba*. Ce sont les sept principes de *Kwanzaa*. Ils en dessinent les symboles. En apprennent la signification. Je leur dévoile les couleurs de notre drapeau. Rouge. Noir. Vert. Découvrir cette bannière les émeut. La même pour tous les fils de la Terre Mère. Qu'ils soient nés ici ou ailleurs. Je sais ce que tu penses de tout cela. Tu peux te moquer. Ces actes symboliques sont importants. Les enfants le comprennent. Nous reconstruisons la maison détruite. Pierre après pierre. Avec patience. Nous lui rendrons sa majesté. Nos matériaux sont neufs ou anciens. Ils sont nôtres uniquement. C'est ce qui importe. Les ancêtres s'expriment à travers nous. Ils inspirent nos actes de réinvention. Notre réappropriation de nous-mêmes.

Je désapprends la colère. Depuis que j'ai quitté Babylone pour m'établir sur la Terre première. Je suis engagée dans la renaissance. J'en accomplirai ma part avec le secours d'Aset. Déesse du remembrement. Divinité de la consolidation. Aset est le rocher sur lequel je m'appuie. Si chaque femme de notre peuple s'en remettait à Elle nous ferions des bonds. En avant. Vers nous-mêmes. C'est ici que je dois être. C'est ici que se trouve ma paix. Je la tisse davantage chaque jour. On me la laisse un peu plus chaque jour. Il n'en fut pas toujours ainsi. Il fallut attendre. Pas tant convaincre. Patienter. Le temps que s'use la suspicion. Le temps que s'évanouissent les interrogations. Les craintes même. Nul ne vient volontiers en ces parages. Personne qui ait eu un autre choix. On m'a crue folle. J'ai haussé les épaules. À chacun sa définition de la folie.

Au début les enfants pouffaient quand je les accueillais en disant : *Hotep! Je vous salue au nom puissant d'Aset notre mère.* Ils ne s'esclaffent plus de la sorte. Ils savent. Commencent à savoir. Surtout les plus grands qui sont déjà au collège. Ils comprennent que les vérités tues résident sous mon toit. Que la trajectoire effacée des Kémites est à retrouver en eux. À réinventer. Les enfants apprennent. Que *Hotep* signifie *Paix*. Que ce salut est celui qui a donné des millénaires plus tard cette formule bien connue : *La paix soit avec vous.* Qu'Aset est aussi appelée *Isis* ou *Vierge Marie*. Le même esprit s'est incarné plusieurs fois en ce monde. Le même esprit a visité les cultures humaines. C'est à sa peau sombre que l'on doit les vierges noires des églises mariales du Nord. Aset est la veuve qui redonne vie à son époux. Elle est cette femme kémite qui ne se contente pas de porter le deuil de son compagnon et n'attend pas que le destin le lui rende. Elle le relève d'entre les morts. C'est elle qui accomplit cela. Pas lui. Je n'aborde pas encore cette question dans mes cours. Le moment viendra pour les filles de se placer sous la tutelle d'Aset afin de remplir leur mission au sein de nos communautés. Le moment viendra pour les garçons d'apprendre à être avec les filles. Pas seulement à côté d'elles. Et de renaître.

J'appelle mes élèves *les Suivants de Heru*. Deux d'entre eux sont d'une assiduité sans faille. Je les ai baptisés Nektalabo et Djehuty. Ils s'en amusent. Ce sont mes petits pharaons. Ils doivent quelquefois travailler après la classe ordinaire. L'un vend des bananes pour épuiser le stock journalier de sa mère. L'autre livre de menus articles de quincaillerie pour le compte de son père. Ils ne manquent jamais de passer me voir avant de rentrer chez eux. Ils baissent la tête devant l'adulte comme on leur a appris. Il y a toujours un rire dans leur voix quand ils disent : *Tante Amandla je suis venu voir si tout est bien chez toi. Tante Amandla je peux faire une course pour toi avant de rentrer ?* Cela me bouleverse. Ils ne veulent rien. Seulement montrer leur affection. Par des gestes. Des attentions. Ils savent déjà comment doivent se comporter des hommes. Je suis convaincue grâce à eux que nous ne sommes pas perdus. Nous sommes ce que nous avons de plus précieux. L'Infini me donne beaucoup. Il a retiré le voile qui obscurcissait mes jours. Tout en moi se tranquillise depuis que je me suis installée ici. Depuis que je vis pour ce en quoi j'ai toujours cru. J'approche de l'équilibre.

Il y a bien quelques oppositions à ma venue ici. Je pense à celle qui se fait appeler Abysinia. Une prêcheuse. Elle se lève devant le jour toutes les deux semaines environ. Frappe aux portes des baraques du coin. Lance un appel au repentir. Évoque les ères antiques de la chute. Nous avons bien des théories pour tenter de comprendre notre sort. Abysinia est de ceux qui pensent que nous avons commis une faute. Une offense majeure à la Puissance créatrice. De toutes Ses créatures nous étions Ses préférées. Jusqu'à ce que nous nous détournions de Ses voies. D'où le déclin de nos civilisations. D'où les tragédies qui s'abattirent sur nos peuples. D'où l'assujettissement. Le morcellement. La dispersion. La dépossession de soi. La spoliation. L'invasion et la servitude sous toutes ses formes. L'errance intérieure. L'urgence à ses yeux consiste à renouer les liens sacrés. Restaurer l'alliance avec le divin.

Cela doit se réaliser de différentes manières. Abysinia est notamment en lutte contre *l'impudicité*. Tu connais ce langage. C'est celui d'un grand nombre de fondamentalistes chrétiens. Les églises dites de réveil en sont pleines. Il s'agit de ramener parmi nous la pudeur qui s'entend comme un mépris de la chair. Rien de nouveau sous le soleil des religions. Jeûner pour offrir son sacrifice à Dieu mais aussi pour mortifier le corps. Lui montrer qui commande. Adopter une certaine manière de se vêtir pour ne pas l'exposer. Qu'il ne soit plus objet de désir et encore moins source de plaisir – nous parlons de sexe. C'est toujours un problème avec les religions. Elles sont des pratiques sociales permettant de forger et de consolider les communautés. Elles sont ensuite des systèmes de domination. Pour quelques chanceux qui sauront les transcender elles pourront être un chemin. Une voie menant à la spiritualité. La plupart du temps elles les en détourneront. C'est ce que dit Twa Baka. Mon guide spirituel.

Abysinia a improvisé un temple exclusivement féminin dans la cour de sa maison : *les Filles de Melkisedek*. Les filles sont le fer de lance de son combat. Elle leur enseigne que la nudité de leurs ancêtres dans cette partie du Continent était une des manifestations de la disgrâce. De même que la fragilité des armes devant celles des oppresseurs. S'ils nous ont terrassés pendant si longtemps c'est que la divinité s'était détournée de nous. S'ils continuent de nous marcher dessus c'est que la Puissance créatrice a béni leurs actions. Parmi ceux qui partagent – en partie – son opinion beaucoup ont préféré se tourner vers l'islam. Ils y voient une religion kémite. À l'instar d'Abysinia ces derniers considèrent le corps des femmes comme leur champ de bataille. Qu'elles le dissimulent au regard et nous serons à nouveau les premiers.

Abysinia. Je sais qu'elle me perçoit comme une concurrente. Certaines des familles qui lui amenaient leurs petites ne le faisaient que contraintes par la nécessité. Pas du tout parce qu'elles partageaient sa foi. Et elle ne prenait pas les garçons. Je sais qu'elle répand des bobards sur mon compte. Je ne la juge pas. Je dis qu'elle est dingue. Ce n'est pas une injure. Nous le sommes tous. La plupart d'entre nous. Nous avançons dans la vie avec trop de blessures invisibles. Trop de colère. Un trop grand sentiment d'humiliation. Ces crevasses insondables au milieu du cœur. Abysinia est ma sœur. Ma sœur kémite. Ma sœur de douleur. Ma sœur dont on a détruit le royaume. Ma sœur qui erre à présent. Un jour viendra où nous parlerons. Un jour viendra où nous unirons nos forces. Pas dans les corps physiques qui sont les nôtres aujourd'hui.

Il faudra du temps avant que nos âmes se rejoignent. Qu'elles se reconnaissent. Il faudra que nous ayons passé le cap du cri. Nous pleurons trop encore les uns et les autres pour lever sur les nôtres un regard qui ne soit pas brouillé. Je fais de mon mieux pour corriger le mien.

Je ne réponds jamais à ses provocations. Je lui ouvre la porte les jours où elle hurle au repentir. J'écoute ses versets comminatoires du début à la fin. Elle les récite les yeux dans le vague. Ils sont fixés sur un point invisible logé au fond de son cœur. La véritable raison de son combat. Ce que personne ne sait. Elle tourne les talons à la fin de son prêche. Exténuée. Écrasée par le fardeau intime que nous portons tous. Cette rage en nous. Le chagrin dont elle est l'expression. Comment retrouver le chemin vers nous-mêmes ? Cette voie existe-t-elle ? Telle est la question que se pose Abysinia. J'y ai apporté une réponse. Jamais ma foi ne vacille. Jamais je ne chancelle. Le nom qu'elle a choisi de porter me la révèle. Abysinia s'est cherchée comme beaucoup parmi nous. Dans les Écritures. Dans des ouvrages profanes. Elle a tourné les pages en quête de son image. Elle a voulu comprendre pour accepter de vivre. La route était trop longue. Elle s'est arrêtée en chemin. Il en est ainsi pour un grand nombre des nôtres. On nous a tant dérobé. On nous a arraché des pans entiers de nous-mêmes. Des morceaux de notre âme. C'est ce que nous cherchons. Comment redevenir nous-mêmes en totalité. Récupérer nos archétypes. Rayonner comme les dignes enfants de Râ que nous sommes.

Un jour viendra. J'ignore si c'est à dessein que notre Abysinia se réfère à Melkisedek. C'était un Kémite. Si elle ne le savait pas son âme en a eu l'intuition. Melkisedek signifie *Roi de la justice*. C'est donc une référence idéale pour les Kémites chrétiens. En attendant qu'ils renoncent à la foi de l'esclavagiste. Ce dieu qui n'a même pas toussoté lorsqu'on marquait leurs ancêtres au fer rouge. Je congédie la colère. Je dois te le redire. Je m'accorde sans mal avec le voisinage d'Abysinia. Elle enseigne à son insu une religion jaillie du vitalisme kémite. Son rituel du pain et du vin date d'Ausar. Celui que la déesse releva d'entre les morts. Ausar qui devint Osiris dans la bouche des leucodermes. La voie serait plus lumineuse pour Abysinia si elle valorisait les sources de sa croyance. Leur origine kémite. Si elle ne pratiquait pas son culte sous une forme dévoyée. Elle remonterait alors à nos aïeux égypto-nubiens. Se passerait de cette Bible. Ne lirait plus ces psaumes. Se tiendrait droite au lever du jour pour saluer l'Infini. Les yeux tournés vers l'Orient comme il se doit. Tous les mystiques du monde savent que c'est la direction. Ils ne disent plus pourquoi. Ils feignent d'ignorer qui leur a transmis ce savoir.

L'orage vient. Ce n'est pas la saison mais il sera violent. J'ai empilé les quelques meubles du séjour. Les ai posés sur la table. Tout mis dessus. Les livres avec. Cette table est l'élément le plus costaud du mobilier. Peut-être même de la maison. Les murs de planches ne sont pas aussi denses que son plateau. Mon amant m'en a fait cadeau un jour. Il s'appelle Misipo. Ce mot signifie *l'univers* dans la langue de ses pères. Prions Aset que nos peuples continuent à baptiser ainsi leurs fils. Avec cette même aspiration au sens et à la grandeur. Les envahisseurs du temps jadis prirent rarement la peine d'apprendre nos langues. Ne soupçonnèrent pas que nous savions nommer les plus infimes parcelles de l'existant. La plupart des gens ont un nom chrétien ou musulman. Mais ils ont aussi un *dina la mundi* : *un nom du village*. Un nom véritable. Celui qui les situe dans la lignée de leurs ancêtres. Je descends de ceux dont les noms furent arrachés. Nous ne nous y sommes pas résolus. Là-bas sur ma côte natale. Sur l'autre bord de l'Atlantique. Nous avons des noms cachés. Des noms secrets dont la vibration préserve ce que nous sommes. Nous nous rebaptisons parfois de façon officielle. C'est ainsi que ma mère était devenue Aligossi. Elle m'a appelée Amandla. Parce qu'elle savait que nommer était synonyme de guider. Je ne fus pas bénie dans une église. Aligossi inventa un rituel pour présenter aux aïeux la fille qui lui était née. Avant cela elle avait versé des pots de rhum à la sage-femme. Puis aux agents chargés de l'état civil. Pour que je porte le nom qu'elle m'avait choisi.

Misipo est venu frapper à ma porte un jour. Une fillette que j'appelle Khepera lui avait parlé de mes toutes premières leçons sur les résistances à la capture et à la déportation. C'est ce qui l'a décidé à me rendre visite. Il avait entendu dire un tas de bêtises à mon sujet. Avait voulu se faire une idée par lui-même. La ville bruissait de rumeurs sur *une Blanche* qui louait une maison en *carabote* dans une zone populeuse de la cité. Une Blanche. Une Nordiste dans l'esprit des gens d'ici. Il est intéressant de noter que les termes Noir et Blanc ne renvoient pas à la race dans ce pays. Ils font référence à la culture. Au mode de vie. La pensée raciale n'entre pas dans les conceptions kémites originelles. Le racisme ne nous concerne que parce qu'il nous faut l'affronter. Ce n'est pas nous qui avons fracturé l'unité du genre humain. Ce n'est pas nous qui avons hiérarchisé les peuples pour nous dédire quand cela ne nous a plus servi. Nous ne sommes pas les seuls auxquels l'obligation soit faite désormais d'avoir soin de leur âme. De se nettoyer l'intérieur. Astiquer dedans pour que cela se reflète au-dehors. Que chacun connaisse et accomplisse son devoir.

Khepera est la nièce de Misipo. Elle lui a indiqué le chemin conduisant à ma cabane. Il n'est pas facile de se repérer dans ce quartier labyrinthique mais pour me trouver il suffit de demander *Celle qui est sortie du Nord.* Je venais de me laver dans la cour arrière quand il a frappé. J'ai regagné la maison en courant à travers la porte de la cuisine. Celle qui donne sur le potager. C'était le temps où il me fallait user la suspicion de mes voisins. Je devais me rendre disponible si quelqu'un avait besoin de moi. Faire savoir que je serais toujours là. Je n'ai pas trop réfléchi à la bienséance. J'enfilais encore mon *dashiki* en ouvrant la porte. Il se tenait là. Sous l'ardeur de Râ. Nimbé de lumière. Le teint aussi sombre que celui d'Ausar Lui-même. Il a souri et dit : *Je ne voulais pas vous déranger.* Comme je ne répondais pas il a ajouté : *Mon nom est Misipo. Je suis l'oncle de la petite S…* J'ai haussé les épaules en signe d'agacement. Rien à voir avec l'homme. C'était le prénom nordiste dont on avait affublé la gamine. Ici chez moi elle se nomme Khepera. Lorsque les enfants portent des noms coloniaux je les rebaptise. C'est comme un jeu au début. Le temps passant ils finissent par habiter leur nouvelle identité. Ils comprennent que c'est important.

dit que nos corps étaient depuis longtemps habitués l'un à l'autre. Ses lèvres avaient la saveur de mon sexe quand il m'a embrassée. J'ai cru devenir folle. Nous avons fait l'amour plusieurs fois sans dire un mot. Avec une vigueur méthodique. Une puissante douceur. Le jour s'éteignait au-dehors quand nous avons enfin parlé. Quand nous avons pris place sur une natte pour dévorer un reste de poulet braisé que je m'étais acheté auprès d'une marchande de rue. Il arrive que nous n'échangions que peu de mots lorsqu'il vient me voir. Nous parlons autrement. Il se passe quelque chose lors de nos étreintes. Une sorte de transposition sur un autre plan des enseignements de Twa Baka – il s'agit de mon guide spirituel. Le Continent n'abrite pas l'enfance du monde. Nous sommes les parents de l'humanité. Ses mères et pères. Cette précision est plus qu'une nuance. Les gestes de Misipo me font pénétrer un territoire ancien. Brut. Cru. La violence n'y a pourtant pas sa place. La force oui. La pudeur y est sans manières. Mais elle est là. Dans l'économie de paroles. Dans leur choix pour énoncer avec justesse. Il m'a dit un jour que nous ne pourrions avoir certaines conversations dans cette langue. Une partie de nous est pour elle indicible. Nous le sentons tous. C'est pourquoi nous la torturons plutôt que de l'ingurgiter telle quelle. C'est pourquoi certains d'entre nous privés du lien ancestral apprennent le *medu neter*. Une langue morte pour tenter de renaître à soi. Une langue oubliée pour comprendre ce passé qui remue au fond de nous. Dans nos désirs. Dans nos frustrations. J'apprends la langue de Misipo. Celle des rives de l'océan. Celle des autochtones de cette ville. Celle que parlent quelques-uns des *Suivants de Heru*. C'est difficile. Il est douloureux de se sentir étranger à sa propre source. J'ai bon espoir. J'entends la langue dans mes rêves. Je l'ai sur le bout de la langue et déjà dans le cœur.

J'ai plongé dans une sorte d'ivresse la première fois que Misipo m'a embrassée. Cela n'a pas débuté par cette inclinaison de la tête pour aller chercher l'emboîtement des cavités buccales. Pardon d'employer ces termes mais ce sont ceux qui me viennent à présent pour évoquer le baiser nordiste. Le mien pendant si longtemps. Plus jamais je ne procéderai ainsi. Misipo m'a fait découvrir le bouche-à-bouche de face. Je veux dire frontal. La tête droite. Le regard aussi. Les yeux ouverts pour regarder dans ceux de l'autre. C'est une dévoration et on en redemande. Être mangée. Ses lèvres enveloppent totalement les miennes. Puis sa langue m'ouvre la bouche et l'envahit tout en me laissant de l'espace. Pour lui répondre. Cela ne s'explique pas. C'est tellement différent. Il fait des choses incroyables. De toute façon. Quand j'ai le buste droit – je suis debout ou assise – sa manière de me caresser la poitrine me fait jouir. Il ne leur applique pas ce mouvement circulaire des mains. Elles travaillent de bas en haut. De haut en bas. Je sens le poids de mes seins. Cela m'affole. Mon sexe se crispe à cette seule pensée. Il palpite. Appelle cet homme que je ne dis pas mien parce que cela n'a pas de sens. Nous ne devons appartenir qu'à nous-mêmes.

Je ne l'aime pas comme je t'ai aimé mais il me donne ce que tu m'as toujours refusé. Ce que ton corps retenait. Ce qu'il me faut par-dessus tout. Je peux me l'avouer aujourd'hui. Je suis une femme avec lui. C'est important pour moi. Être touchée. Être prise. Habiter ma chair. La sentir vibrer. Ce qui se passe entre deux personnes qui s'abandonnent totalement l'une à l'autre est au-delà de la chair. C'est un acte spirituel. On ne s'accorde pas si bien par hasard. Telle est ma conviction. Nous ne sommes pas sur terre pour mépriser notre propre incarnation. Nous devons vivre dans toutes nos dimensions. Je reçois de lui ce que j'attends de l'homme qui partage mon intimité. C'est un être généreux. Il m'a fallu le rencontrer pour savoir que les conversations intellectuelles n'étaient pas l'essentiel. Pour découvrir aussi que le désir est plus qu'un appétit. C'est un sentiment.

Misipo est charpentier. Et il est marié. Cela ne me dérange pas. Je ne veux pas l'avoir à moi seule. L'enchaîner à moi. Le posséder. Je sais qu'il ne me fera pas défaut si j'ai besoin de lui. Cela me suffit. Il est mille fois moins érudit que toi. C'est certain. Il a envie d'apprendre. Il cherche. Doute. C'est peut-être mieux que de savoir des choses sans rien en faire. Son existence est noble. Simple. Je ne me soucie pas de ce qu'il dit à son épouse quand il passe la nuit ici. Nous ne sommes pas rivales. Ce n'est pas un statut matrimonial que j'étreins. C'est un homme et lui seul me touche. Lui seul me pénètre. M'entend gémir puis crier son nom. Lui seul me voit mourir et renaître. J'ai besoin de donner ce qu'il souhaite recevoir. C'est l'union idéale.

Je ne suis pas une petite amie qu'il emmène au restaurant après le cinéma. Il mange ce que je cuisine. Je ne suis pas une prostituée qu'il emmène à l'hôtel et paie. Il vient dans ma case. Je ne suis pas une maîtresse qu'il se désole de devoir quitter à certaines heures. Lorsque sa présence m'est nécessaire il le sent et reste à mes côtés jusqu'au matin. Jamais il n'en prend ombrage lorsqu'il me faut demeurer seule. Nous ne risquons pas de nous perdre. Nous ne le craignons pas. J'espère porter un enfant grâce à lui. Il est en train de bâtir une maison sur pilotis pour moi. Il trouve le temps. Prend le temps. Pour moi. Dans ce même quartier où je vis. Un peu plus près de la grand-route.

On ne construit plus ce type d'habitation. On a bien tort. Je serai à l'abri des inondations de cette façon. On ne peut pas compter sur la Communauté urbaine pour ces choses. Chacun doit se débrouiller. Les fortes pluies font couler une rivière dans les ruelles non goudronnées. Puis dans les cahutes des pauvres gens. Chez moi c'est dans le séjour que cela se passe. Une histoire d'inclinaison des sols. Il m'est arrivé de craindre que l'eau ne me monte jusqu'aux genoux. Le déluge attendu ce soir ne m'effraie pas. Je n'ai plus peur. Il n'y aurait qu'à tout recommencer si ce que je possède devait être emporté. Agir comme les gens autour de moi. Rebâtir. Continuer. On est habitué à faire avec ce que l'on a. Ce n'est pas le bonheur absolu mais ce n'est pas si grave. Nous connaissons la joie. Cette émotion pure. Ce soulèvement. Cette sorte d'élévation.

Le bonheur est une hypothèse formulée dans les salons du Nord. Pour nous c'est la vie qui prime. Bien des choses ont changé mais ce trait persiste. Ce que les sociologues du Nord ou de l'Ouest appellent *la culture de la pauvreté*. Ils nous méprisent de ne pas toujours demander plus à l'existence que ce qu'elle nous donne. De placer nos ambitions ailleurs que là où ils mettent les leurs. Notre civilisation est à l'opposé de toutes leurs conceptions. C'est pourquoi ils ne savent toujours rien de nous. C'est pourquoi prendre exemple sur eux serait un suicide. Ne t'en va pas croire que j'idéalise les Kémites. Ils ne sont ni meilleurs ni pires que les autres et je l'ai toujours su. Ils ne sont ni plus grands ni plus petits. Ils me sont particuliers voilà tout. Ils me sont chers. Je les regarde avec la conscience permanente des torts qui nous ont été faits. Des injustices qui nous affligent encore. C'est pourquoi notre réhabilitation me tient tant à cœur. Peut-on faire autrement quand on vient d'un pays où les nôtres sont sans cesse ostracisés ?

Vivre ici m'apaise et me remplis. Je me sais différente à certains égards de ceux qui m'entourent. J'ai eu le loisir de m'interroger sur notre destinée collective. La plupart n'en ont pas le temps. L'Histoire violente nos contrées depuis des siècles. Sans nous laisser le moindre répit. Il y a toujours une bataille à mener. Il est ardu d'ériger quoi que ce soit. Difficile de retrouver son nom véritable sous l'amoncellement de détritus qui recouvre à présent le visage de la Terre Mère. Les mots des autres pour se dire. Leur dieu. La monnaie de singe qu'ils frappent dans leur pays pour l'envoyer ici. Je perçois tout cela. L'épaisseur de l'aliénation. Ses strates. Mais je vois aussi ce qu'il nous reste. Et ce que j'ai en commun avec les gens d'ici. Ce n'était pas le cas parmi les Nordistes. Il m'a fallu m'éloigner d'eux pour leur concéder une part d'humanité. À eux aussi.

Auparavant je ne voyais en eux que la descendance de Seth le maléfique. Celui qui assassina Ausar. Celui qui dispersa aux quatre coins de la Création les morceaux de Son corps. Aset les retrouva. Elle Le remembra pour qu'Il conquière la mort. Se rendit grosse de Lui pour enfanter Heru. Je me souviens aujourd'hui que Seth fut créé pour accomplir sa tâche. Pour être l'épreuve d'Ausar. Une manière d'initiation. Je peux me dire à présent que ceux qui nous firent tant de mal se plongèrent en même temps dans des affres insoupçonnées. Certains leucodermes se sentent coupables. Ils savent sur quels empilements de cadavres leur hégémonie fut érigée. La culpabilité diffère toutefois de la compassion. Elle n'est même pas l'empathie. Elle est un mouvement de soi vers soi. Une forme de narcissisme. Elle est une blessure d'amour-propre. Ne nous étonnons pas qu'elle se mue parfois en un aveuglement raciste. Qu'il lui arrive de prétendre que des Kémites nés au Nord ne seraient pas adaptables au monde moderne que seul ils connaissent. En raison de leur race. De leur ascendance. Le déni est pire encore que la culpabilité. Il ne laisse pas une chance à la réconciliation. De toute façon nous n'en sommes pas là. Il est impossible de fraterniser avec qui se croit supérieur. Or c'est ce qu'ils pensent. La plupart d'entre eux. C'est ce qui leur a été enseigné : la suprématie blanche.

Ma mère est morte. Tu ne l'as pas su. Quelques jours après que tu m'as annoncé la fin de nous deux. On m'a téléphoné depuis ma côte natale. L'autre bord de l'océan. La terre de déportation. Une femme a demandé si j'étais la fille de Victorine. J'avais presque oublié que c'était son nom de baptême. Maman se faisait appeler Aligossi. Maman était Aligossi. Elle avait choisi ce nom pour convoquer en elle les guerrières kémites d'autrefois.

Depuis Amanishakheto jusqu'à Tassi Hangbe. Depuis Nzinga jusqu'à Menen Leben Amede. Maman se voulait *agbo* du Danxomè. Membre du corps des *agoodjie*. Elle aurait aimé abriter en elle l'esprit de Sekhmet. En finir une fois pour toutes avec l'oppresseur. Elle s'est éteinte dans une chambre d'hôpital... Je me suis rendue sur cette terre qui m'avait vue naître et grandir. Ce pays coincé entre Brésil et Surinam. Aligossi avait eu un étrange malaise. Le pêcheur qui lui apportait du poisson était venu la livrer comme d'habitude. Il l'avait trouvée étendue sur le sol de sa véranda. L'avait conduite à l'hôpital. Elle se plaignait du ventre. Délirait quand je suis arrivée. Elle ne m'a pas reconnue.

On aurait dit que des esprits l'entouraient. Elle lançait alentour des regards terrifiés. Comme si elle avait été poursuivie. Traquée. Aligossi m'a transmis la douleur de notre peuple. C'est tout ce qu'elle m'a donné. Il ne pouvait en être qu'ainsi. Découvrir cette histoire c'est l'attraper. Comme une maladie. J'en suis atteinte aussi. Je ne suis pas la seule. Les dernières heures de ma mère furent un long cauchemar. Des images de chasse à l'humain lui venaient. Elle se croyait poursuivie. L'était sans doute. Elle était retournée dans l'antan de l'arrachement. Celui du grand déchirement. De la dispersion. L'émiettement. Dans les visions de ses derniers instants Aligossi fuyait. Elle courait sur des chemins lui écorchant les pieds. Laissait au sol des empreintes ensanglantées.

Cette terre sait-elle encore ceux qui la marquèrent ainsi avant de lui être ravis ? Je l'espère du fond du cœur. Les hommes d'ici ne se souviennent de rien. Ils nous voient et

C'était l'époque où elle me parlait peu. Ses recherches en histoire et en spiritualité kémites l'accaparaient. Elle ne s'adressait à moi que pour me faire part de ce qu'elle avait appris dans ses livres. Nous n'avions pas d'autres échanges. Je songe aujourd'hui que mon visage tellement plus clair que le sien devait lui rappeler mon géniteur. Le bourreau des cœurs qui l'avait abandonnée enceinte. Il n'avait laissé qu'une paire d'embauchoirs dans la chambre. Et moi. Grandissant dans le ventre d'une Aligossi qui serait seule à jamais. Cette femme-là se tenait dans la chambre d'hôpital. À l'inverse de celle que j'avais côtoyée elle souriait. Elle me souriait. Elle s'est approchée et m'a dit : *Je n'ai pas su te montrer mon affection. Je sais que les goyaves préparées pour ton goûter et les tartines au lait concentré sucré ne pouvaient suffire. Rien ne remplace les caresses d'une mère. Ses regards. Pardonne-moi. Laisse-moi t'aimer de là où je serai. Je veillerai sur toi au nom d'Aset. Vends la maison. Elle m'appartient. Je n'ai rien voulu posséder sur cette terre mais je savais qu'un jour il te faudrait un peu d'argent. Tu en tireras un bon prix.* Puis elle a passé sa main sur ma joue. Sur mon front. Je me suis demandé si elle m'avait déjà touchée. J'ai pleuré à m'en ouvrir la poitrine. Mes hurlements ont alerté les infirmières qui sont arrivées au pas de course. Le cœur de celle qui était étendue avec toute cette machinerie qui la maintenait en vie s'était arrêté de battre. Celle qui m'avait visitée s'était soustraite à ma vue. Toi et moi venions de rompre. Je n'avais personne à qui parler de tout cela. Personne avec qui partager mon chagrin. Ce jour-là on m'a gardée en observation à l'hôpital. Le lendemain je suis allée là où nous avions habité. Dans cette maison bleue de style créole.

Je me suis arrêtée un instant sur la véranda où le pêcheur avait trouvé Aligossi. J'ai entendu sa voix me rappeler pourquoi elle m'avait nommée Amandla. Je me suis revue gamine. Rentrant de l'école la peur au ventre. Peur qu'elle ne soit pas là. Peur de la perdre. Nous ne nous touchions pas mais elle était tout pour moi. Ma mère. Mon empire. Comment te dire ces choses ? Tu n'as aucun sens de la famille. Le sang ne t'est rien. Ou plutôt : tu hais les tiens. Tes parents. Ton obsession de ne pas leur donner de descendance te rendait incapable de faire l'amour. Tu me désirais jusqu'à ce qu'il faille me prendre... Je me suis arrêtée sur la véranda. Un moment. Puis j'ai poussé la porte d'entrée. La case était parfaitement rangée. Le parquet scintillait. Cela sentait le vétiver et le citron. Des fibres végétales jonchaient la table du séjour. Il y avait aussi des graines. Des morceaux d'écorces diverses. Et même des bouts de roche. Quelques cailloux. Aligossi les polissait. Les vernissait. C'était avec tous ces éléments qu'elle fabriquait des bijoux.

Maman a vécu près de la nature pour se rappeler qu'elle en était issue. Pour honorer le peuple sans nom qui avait engendré son ancêtre. L'arrachée. La déportée. L'inconsolée. L'oubliée. Celle qui marquait la terre de son sang quand elle fut prise. Celle dont les déchirures nous furent transmises jusqu'à cette génération. J'ai pénétré dans la chambre d'Aligossi. Me suis assise sur son lit en laissant courir mes yeux le long des rayonnages de sa bibliothèque. Les draps étaient propres. Je ne sais pourquoi il m'a fallu mettre le nez dans son placard à vêtements. Il y avait une boîte. Du côté de la penderie. Tout en bas.

103

Une boîte à chaussures. Je l'ai ouverte pour y trouver une paire d'embauchoirs en bois. Si brillants qu'on aurait cru qu'ils venaient d'être cirés. Je me suis représenté Aligossi en train de les nettoyer au milieu de la nuit avant d'aller racler le fond des casseroles. Sa solitude la prenait au collet lorsque descendait l'ombre. Lorsqu'elle s'épaississait. C'était un corps-à-corps sans merci. Elle quittait sa chambre pour aller dévorer des restes de poulet. Elle qui ne consommait pas de viande en principe. C'était pour moi qu'elle en achetait.

J'ai examiné les embauchoirs. J'aurais voulu mépriser celui qui les avait laissés là. Le nègre à peau claire qui ravageait le cœur des femmes. Au lieu de cela j'en ai voulu à Aligossi de n'avoir pas été capable de l'oublier. Cela n'a duré qu'un moment. Mais j'ai éprouvé ce sentiment. Je comprends mieux ce qu'elle a traversé. Depuis toi. Je sais que l'on n'oublie pas s'il y a eu de l'amour. Il ne m'a pas été possible de vendre la maison. J'ai emporté les livres. Tous. Il y en avait des tas. J'ai mis la demeure en location. Le temps de faire mon deuil. Nous verrons si je suis un jour en mesure de m'en défaire. Les loyers me permettent de vivre ici. Je ne fais pas payer mes cours la plupart du temps. Pas ici aux habitants de ce quartier déshérité.

J'ai quelques *Suivants de Heru* dans des milieux plus aisés. Le bouche-à-oreille les a conduits à moi tout comme il m'a amené Misipo. Ils ne viennent pas sous mon toit pour s'instruire. Je me déplace. Ils ont créé une association. Peut-être même qu'il s'agit d'une sorte de société secrète. J'y vais et dis ce que j'ai à dire. Il en sortira forcément quelque chose. Je sème des graines. Elles germeront. Misipo m'invite à la prudence. On ne sait jamais dans ce pays. Il y a des espions à la solde du régime dans tous les coins. Ils ont toutes les apparences. Et ils sont payés par des gens qui ont jusqu'ici travaillé à l'anéantissement des leurs. Il les appelle *les vampires*. *Les sangsues*. Il a raison. Ces personnes existent. Chaque communauté engendre elle-même ses démons. C'est normal. Il en est ainsi partout. C'est comme des insectes nuisibles dans une maison. Il ne faut pas les fuir. Il faut savoir les neutraliser sans les détruire. Simplement les mettre hors d'état de nuire.

Chaque peuple met au monde ses parasites et chaque peuple détient les outils permettant de les rendre inoffensifs. Notre continent a bien sûr possédé ses instruments de protection. Façonnés avec ses propres archétypes. Ils sont maintenant emprisonnés dans les musées nordistes. Les Nordistes ne peuvent s'en servir. Les séquestrer de la sorte leur permet cependant d'abuser de nous. Depuis des siècles. Ils n'ont guère envie de nous les rendre. Certains affirment que ce serait inutile. Pas parce que nous manquons de structures adéquates pour les conserver. Ceci n'est qu'une question matérielle. Facile à résoudre. La chose serait vaine parce que nous avons oublié ce que disaient ces objets. Ma conviction est qu'ils parleraient à nouveau s'ils nous étaient rétrocédés. Ils nous retrouveraient. À l'inverse d'Abysinia je ne les vois pas comme *une des représentations les plus criantes de la chute*. C'est ce qu'elle a hurlé un jour à la face d'un sculpteur des environs. Un pauvre type qui tente de gagner sa vie en exerçant un métier jadis honorable : tailler des masques. Donner une forme à ses pensées.

La Terre Mère est à présent comme un être devant affronter des rafales de balles sans la moindre couverture. Et ça tire de partout. Le feu vient aussi bien du Nord que de l'Ouest ou de l'Orient. Nous sommes là malgré tout. Nous refusons de nous éteindre. Nous n'avons pas dit notre dernier mot. Nous ne sommes pas prêts à exhaler l'ultime soupir. C'est pourquoi je remplis ma mission avec sérieux et obstination. C'est le sens de mon existence : trouver le moyen de restaurer notre vision du monde. Nous restituer l'usage de la parole. C'est dans ce but que je transmets ce que je sais à qui veut l'entendre. J'énonce la vérité et ne crains personne. Je parle de spiritualité aux adultes. De Maât. Du Livre des morts. De l'arbre de vie kémite. De tous ceux qui vinrent jadis s'instruire dans les *Per Ankh* de Iunu ou de Mennefer. De la nécessité de connaître notre tradition intellectuelle et spirituelle. Sous tous ses aspects. Maîtriser cela pour être à même de l'insuffler dans chaque acte posé. De façon que la modernité ne nous sépare plus de nous-mêmes. De façon à inventer notre modernité. Tout savoir. Depuis l'écriture hiéroglyphique jusqu'à la plus petite plante poussant au fond de la forêt équatoriale.

Je conte les rois et reines du passé aux enfants. Je nomme à leur intention les résistants du Continent. Qu'ils sachent que nous ne nous sommes pas laissé prendre ni dominer sans réagir. Nous avons eu du courage. Nous ne nous sommes pas simplement agenouillés devant les envahisseurs. Il leur a fallu mentir. Intriguer. Corrompre. Terroriser. Massacrer. Nous n'étions pas assez sauvages pour affronter leur barbarie. Les subtilités de leur violence. Leur perversion sans limites. Leur extrême vénalité. Leur incroyable mauvaise foi. Nous ne pouvions imaginer jusqu'où ils étaient capables d'aller. Nous ne mesurions même pas leurs intentions réelles. Cette entreprise coloniale qu'ils préparèrent des siècles durant. Que l'on ne me parle pas de complicités. Qui se partage les terres de ses alliés ? Que l'on ne me parle pas de collaboration. Qui collabore à un projet dont il méconnaît les tenants et les aboutissants ? Ceux qui se laissèrent abuser ne se doutaient pas que leur descendance serait colonisée. Ils n'avaient jamais entendu parler des autochtones de l'Ouest que l'on spoliait de leurs terres pour y pratiquer l'esclavage.

Je dis tout cela à mes *petites marmailles*. Je ne leur cache rien. Les travaux forcés. Les déplacements de populations. Le code de l'indigénat. La ségrégation raciale. Le génocide des Hereros. Le nazisme déjà en gestation qui les a parqués dans des camps de concentration. Oui. Je leur parle de tout cela. Une colère toute légitime monte en eux. Je les calme en expliquant que nous n'avons pas le temps de haïr. Nous ne pouvons nous permettre de gâcher ainsi les forces qui doivent nous servir à rebâtir. Je sais de quoi je parle. J'ai connu l'irrépressible fureur qui s'empare de ceux qui plongent dans les abysses de notre mémoire kémite. Cette douleur si terrible qu'elle se mue en désir de revanche. Coûte que coûte et sur-le-champ. La vengeance. Le cri : *Pas de justice pas de paix.* L'exigence de réparation. Je sais aujourd'hui qu'il nous appartient d'abord de nous réparer. À l'intérieur. De l'intérieur. Depuis la terre native. Le Pays Premier. Combattre parce que nous avons l'obligation de nous défendre. Le faire sans haine. C'est le plus difficile.

Une fois Aligossi mise en terre je suis allée voir son notaire. J'ignorais qu'elle en avait un. J'ai trouvé des papiers dans le tiroir de sa table de chevet. Pris des dispositions pour confier la gestion de mon bien à un agent immobilier. Sitôt cela fait j'ai sauté dans un avion pour venir ici. Je suis descendue au Prince des Côtes dont je sais depuis qu'il appartient à ta mère. Madame Mususedi née Mandone. Je n'y ai passé qu'une nuit. Celle du jour de mon arrivée. D'étranges figures ont peuplé mon sommeil. Au réveil j'avais le sentiment d'une toile d'araignée tissée sur mon visage. J'avais beau me frotter la figure la sensation demeurait. Je suis sortie me promener dans la ville. Je devrais plutôt dire *errer à travers la ville*. Je ne regardais pas où j'allais. Parfois j'ai cru entendre une voix m'enjoignant de ne pas avancer davantage. C'était dangereux. Je risquais de me perdre.

J'ignore pourquoi je ne me suis pas laissée persuader de cela. Au bout d'un moment j'ai atteint Vieux Pays. C'est un quartier mythique de cette ville. Une enclave et une frontière. Les taxis rechignent à s'y rendre. Même pour une forte somme. Des gamins sont venus à moi. Se sont mis à me tourner autour. Comme s'ils me flairaient. Ils ne disaient rien. Je les entendais respirer à l'unisson. On aurait dit un énorme taureau sur le point de charger. Quelqu'un s'est adressé à eux dans une des langues d'ici. Je n'en maîtrise aucune et encore moins ce matin-là. Pourtant j'ai compris. On leur intimait l'ordre de me laisser tranquille. Et on m'invitait à approcher. On m'attendait. Une fillette que son albinisme rendait remarquable est venue me tirer par la main. Nous avons suivi la voix qui me priait de ne pas prendre tout mon temps – et donc le sien – la prochaine fois. La petite m'a laissée devant la case d'où émanait la parole.

Un homme s'est précipité vers moi en rouspétant : *Il y a déjà plusieurs mois que l'esprit de ta mère terrestre est venu me visiter. Elle m'a donné des consignes urgentes et tout ce que tu trouves à faire c'est lambiner dans les rues de ce lupanar à ciel ouvert. Ce gigantesque asile de fous. Si tu crois qu'on peut vivre au milieu de tout ça sans prendre un minimum de précautions... Bon. Couche-toi là. Il te faut du repos. Nous partirons quand tu te réveilleras.* Mais qu'est-ce que je croyais. Une chance que Sisako l'ait en haute estime. C'était une des matriarches de ce village dans la ville. On lui avait permis de m'attendre à Vieux Pays. Au-delà de la durée de passage autorisée. Grâce à la caution de Sisako Son̲e̲. Il me houspillait de la sorte en préparant une natte à mon intention. Je sais que je lui ai répondu dans cette langue que je parle encore si mal. Je le sais sans être capable de répéter une seule de mes paroles. Je lui ai présenté mes excuses en ajoutant que ce n'était pas ma faute si un filet s'était abattu sur moi depuis les premières lueurs du jour. Cette toile d'araignée sur ma peau. Il n'avait pas été facile de me mouvoir avec cela sur le dos. Enfin j'étais là. Il pouvait officier. Il n'a rien ajouté. S'est contenté de m'indiquer la natte.

Je me suis couchée pour sombrer aussitôt dans un sommeil de plomb. Puis j'ai ouvert les yeux. L'homme était assis dans un coin de la pièce unique où nous étions installés. L'endroit m'a paru immense. Vu de l'extérieur ce n'était qu'une bicoque parmi d'autres. Ce n'était pas ce que je voyais... Il m'a tendu un bol rempli de graines inconnues – de moi. Certaines étaient en pleine germination. J'en ai mangé. Il m'a expliqué qu'il avait dû me retirer mes vêtements. Ces derniers charriaient trop d'émanations du Nord. Ils avaient conservé l'odeur de la grande cité que je venais de quitter. Les villes sont comme les êtres vivants. Elles sentent quelque chose. L'homme m'avait revêtue d'une robe ample comme en portent les femmes d'ici. En tissu pagne. Avec une encolure librement inspirée de celle des toilettes victoriennes. Les gens du pays côtier sont fiers de ces tenues dites traditionnelles. Ils croient désormais que la nudité de leurs aïeux était impudique. Et primitive.

Je n'ai rien dit en regardant cette robe. Le tissu n'était pas vilain. Un imprimé rouge sur fond indigo. J'ai pensé aux débuts de la déportation. Lorsque les monarques nordistes faisaient fabriquer des étoffes frappées de motifs colorés pour les vendre à leurs agents continentaux. Ces tissus n'étaient pas portés au Nord où ils étaient fabriqués. On pouvait s'en servir pour l'ameublement. Ils étaient surtout destinés au marché continental. Les fameux *wax* les remplaceraient. Quels autres peuples arborent des vêtements traditionnels attestant de la domination subie ? Quels autres peuples vivent sur leurs terres mais selon les règles des autres ? Les natifs du Pays Premier sont des captifs non déportés. C'est à l'intérieur d'eux-mêmes qu'ils ont été déplacés. C'est donc en eux que se trouve le chemin du retour. Nous avons tant à faire pour nous reconnecter avec nous-mêmes. Nous redéfinir à partir de nos bases et en tenant compte de nos blessures. Nos pertes incommensurables. Nos possibles plus vastes encore parce que nous avons survécu. Mais la conscience est fragile. Je me demande quelquefois si nous parviendrons à nous reconstruire. *Les Suivants de Heru* m'aident à évacuer le doute. Il nous reste un espoir si nous les éduquons autrement. Si nous travaillons à leur édification. Imagine une génération à la fois consciente et savante de ce qu'elle doit connaître. Représente-toi la chose. Ici. Sur la Terre Mère. Au cœur du Pays Premier. Nous ferions des étincelles. Nous ferions pousser des étoiles.

Mon hôte m'a tirée de mes pensées. Il m'avait observée sans dire un mot pendant que je mangeais. Il a récupéré le bol pour le poser sur une table basse dont la présence dans un coin de la pièce m'avait échappé. Il y avait d'autres objets dessus. Impossible de dire lesquels même si j'avais longuement observé l'ensemble. Je n'en ai reconnu aucun. Nous sommes sortis l'homme et moi. Il s'est dirigé vers l'extérieur et j'ai senti qu'il fallait le suivre. Cela ne m'a pas gênée. Nous avions déjà franchi une bonne distance quand mon compagnon s'est présenté à moi : *Je m'appelle Twa Baka. J'appartiens au peuple de la forêt. Nous sommes les gardiens de la voie. Les derniers détenteurs du feu des origines. On nous raille depuis des générations. On nous malmène. Il arrive qu'on nous assassine. Ceux qui agissent ainsi ont oublié leur cousinage avec nous. Cela nous attriste mais nous accomplissons notre devoir. Quand nous repérons une âme digne de recevoir ce que nous avons à partager nous l'instruisons.* Il s'est tu un instant pour me regarder. La ville autour de nous avait disparu.

Nous n'avions pas marché si longtemps à mon sens mais nous atteignions le cœur de la brousse. Il me serait impossible de retrouver ce lieu si je le voulais. Twa Baka a repris la parole : *Tu seras initiée aujourd'hui. Ne crains rien. Il ne s'agit pas de l'un de ces rituels sanglants dont tu as entendu parler. Aucun animal ne sera tué. Nous ne verserons pas de sang. Je t'ai dit que mon peuple était gardien du feu primordial. Il te faudra pénétrer dans les flammes.* Comment expliquer que je ne me sois pas enfuie ? J'avais toute confiance en cet homme. J'étais comme une enfant devant son père. Ce qu'il disait me semblait normal et sans danger. Nous avons fait halte en un lieu planté d'arbres immenses. Quelque chose en eux me donnait le sentiment qu'il s'agissait d'êtres humains. Il s'en dégageait une espèce de bienveillance. Ces arbres me regardaient. J'en suis convaincue. Certains avaient peut-être vu des femmes marquer la terre d'une empreinte rouge alors qu'elles tentaient d'échapper aux trafiquants d'humains. Certains avaient peut-être poussé le long du chemin qu'arpentaient des captifs du passé. Ces derniers avaient jeté à terre des noyaux de fruits. Un jour de pitié où on leur avait donné de quoi manger.

Twa Baka s'est tenu face à l'un de ces géants. Son attitude était déférente. Il a marmonné des paroles dont je n'ai pas saisi la teneur. Le tronc de l'arbre s'est ouvert. Je ne dirais pas que cela ressemblait à une porte. Cette ouverture était une cavité perçant l'écorce en profondeur. L'homme s'est glissé à l'intérieur. Il en est ressorti avec des outils à la main. Un triangle équilatéral et un demi-cercle. En bois brut. Il a de nouveau présenté ses respects avant de me faire signe de le suivre. Une femme est apparue au détour d'un chemin. Ils se sont regardés en silence mais j'ai compris leur échange. La femme se plaignait des absences répétées de Twa Baka. Sa place était auprès des siens dans la forêt. Elle lui disait que la ville était territoire de ceux qui les méprisaient. Son époux ne pouvait donc y résider. Même pour n'y effectuer que de brefs séjours. Twa Baka l'a laissé parler. Ce n'était à l'évidence pas la première fois qu'elle exprimait ces griefs et inquiétudes. Elle s'est calmée. Ils se sont étreints avec tendresse. Ce n'est qu'après cela qu'elle a daigné poser un regard sur moi.

Elle m'a dit : *Tu es sans doute celle qui doit entrer dans l'esapo. Pourquoi as-tu tant tardé ?* Puis elle s'est retournée vers Twa Baka : *Ne pourrais-tu trouver le moyen de faire venir les gens ici sans avoir à aller les chercher en personne ? Il te suffirait de marcher dans leurs rêves pour leur indiquer le chemin. Un jour prochain je me rendrai dans cette ville de malheur. Ainsi je saurai pourquoi tu t'y plais tellement.* Il n'y avait pas de colère dans sa voix. Elle l'aimait. Il lui manquait quand il n'était pas à ses côtés. Je me suis étonnée sans le dire de ce qu'il n'y ait que cette femme avec nous. Où était le reste du clan ? Alors que je me posais la question Twa Baka m'a répondu : *Ils sont là mais tu ne les verras pas. Nous avons à faire. Une femme doit m'assister pour préparer le feu. Les rituels d'importance requièrent la présence d'un représentant des deux sexes. Et s'il me faut une femme c'est la mienne que je convoque. Je te prie de nous excuser. Nous n'avons pas fait les présentations. Voici Tehuti. Celle à qui le destin a remis mon cœur.* Il l'a regardée avec une infinie douceur en prononçant ses nom et qualités. Tehuti n'a pu demeurer insensible à tant d'affection. Refusant de perdre si aisément la partie elle a conclu en haussant les épaules : *Tu as bien fait de rentrer aujourd'hui. Les enfants t'ont gardé du miel qu'ils avaient cueilli exprès pour toi. J'en ai mangé un peu mais il doit en rester...*

Nous n'avions pas le temps d'aller goûter ce miel sauvage. Après ces douces chamailleries le couple m'a entraînée vers ce que Tehuti avait appelé : *esapo*. Il s'agissait d'une spirale de feuilles et de branchages. L'empilement formait un monticule assez haut. Je me suis demandé comment Tehuti avait pu bâtir cela toute seule mais je n'ai posé aucune question. Son compagnon m'a montré comment me jucher dessus avant de m'y étendre. Il a dit : *Ne crains rien. Nous allons enflammer l'*esapo. *Tu auras un peu chaud. Parfois pour nettoyer il faut recourir au feu.* Il a joint le geste à la parole. La chaleur est montée assez vite. Il m'aurait été impossible de descendre si j'en avais eu l'idée. Twa Baka et Tehuti ont entonné un chant. La femme a joué du tambour pendant que l'homme dansait. Leurs voix sont restées unies tout le temps. S'accrochant l'une à l'autre. Je me suis souvenue d'un vers de Brathwaite :

> *God is dumb*
> *until the drum*
> *speaks*

Il écrit cela dans *Jah Music*. Bien sûr qu'il fallait un tambour. Un parfum à la fois frais et piquant s'élevait de la structure en flammes. Est-ce cela qui m'a étourdie ? Je crois m'être endormie au bout d'un moment. C'est ce que je dirais pour ne pas affirmer avoir vu les images qui ont défilé devant moi et dont le souvenir reste intact. J'ai voyagé à travers les différentes dimensions du réel. Celles que nous voyons et celles qui nous sont invisibles. Toutes composent une seule et même réalité. C'est la formulation la plus claire que je puisse trouver. La vérité est si complexe. Ce qui s'offre à nos regards n'est qu'une espèce de trompe-l'œil. Ce qui nous semble intangible et qui souvent se dérobe à notre vue est ce que nous devrions appréhender. Et comprendre.

Je ne te décrirai pas toutes les étapes de ce périple. Tu es d'un naturel sceptique. Rationnel. Tu ne me croirais pas. Ce parcours de l'initiation par le feu compte neuf étapes. Les six dernières ne me furent pas accessibles. Il me faudra faire mes preuves pour les franchir. Je me suis donc arrêtée au troisième stade de l'ascension. Elle s'est déroulée comme une montée depuis les abîmes jusqu'au firmament. L'ombre et la lumière ne sont pas si disjointes qu'il nous plaît souvent de le penser. Elles sont l'envers et l'endroit d'une même étoffe et me sont apparues sous des formes diverses dans tous les espaces que j'ai visités. J'ai vu mes parents terrestres. Ils ont à tour de rôle revêtu une apparence ténébreuse et une autre plus radiante. Ils n'avaient pas l'air de se faire des reproches. C'était étrange. Je n'ai jamais vu mon père. Pas même en photo. Aligossi n'avait conservé de lui que cette paire d'embauchoirs. Je l'ai pourtant reconnu. Je suis issue de leur relation. Quel qu'en ait été le tracé. C'est ainsi. L'idée pourrait sembler horrible dans certains cas.

Nous nous trouvions eux et moi en un lieu où les émotions n'interviennent pas. Ils n'étaient plus seulement mes parents. Ils étaient ce qu'ils avaient été auparavant l'une pour l'autre. L'un avec l'autre. L'une à la place de l'autre. L'un contre l'autre. Des âmes traversant côte à côte l'espace et le temps. Des partenaires de longue date. Avant d'être ma mère Aligossi avait plusieurs fois vécu dans un corps masculin. Au cours d'une existence antérieure l'âme qui serait ma mère avait été le père d'une petite fille qu'elle n'avait ni gardée ni regardée. La fillette était devenue l'homme aux embauchoirs. Non pour se venger. Il fallait poursuivre la conversation. Le voyage. L'apprentissage.

Au troisième palier une voix s'est adressée à moi. Je ne distinguais aucun visage. Rien qu'un éclat. Un scintillement vif qui s'est adouci pour prendre une coloration violacée. J'avais été si violemment aveuglée que la couleur semblait un voile immobile devant mes yeux. On m'a dit : *C'est ici que s'arrête ton trajet. Garde en mémoire ce que tu as vu et comprends-le. Tu ne peux aller au-delà pour le moment. Ceux qui font halte ici doivent abandonner la haine pour s'élever. Ta colère et ton indignation sont légitimes. Tout comme l'est ton exigence que justice soit faite. Sache néanmoins que les moyens influencent la fin. Tu n'atteindras pas tes nobles objectifs en usant de méthodes néfastes. Les êtres qui peuplent le monde émanent d'un même principe créateur dont ils ne sont que les multiples modalités de réalisation. Twa Baka et les siens savent cela. Ils sont parmi les derniers sur la terre des vivants. Tu leur rendras visite tous les neuf mois afin de t'instruire plus avant. Twa Baka te fera venir à lui le moment venu. Lorsque tu seras prête tu franchiras les six dernières stations du chemin comme Tehuti et lui...*

Je n'ai pas discuté. J'aurais eu peu d'arguments et n'étais pas en position de les faire valoir. La situation n'était pas de type démocratique. J'ai écouté cette lueur violette m'expliquer que j'étais sur la bonne voie puisque je voulais réhabiliter mon peuple et son apport au monde. Il était indispensable que chacun reconnaisse l'universel là où il était : dans la diversité des modes d'expression. L'amour est. Les manières dont il se révèle ou se prouve changent en fonction des cultures. La pensée est. Les langues humaines qui la véhiculent sont si nombreuses. Il serait impossible de les maîtriser toutes. Et ainsi de suite. L'être de lumière m'a fait la leçon pendant plusieurs éternités. Au moins. Je le sais parce que jamais auparavant je n'avais été si longtemps contrainte au silence. Elle – j'ai trouvé un timbre féminin à sa voix – m'a parlé de tout ce qui permet de reconnaître ce qu'il y a de soi chez l'autre. Son insistance sur ce point m'a permis de m'avouer à moi-même que je croyais à l'essence des peuples. Je voulais penser que nous étions fondamentalement différents des fils de Seth. D'eux surtout. En matière de culture mais aussi quelque part en nous. Au plus profond de nous. Je ne saurais dire aujourd'hui de quoi il s'agirait. Ce que cela signifierait de nous placer hors humanité. De nous constituer comme une humanité spécifique. Ce serait absurde. C'est pourquoi je fais de mon mieux pour dépasser la colère. J'essaie et cela prendra peut-être le temps qu'il me reste à vivre sur terre.

Je ne suis pas prête à fréquenter des leucodermes. Je ne cherche plus à leur rendre coup pour coup. Mon ressentiment ne veut plus leur faire mordre la poussière. C'est déjà ça. Au moment où la lumière s'est mise à se dissiper j'ai senti la faculté de parler me revenir. J'ai hurlé. Pour poser la question qui a si longtemps forgé mon ressentiment : *Qui paiera pour la guérison de nos âmes ? Ne faut-il pas que quelqu'un paie ? Pour tout ce sang versé. Pour toutes ces humiliations. Pour les spoliations sans fin. Pour l'injure séculaire. Pour le temps soutiré. Pour le démembrement. Pour l'écartèlement. Pour tout ce dont nous souffrons sans être en mesure de le nommer parce qu'on nous a tant dérobé et tellement déchirés. Qui paiera pour réparer l'âme kémite ?* J'ai hurlé que je ne prononcerais pas le mot Noir pour nommer ni les miens ni moi-même. J'ai hurlé qu'on nous avait volé nos noms. Nos protections spirituelles. Notre vibration particulière. J'ai hurlé qu'il n'était pas un coin de terre sur lequel nous n'étions pas méprisés. Le voile violacé a semblé toussoter. La voix s'est faite plus ferme. Comme un peu excédée. Elle a dit : *Tu n'es vraiment pas prête à passer au-delà… bon. Tu as raison. L'âme kémite comme tu l'appelles doit être soignée. Je veux dire qu'il faut désormais en prendre soin et lui permettre de trouver ses aires d'épanouissement. Tu cherches la guérison. Il faut d'abord une intimité avec la douleur. Cohabiter avec elle. Converser avec elle. Savoir ce qu'elle enseigne. Savoir ce qui demeure intouché par elle. Savoir et chérir ce qu'elle a fait fleurir. Savoir enfin comment elle se manifeste chez l'autre. Vous êtes tous la même humanité. Tu as entrevu ce que les âmes de tes parents avaient traversé. Comment elles avaient alterné les rôles. Tu as compris qu'elles avaient été de toutes les races. De tous les peuples. Laisse pénétrer en toi la signification de cette découverte.*

La voix m'a congédiée sur ces mots. Lorsque je me suis réveillée la spirale de feuilles et de branches n'était qu'un matelas de cendres tièdes sur lequel je reposais. Twa Baka et Tehuti me veillaient. La femme était assise à ma gauche. L'homme à ma droite. J'ai ouvert les yeux sur leurs visages empreints de gravité. L'heure n'était plus aux taquineries. Ce n'était plus le temps de la tendresse bourrue. Tehuti a pris la parole. Elle semblait hésiter. Chercher ses mots : *On ne peut pas dire que ce soit une réussite...* Son compagnon et elle avaient assisté à mon voyage depuis les plans inférieurs vers le haut. Ils s'étonnaient que l'on m'ait laissée atteindre le troisième degré tant il était manifeste que mon esprit se rétractait encore devant des notions élémentaires. La conscience de l'unité du genre humain. La compassion. Le pardon. Je n'aimais que les miens. Je n'aimais donc personne. J'allais devoir me poser. Méditer ce qui m'avait été révélé. Il me faudrait être patiente. Il n'était pas possible de tout comprendre dans l'immédiat. Tehuti a conclu : *Lis ton histoire en gardant à l'esprit le voyage des âmes. Les cycles de vie terrestre à travers lesquels il leur est donné de se parfaire. Es-tu certaine d'avoir toujours habité un corps noir ? Je n'emploie d'ailleurs ce mot que pour être comprise de toi. Si tu répondais par l'affirmative à cette question tu serais dans l'erreur. Si tu répondais par l'affirmative à cette question il se pourrait que tu aies logé dans un corps de criminelle noire. Tu n'as atteint que le troisième palier car tu n'es pas prête à découvrir la mémoire de ton âme. Celle qui te fera connaître l'origine de ta colère. C'est contre toi-même que tu livres bataille.* Elle s'est tue. Les gens aiment bien se taire après avoir mis le monde à l'envers.

Twa Baka avait baissé la tête. On l'aurait dit en proie à un accablement sans nom et sans limite. Comme s'il

119

s'était trompé à mon sujet. Comme s'il avait choisi la mauvaise personne à faire pénétrer au cœur de la spirale sacrée. Cela m'a serré le cœur. Je me suis sentie indigne de la Terre Mère. Inapte à connaître sa parole profonde. Incapable d'être de ceux qui sauraient récupérer nos archétypes d'une manière ou d'une autre. J'ai fondu en larmes. Aujourd'hui je ne pleure plus. J'accepte l'épreuve. Je désapprends la colère. C'est mon but. Ce n'est pas toujours facile. Je me console en songeant que je me suis tout de même hissée jusqu'au troisième niveau. Il m'en reste six à aborder. Je tente de les franchir en moi-même avant tout. Je tente d'appréhender le sens de cette parole : *Notre Mère/Père n'a créé qu'une seule humanité. Les intérêts que les humains se sont donnés divergent. Cependant la vérité n'est pas contingente...* Ce n'est pas pour assener des coups que j'ai fondé *l'École de Heru*. Ce n'est pas pour former une armée vengeresse qui ferait rendre gorge aux spoliateurs. Peut-être était-ce mon ambition avant de m'établir ici. Je travaille désormais pour restituer à l'Humanité sa part manquante. La présence kémite. Le savoir des nôtres. Peu à peu j'élimine le fiel de mon âme. Le poison de la haine. Je n'ai pas encore atteint le stade de l'amour universel. Celui où les leucodermes et nous ne faisons qu'un. Celui où il n'existe ni race ni culture. Cela viendra. Je ne mourrai pas entourée de spectres comme Aligossi. Elle me tient la main pour que j'aille plus loin.

Une voiture déboule en trombe. S'arrête de l'autre côté de la route qui sépare ma maisonnette du fleuve. C'est une berline gris métallisé. Tu es celui qui en sort. Ma main à couper. C'est bien toi. Cette démarche. Je te saurais même au cœur des ténèbres. Mon amour contrarié.

Je te vois au loin. Toi. Vêtu d'un costume blanc sous les premières trombes d'eau. Depuis la fenêtre de mon séjour je sais que c'est toi. Tu viens de garer ta voiture là-bas. Tu fais le tour du véhicule en quelques enjambées que rythme la fureur. Ouvres la portière côté passager. L'attires à l'extérieur. Tu la tires. Crie-t-elle ? Je n'entends pas. Vous êtes trop loin tous deux. Je crois malgré tout la reconnaître. Cette femme avec qui je t'ai croisé il y a peu. Elle porte un nom de fleur tropicale. Je ne sais plus lequel. Elle s'est présentée à moi quand tu prenais soin de m'ignorer. Tu m'as fait de la peine. J'ai beaucoup pensé à nous les jours qui ont suivi. Comment aurait-il pu en être autrement ? Tu ne voulais à aucun prix vivre ici. Ni même y revenir. Pas avec moi. Tu ne voulais rien avec moi. En décidant de m'établir sur le Continent j'ai choisi ton pays pour qu'il me reste quelque chose de nous. Mon premier voyage sur la Terre Mère. La mémoire de notre rencontre.

Tu étais venu me chercher un soir où se réunissait *La Fraternité atonienne*. Ce groupe de militants kémites auquel j'appartenais. Là-bas. Au Nord. En ces temps où je luttais pour que Babylone ne nous écrase pas davantage. Tu étais venu pour moi. Tu avais délibérément quitté ta tanière. Faisant fi de ta misanthropie. Bravant ton mépris du nationalisme kémite et de tous les radicalismes que tu jugeais vains. Tous ces appels à la renaissance qui ne faisaient qu'entériner notre mort. D'après toi. Tu raillais ce que tu appelais *la noirie*. Les Kémites emprisonnés dans le regard de l'autre. Enfermés dans une définition d'eux-mêmes qu'ils n'ont pas choisie. Piégés dans la race. Amoureux d'une caricature d'eux-mêmes qui magnifie le corps. Assigne au corps. Ne rouvrons pas ce débat. Tu l'as toujours mal abordé. Il manque à ton analyse la donnée spirituelle qui t'indiquerait que mourir n'est pas cesser de vivre. Que renaître c'est permettre à l'énergie vitale d'augmenter. De circuler à nouveau. Reconquérir le sens. Il nous faut encore accomplir cela. C'est aussi notre âme qui fut agressée. Mais bon. L'âme. Ça vole trop haut pour toi...

Tu avais dépassé un bon nombre de tes limites intérieures pour venir à moi. Je t'avais remarqué dans l'assistance. Ce dimanche après-midi où ton meilleur ami t'avait traîné à une réunion de La Fraternité. J'ai dû te dire que j'avais tout de suite vu en toi mon rêve d'homme. Un fils du Pays Premier. Avec ces pommettes saillantes. Ces lèvres épaisses. Chair de fruit mûr. Ce teint qui ne feint pas sa noirceur. Je n'ai jamais été de ceux qui perdent leur temps à expliquer que notre peau n'est pas vraiment noire. Elle a trente-six nuances. Il lui arrive d'être indiscutablement noire. Ce n'est pas pour cette raison que nous fûmes baptisés ainsi. Nous seuls : les Kémites natifs et les descendants de Kémites déportés. Peu importe à présent. Notre peuple a toutes les couleurs du genre humain. La tienne est celle que je préfère. Tu avais quitté les lieux avant la fin de la rencontre. Le nationalisme kémite ne te disait rien. Ton ami était resté. J'avais trouvé un prétexte pour te suivre à l'extérieur. Tu n'étais plus là. L'Infini te ramenait à moi une semaine plus tard. Je me demande parfois si nous ne nous sommes pas trompés de relation. De type de relation. Peut-être n'avions-nous pas été mis en présence l'un de l'autre pour former le couple auquel j'aspirais. Peut-être me sentais-je trop seule pour l'accepter. Mes trente ans avaient sonné comme un gong assourdissant. Il est trop tard pour ces supputations. La méprise ne fut pas seulement de mon côté.

Nous étions bien ensemble. Nous ne pensions pas toujours la même chose mais nous nous comprenions. Dans le fond. Nous n'avons eu aucun secret l'un pour l'autre. Cela n'a rien changé. Mon amour t'effrayait. Il t'obligeait à prendre en considération une existence qui ne t'intéressait pas. La tienne. Je voulais des enfants. Vivre sur le Continent. Tu me voulais auprès de toi sans rien vouloir ni pour moi ni avec moi. Ton corps se dérobait devant le mien. Tout le temps. Tu ne me désirais pas. Ton esprit aimait le mien. Ton regard aimait mon image. Ma chair te révulsait. C'est ce que j'ai pensé en fin de compte. L'amour entre un homme et une femme est incomplet sans cette fusion. Ce langage sans paroles. Tu ne voulais pas cela avec moi. Ni avec quiconque. Pourquoi être venu me chercher ? Pourquoi avoir cédé aux émotions que tu avais pris soin de refouler ? Tu aurais pu rester chez toi. Nous aurions évité la douleur qui te pousse à feindre de ne pas me connaître quand tu passes. Quand tu passes près de moi... J'ai salué cette femme dont les yeux sur mon corps étaient plus ardents que les tiens ne le furent jamais. C'est toi qu'elle aurait dû regarder ainsi. Tu ne la connais pas. Au sens biblique. Tu ne touches pas cette femme. Et tu ne sais rien d'elle. Tu t'en fiches. De moi tu as voulu tout savoir. Dès le premier rendez-vous.

Je l'ai saluée. La dame. Et j'ai poursuivi mon chemin. Que fais-tu ici ? Toi. Sur la terre honnie. Le pays du patronyme et du drame inaugural. Le pays de l'incurable blessure d'enfance. Que fais-tu ici ? Tu ne diras rien. Tu m'es étranger désormais. L'homme dont je suis encore éprise est un être sensible. Tourmenté. Jamais il ne m'aurait ignorée de cette façon. J'imagine que tu es là pour épouser cette femme. Cette inconnue de toi. Je ne vois aucune autre explication à ta présence sous ces latitudes. Aucune bonne raison à votre... association. Vois comme tu l'approches même dans la colère. Vous ne faites pas l'amour mais il y a quelque chose. Vous êtes tous deux impliqués dans une affaire. Bien que vos cœurs n'aient pas les mêmes désirs. Tant de gens vivent ainsi. Tant de couples sociaux pour lesquels la dimension spirituelle de l'union est absente. Je vous imagine convolant en noces fastueuses comme on peut le faire dans ton milieu. Tu donneras une descendance à ce grand-père méprisé pour avoir servi les colons. Soit. Je vivrai avec cette pensée. Je me serais sentie humiliée s'il s'était agi d'une leucoderme. Tu engendreras de petits Kémites. C'est bien. Je peux te pardonner. Fais ce qui te semble juste. Ce que ta conscience peut supporter. C'est toi seul que cela concerne. Je n'ai pas de haine pour celle que tu as choisie. Ce n'est même plus à cause de toi que je souffre. Je ne te donne pas ce pouvoir. Vis. Sois ce que tu peux être de mieux. Je n'ai pas cessé de croire en toi. L'amour vrai est sans fin. Je t'aime pour l'éternité. Je t'aime sans comprendre pourquoi celui qui m'était destiné ne sut que se détourner de moi.

La vie s'écoule pour moi aussi. Elle n'est pas vide. Je m'en réjouis. J'habite cette case au confort rudimentaire. Cela me convient. La cour arrière est devenue un potager. J'y fais pousser de la tomate. Des arachides. J'en retire des racines. Rien ne me manque. Notre terre est riche. Il n'y a qu'à jeter les semences au sol pour les voir germer. J'ai de maigres besoins. Pas de voiture. Je ne fréquente pas la société des expatriés nordistes. Nous ne sommes pas de la même espèce. Même si nous détenons tous ce passeport de *l'Union des pays du Nord*. Les femmes du quartier se sont habituées à ma présence. Certaines me gratifient d'un respect teinté de pudeur. Elles ne sont pas froides. Je les impressionne. Tous ces livres dans ma cabane. Je sais que c'est cela. Je réduirai peu à peu la distance qui nous sépare. Les enfants qu'elles me confient nous y aideront. Elles constatent que je les traite bien. Qu'ils aiment ma compagnie. Les histoires que je leur raconte. Ils font des progrès à l'école impérialiste. Ceux qui n'ont pas l'électricité à la maison font leurs devoirs chez moi au lieu de traîner sous les réverbères. Certains attendent presque d'être chassés pour regagner le domicile parental.

On dirait que tu te disputes avec elle. Ta future épouse. Déjà ? Lui as-tu parlé comme tu l'as fait avec moi ? C'est impossible. Autrement elle ne serait pas là. Tu ne serais pas avec elle si tu lui avais offert tes secrets. Il t'aurait fallu la fuir. Je pense mais ne peux rien savoir. Peut-être lui as-tu parlé. Peut-être avez-vous un accord. Vous serez des époux. Pas un homme et sa femme. C'est très différent. Je l'observe. Un peu mieux que je n'ai pu le faire l'autre jour. Quand tu m'as fermé ton regard devant ce supermarché. Tout dans son attitude indique qu'elle vient du Nord. Je me demande où tu l'as rencontrée. Comment cela s'est déroulé. Te voir me fait songer à mes errances d'antan. Là-bas au Nord. Per-Isis. La grande cité qui a oublié que des Kémites l'ont ensemencée. Qu'ils avaient érigé en son sein un temple à Aset. Il se dressait au lieudit Montagne Sainte-Geneviève. Per-Isis nous appartient comme le reste du monde. Notre peuple a semé l'humain aux quatre coins de la planète. Nous n'aurions pas à nous défendre avec autant d'acharnement si notre humanité n'avait pas été contestée. Si notre apport n'était pas nié... Il nous faut retourner à la source pour reprendre des forces. Nous lover dans les entrailles de la matrice. Elle seule recèle les éléments nécessaires à notre régénérescence. Même pillée. Même mutilée. Elle seule saura nous envelopper. Nous protéger. Nous apaiser. Et elle a besoin de nous. Il ne suffira plus de l'aimer à distance. De la chanter. De la rêver. D'espérer pour elle le respect. Il faut agir dans ce but. Peut-être as-tu fini par le comprendre. Peut-être la mort de ton ami t'a-t-elle ouvert les yeux.

Le Nord nous appartient mais il ne veut pas de nous. Il vaut mieux lui donner le dos avec dignité. Chérir son honneur puisqu'on ne possède que cela. Les nouvelles de là-bas nous parviennent jusqu'ici. Il n'y a qu'à faire un tour chez Mandesi pour s'en apercevoir. C'est la patronne de la vente-à-emporter du coin. Elle a installé un téléviseur dans sa boutique. Ça fait rester les poivrots. Elle a pris un abonnement au câble. Ses clients veulent souvent regarder les programmes nordistes. Ils en débattent âprement. La dernière fois j'y suis allée pour acheter des bougies. Les habitués parlaient d'une émission de la veille. Un sociologue expliquait que certains des nôtres s'intégraient mal au Nord parce que leur culture n'était pas soluble dans celle des leucodermes. Il disait aussi que celle de certains autres l'était davantage. Les Sahéliens contre les Bantous. Un nouveau jeu inventé par les chercheurs de Babylone. On s'imagine qu'ils ont franchi leurs limites et ils parviennent encore à se surpasser. Ces gens sont malades. Encore plus que nous autres. Parce qu'ils n'en sont pas conscients.

Je peux te dire que ça a chauffé dans la vente-à-emporter. Les clients de Mandesi étaient furieux d'apprendre que les émigrés originaires de leur pays figuraient au nombre de ceux qui s'assimilaient sans mal. Pas de quoi pavoiser en effet. On n'a jamais vu des Nordistes épouser les mœurs d'ici. Laisser leur culture se dissoudre dans la nôtre. Oublier leur langue. L'histoire de leurs pères. Il peut y avoir des exceptions mais elles sont si rares qu'elles deviennent des curiosités. Les Nordistes ne se sentent pas concernés par le métissage. Cette notion ne les intéresse que dans la mesure où elle leur permet de revendiquer une part d'eux-mêmes chez les autres. Il ne s'agit pas de reconnaître la présence de l'autre en eux. Arrête ! Tu vas la tuer. Au nom puissant d'Aset je t'en prie. Je fais vite mais tu es plus rapide que moi. Elle est à terre. Sous le déluge. Dans la boue. Cette femme dont la peau t'était inconnue jusqu'à cet instant. Elle gît là et tu démarres en trombe. Qui es-tu ? Il n'y a pas âme qui vive dehors. Personne de sensé ne se risquerait à affronter cette pluie. Ce n'est même pas la saison. Nous sommes au cœur de la période sèche.

Je m'éloigne de la fenêtre. Il me faut des bottes. Ce n'est pas la saison des pluies. Et puis j'ai déplacé toutes mes affaires. J'essaie de me souvenir. Où ai-je rangé les chaussures ? Je regarde l'empilement d'effets sur la grande table offerte par Misipo. Il se passe une éternité avant que je ne trouve ces bottes. Un temps fou parce que tout cela me perturbe. Cette scène. Ta violence. Mon incapacité aussi à m'aventurer dehors sans me sentir armée. Comme si cela changeait quelque chose. J'ai conscience de ce qui me maintient dans ma vie d'avant. Mon existence à Babylone. Je comprends de façon concrète pourquoi je n'ai atteint que le troisième palier de l'*esapo*. Mon âme est polluée. Je le sais. Cela ne facilite pas le décrassage. Tu as peut-être tué cette femme et j'ai perdu du temps à chercher des bottes pour ne pas tremper les pieds dans l'eau boueuse. Dans la merde que l'on voit nager dessus. Ne pas me laisser attaquer par les microbes du Continent. Ce sur quoi je prétends fermer les yeux quand cela m'horripile. Me fait honte. Je m'avoue enfin que je déteste cela. Pas l'indigence. La crasse. L'ordinaire des nôtres ici. L'allure de porcherie qu'ils ont donnée à la Terre Mère. La matérialisation de leur état de conscience. Toute cette médiocrité. *Les Suivants de Heru* et Misipo sont mon oxygène. Je pourrais te flinguer tout ça des fois. Raser l'ensemble. Faire cramer ce qui usurpe le nom de Pays Premier. Tout recommencer. Avec ce qui n'est pas pourri. Ce qui n'a pas été corrompu. Ce qui sait encore le soin de soi. Ce qui sait encore l'humain en soi.

Toute colère ne m'a pas quittée. Elle est un lourd chagrin plus qu'un ressentiment. Les enseignements de Twa Baka et Tehuti me semblent dérisoires lorsqu'elle s'empare de moi. Je trouve alors leur philosophie dangereuse. Comment nous apaiser face à ce qui nous a ruinés ? La seule manière de réparer serait de tout casser. C'est ce qu'il me semble. Parfois. Réduire ce système en poussière. Fermer les temples où l'on prie le dieu de l'oppresseur.

Les écoles où l'on étudie pour s'aliéner davantage. Les commerces où l'on va se procurer des biens qui n'en sont pas. La modernité. Ses déchets non recyclables. Le mode de vie de l'agresseur. Sa prétendue civilisation. Tu as peut-être tué cette femme. Elle repose sur la boue que je ne voulais à aucun prix toucher. Pas même de la plante du pied. Je refuse de patauger dans ces déjections. Ce à quoi nous nous sommes réduits depuis que l'œil de l'oppresseur est devenu notre miroir. Depuis que ses critères sont devenus nos valeurs. Depuis que nous imitons quand il faudrait inventer. Depuis que nous nous payons un loyer pour habiter nos propres terres. Depuis que nous n'entendons plus les voix qui crient en nous. Elles disent que nous sommes le chemin. Nous sommes maîtres de notre destinée. Je pense que j'avance. On ne dirait pas comme ça mais j'avance. J'accepte ma réalité.

Je me rue vers l'extérieur. Me demande pourquoi tu es dans ma vie. Que suis-je pour toi ? Pour quelle raison m'échoit-il d'aller ramasser le cadavre de cette femme ? Je ravale mon cri. Me redresse sous l'orage. Il s'abat sans ménagement sur tout ce qui existe. Un arbre est déraciné à quelques mètres de là. Il roule dans la gadoue. Glisse à toute vitesse comme pour suivre ta berline. Fonce. Les branches tirées en avant par la main d'une géante invisible. On dirait un corps supplicié. Tu es déjà loin. Je regarde le visage tuméfié que frappent les gouttes d'une pluie enragée. Cette femme. Quel tourment l'a conduite jusqu'à toi ? Quelle est votre histoire au-delà du moment présent ? Quelle est notre aventure à tous les trois ? Puisque nous voilà liés. Il m'est devenu impossible d'ignorer ces questions depuis l'initiation de l'*esapo*. Rien ne vient par hasard dans nos existences. Nous gardons toutefois le choix des décisions. Je pourrais m'en aller. Appeler à l'aide. Ne pas endosser seule la responsabilité de l'abandonner ou de la secourir. Je pourrais retourner dans ma case. La pluie effacerait mes pas à peine esquissés. Il ne se serait rien passé. Si quelqu'un m'avait vue depuis une fenêtre cette personne aurait confondu. Pris ma silhouette pour une autre. Il pleut si fort. L'eau est un lourd rideau s'étirant le long de la rue. Rien n'aurait eu lieu si j'en restais là. Elle entrouvre les lèvres. Tourne un peu la tête sur le côté. Respire. Elle va vivre. Elle s'appelle Ixora. C'est cela. *Ixora. M'entendez-vous ? Je suis Amandla. Nous allons vous tirer de là. Vous mettre... Non. Je vous en supplie. Ne fermez pas les yeux. Je n'y arriverai pas sans votre aide. Regardez-moi. Ixora. Vous m'entendez n'est-ce pas ?*

C'est le moment de convoquer les grands esprits auxquels s'en remettent les initiées. Nebt-Het qui ouvre à l'aube les portes du jour. Aset qui gouverne nos vies et nous visite à la mi-journée. Het-Hru que nous saluons au crépuscule. Elle nous accompagne sur le seuil de la nuit et prend le visage de Sekhmet quand il nous faut livrer bataille. Nut qui est le ciel et qui règne sur nos rêves. Ces entités prennent place en mes pensées. Je les appelle pour trouver la force de porter Ixora sous le martèlement de l'orage. Sur ce sol où plus rien n'adhère. Au nom puissant d'Aset. Me faudra-t-il traîner le corps de cette femme dans la boue ? Je lui en demande pardon. Je me place derrière sa tête et la soulève sous les bras. *Pardon. Je vous fais mal. Je sais. Je n'ai pas trop le choix.* Des rigoles commencent à déborder. Elles vomissent des déchets. Toutes sortes de détritus. Je reste concentrée. La case est dans mon dos. C'est à reculons que je cherche à la regagner. À reculons pour garder les yeux sur le visage d'Ixora. Qu'a-t-elle bien pu faire pour recevoir ainsi ta fureur. Que peut-on faire pour mériter un tel traitement.

Je songe à ce que tu racontais parfois. D'une voix étranglée. Le regard tourné vers des scènes de l'enfance. La violence de ton père. Comme si des esprits prenaient possession de lui. Son regard qui ne semblait plus reconnaître personne. Ses poings qui s'abattaient sur ta mère. Le bout de ses chaussures dans son ventre alors qu'elle gisait au sol. Tu disais sentir en toi cette énergie mauvaise. Tu craignais qu'un jour elle ne te domine. Pensais qu'il y avait quelque chose. Dans ton sang. Tu ne parlais pas tant des gènes que de l'histoire silencieuse des familles. Il y avait cela dans les non-dits de la tienne. Une force qui se tenait du côté de la mort. Qui donnait la mort. Tu l'éprouvais en toi sans être en mesure de la nommer. C'était cela qui avait abattu les frères et sœurs de ton grand-père. Le colon. Il n'était resté que lui. Et vous étiez sa descendance. Ton père. Toi. Alors tu prenais tes distances. D'avec le monde. Les gens. La vie. Tu te dérobais devant ce qui t'aurait fait courir le risque d'engendrer toi aussi un fils. Tu luttais sans le dire contre cette ombre en toi. Je t'écoutais sans comprendre. Ce n'étaient que des mots. Mais je t'ai vu ce soir. Vêtu d'un costume blanc. Au volant d'une berline gris argent. L'homme que j'ai connu ne portait pas de tels vêtements. Il prenait le métro. Vivait comme en exil sur une terre qui n'était pas la sienne. Ici tout est différent. Tu ne peux échapper à ta mémoire. L'aphonie qui la frappe ne l'empêchera pas de nuire. Tu dois affronter cela mais ce n'est pas ce que tu as choisi de faire. Tu as pris la fuite. Une fois de plus.

Nous avons à peine bougé depuis que j'ai entrepris de déplacer Ixora. Quelques pas. Deux ou trois. Guère plus. Je m'accroupis afin de reprendre mon souffle sans la lâcher. Qu'elle ne se croie pas abandonnée. Cette femme. Qui sommes-nous l'une pour l'autre ? Je me pose sans cesse cette question lorsqu'une personne vient à moi. Surtout dans des circonstances inhabituelles. Surtout si nous faisons ensemble une expérience forte. L'*esapo* n'est pas seulement dans la brousse de Twa Baka et Tehuti. J'inspire. Je regarde face à moi le rideau de pluie. L'unique ampoule du dernier réverbère en état de marche explose. Il y a cependant une lueur. Derrière les franges en mouvement. Une silhouette s'avance avec peine mais détermination. Une femme tenant une torche à piles. Elle est de haute taille. Bientôt elle fend les flots du déluge. Sa robe blanche s'agrippe à ses formes plantureuses. L'étoffe du corsage lui souligne la poitrine.

J'aurais eu plaisir à moquer l'impudicité de cette apparition. Si l'instant n'avait semblé si mal choisi. Abysinia m'a rejointe. Elle est la seule de tout le voisinage à s'être risquée dehors pour me venir en aide. Elle coince la lampe dans le foulard qui lui tient lieu de ceinture. Elle dit : *Ma sœur. Je prends les jambes.* Elle n'élève pas la voix. En dépit des roulements de batterie que fait résonner la pluie – sur les toits en tôle et sur tout ce qu'elle touche – j'entends clairement les propos d'Abysinia. Je hoche la tête et me relève. Celle qui a fondé *Les Filles de Melkisedek* ne connaît sans doute pas les figures féminines du panthéon égypto-nubien. S'y référer serait pour elle du paganisme. Elle ne se recueille pas quatre fois par jour afin de se remémorer que les divinités ne sont pas dehors mais dedans. Abysinia n'étudie pas auprès d'un guide spirituel habitant la forêt. Elle ne doit pas croire que nos âmes voyagent dans l'espace et le temps. Les cultures et les époques. Mais elle est là. Alors que nous pénétrons le mitan de la nuit. Elle est l'envoyée de l'Infini pour me soutenir. Certains de ses prêches appellent les femmes kémites à s'assister davantage. Elle recherche cette sororité à sa manière. C'est aussi cette quête qui l'a conduite à créer de toutes pièces un ordre féminin. Nous avons la nostalgie d'époques lointaines dont nous entendons l'écho en nous. Une mémoire souterraine nous habite. Nous tentons d'en comprendre le message. Nos ancêtres ignorées pincent les cordes de nos âmes. Nous les réinventons en donnant corps à ce qui nous parvient d'elles. Ce qui vient dans nos méditations. Dans nos rêves de jour ou de nuit. Forgeronnes du présent c'est déjà demain que nous tentons de façonner. Je chasse de mes pensées la voix de Tehuti. La compagne de Twa Baka me parle parfois en ses lieu et place. Elle dit toujours la même chose : *C'est bien mais va plus loin. Au-delà de…* Je tchipe et lui souris. *Sois patiente Tehuti.*

Nous portons Ixora sous la pluie. Celle qui prit le nom d'Abysinia pour restituer aux siennes leur part des Écritures et moi. Nous soutenons l'inconnue qui n'est pas une étrangère. Comment serions-nous étrangères les unes aux autres ? Nous femmes kémites dans ce monde. Abysinia et moi bravons la pluie. Nous ne la sentons pas inamicale. Sa brutalité ne nous paralyse pas. Elle exige que

a opéré avec une fulgurance de torpille, provoqué un engourdissement général, il paraît que cela arrive, lorsque la douleur est trop forte, on ne sent plus rien, presque plus rien, car je ne suis pas insensible aux lances qu'envoie sur moi l'orage, mais ça va, ça va, en est-il de même pour toi qui n'as pas osé te pencher sur mon corps, prendre connaissance et conscience des conséquences de tes actes, qu'en est-il de toi que le souvenir de cette soirée ne laisse déjà plus en paix ?

Je me demande ce que dirait ta mère en apprenant que j'ai rompu nos fiançailles, décidé de ne pas épouser son fils, compris que ma vie était ailleurs, que je souhaitais la vivre après l'avoir traînée comme un boulet, c'était n'importe quoi de toute façon, l'histoire de notre couple, nous le savions l'un et l'autre mais bon, on était des êtres à la dérive, on allait au moins faire cela, se cramponner l'un à l'autre, devenir le radeau l'un de l'autre, cela n'aurait pas empêché quoi que ce soit, c'était simplement un peu moins triste de n'être pas seul face au désastre, chacun a pris place sur la scène, chacun est entré dans son person-nage, chacun a eu les gestes, les mots de circonstance, au moins pour tromper les autres, donner l'impression de, cela nous faisait tenir, cela paraissait viable, c'était un moyen de passer le temps jusqu'au terminus, la fin d'une existence dont le poids ne s'allégeait pas, toujours pas, ta mère nous a grillés tout de suite, elle a vu ce qu'on n'était pas, ce qu'on ne pouvait être, je ne l'en blâme pas, précisons tout de même que, si elle ne s'est pas trompée, elle avait tort de croire que nous n'étions rien, n'importe quoi ce n'est pas rien, rares sont les individus aptes à s'engager sciemment dans n'importe quoi, à y mettre du cœur, à y consacrer tout leur temps et ce, sans se soucier du ridicule, nous ne méritions pas son dédain.

Oui, je me demande ce que dirait Madame ta mère, la Grande royale du *Castle Mususedi*, en apprenant que *cette femme sans généalogie* ne veut plus du petit prince, ses yeux n'ont cessé de me fusiller dès l'instant de mon arrivée sous son toit, comme ça, parce que j'existais, parce qu'elle ne m'avait pas choisie, parce que mes parents étaient issus d'un peuple ayant dû inventer sa mémoire, il ne me semble pas que ce soit si différent ici, vous lisez l'Histoire dans les archives des colons, les récits des voyageurs nordistes ou orientaux d'antan, sans cela vous êtes dans le *schwarz*, vous aussi, sans mauvais jeu de mots, enfin, je ne sais trop pour quelle raison profonde, j'imagine qu'il y en a une, un mobile sensé, un truc pour expliquer que l'on te tourne le dos avant d'avoir pu distinguer ton visage, elle ne m'a pas laissé une chance, alors j'ai fait l'imbécile, semblant de ne pas comprendre les codes, on ne peut m'en vouloir d'avoir tenté de me divertir un peu dans cette immense maison de famille, avec ses six chambres – donc six salles de bains –, ses deux salons, ses deux garages, son étage, son jardin si bien entretenu, sa piscine en forme de haricot, sa climatisation, son groupe électrogène, son système de forage pour pallier les insuffisances de la compagnie des eaux, sa bibliothèque, sa vidéothèque, ses domestiques pour prendre en charge chaque domaine de la vie quotidienne, ses masseuse, manucure, coiffeuse se déplaçant à domicile et, en dépit ou à cause de tout cela, une atmosphère de glaciation, une ambiance de congélateur.

Je l'ai aperçue en montant dans la voiture tout à l'heure, la Grande royale, elle se trouvait dans ce petit salon dont elle affectionne l'intimité, peut-être aussi les souvenirs qui s'y entassent, les restes de son humanité, ces photographies de ta sœur et de toi enfants, ces vieilles cassettes VHS bien rangées dans un meuble en acajou, ce bouquet de fleurs séchées comme on n'en fait plus depuis les années 70 et qui avait dû être importé, il est comique d'envisager que des objets lui tiennent à cœur, que des images d'un autre temps lui traversent l'esprit et lui font du bien, tant elle s'emploie à cultiver la froideur, c'en est spectaculaire, je t'assure que tout le monde ne pourrait faire cela, car c'est un peu n'importe quoi là aussi, pincer les lèvres de cette manière même lorsque l'on parle, se passer toute cette glace sur les pupilles, s'imposer cette parcimonie du geste, cette mesure constante de l'émotion, cette avarice du sourire, un tel contrôle de soi exige beaucoup, une attention de chaque instant, je l'ai bien regardée, Madame ta mère, et je me suis demandé ce qui avait pu pousser cette femme à enfouir sa beauté, les promesses qu'elle contenait, dans une rigidité de sarcophage.

Les nuages qui roulaient dans le ciel depuis des heures déjà ont crevé, crachant des trombes inhabituelles sous ces latitudes en saison dite sèche, et cette crevaison des nues a coïncidé avec l'instant où, m'ayant laissée pour morte, tu démarrais sur les chapeaux de roue, prenant en vain la fuite car ton destin est en toi, scellant par ton geste la clôture du piège auquel tu savais ne plus pouvoir échapper, car il fallait qu'un jour l'espèce de malfaçon qui *suit le sang* des tiens – de ta propre expression – se manifestât, tu avais de ton mieux tenté de retarder l'inéluctable, mettant en sommeil ton existence pour neutraliser le mal, ne surtout pas l'alimenter en tout cas, mais la vie se déploie sans cesse au-delà de ce qui nous est concevable, nous n'y pouvons rien, ce n'est donc pas ta faute, sache que je ne t'en veux pas, même si je n'avais pas besoin de cela, même s'il va me falloir des jours pour retrouver figure humaine.

Nous savions, depuis le début, sans jamais nous le dire, quel étrange assemblage nous formions, un couple qui ne s'accouple pas, qui jamais ne recherche la chaleur de l'autre corps, un couple formé sur la perte d'un ami pour toi, le deuil pour moi d'un indéfinissable, à la fois le seul homme aimé, le père de mon fils et, sans doute, celui qui me fit passer à jamais le goût des hommes si je l'avais eu, en réalité, il n'y a qu'à lui que je me sois intéressée, liée, non parce qu'il était homme mais parce qu'il était lui, lorsque je l'ai rencontré, avec son allure de grand arbre de la forêt équatoriale, ses traits de statue olmèque, le nom de guerre qu'il s'était donné du temps de votre adolescence tapageuse, ces années 80 qui s'étaient étirées de funk en new jack swing, passant par le hip-hop, ici sous le ciel subsaharien comme ailleurs sur la planète.

Sa disparition nous mit en présence l'un de l'autre, nous rapprocha ensuite, il était ton unique ami, avec lui périssaient les petites joies que tu avais pu connaître, la gaieté en dépit du désespoir, le rire pour tromper cette profonde solitude que tu savais être ton destin, l'ami n'était plus, mais tu découvrais qu'un morceau de lui survivait quelque part, un enfant dont il ne t'avait jamais parlé, le fils que nous avions eu, lui et moi, avant de comprendre que nous n'étions pas faits l'un pour l'autre, pas comme nous l'avions imaginé, tu es donc venu un jour, je crois que c'était un soir, tu m'as téléphoné, c'était après sa mise en terre que tu avais prise à ta charge, les formalités, le rapatriement du corps, tu avais embarqué à bord du même vol que sa dépouille, l'avais remise à sa famille, à son clan, on t'avait fait savoir que l'on ne te tenait pas responsable de sa mort, que l'on savait quelle amitié vous liait, que vous étiez des frères, que seul le sort avait voulu qu'il s'éteignît loin de sa terre natale, et si jeune encore, c'est après tout cela, en rentrant au Nord, que tu m'as contactée, tu voulais voir le petit de temps en temps, si je le permettais, et j'y ai consenti.

Tu es venu, j'étais là, dans mon appartement de mère célibataire dont l'existence s'appuyait sur deux piliers, l'enfant et le travail, cela se voyait sitôt le seuil franchi, les photographies de Kabral à tous les âges, les livres, les magazines, les manuels du professeur, tous écrits dans cette langue que j'ai choisi d'enseigner, je t'ai laissé entrer, revenir, passer souvent cette porte que j'avais tant de mal à ouvrir lorsque ton ami souhaitait voir son fils, notre enfant, je le regardais à peine, le cœur gros de notre échec, je restais barricadée en moi-même, ne lui laissant aucune possibilité de me parler, de m'atteindre, peut-être pour ne pas voir dans ses yeux ce que je savais au fond de moi, qu'il n'était pas, qu'il ne pouvait pas être seul responsable de la situation, que l'on aurait pu prédire la déroute, compte tenu de nos parcours respectifs, toutes ces choses que l'on ne prend pas assez le temps d'analyser avant de se précipiter dans ces aventures périlleuses que sont la vie à deux, la décision de devenir parent, on se laisse tomber dans ce qui semble le projet des humains adultes, le couple, la procréation, la transmission du patrimoine, lequel est d'abord immatériel, il peut s'agir d'un vide intérieur, d'une absence à soi, d'un tas de choses en effet que l'on aurait mieux fait de garder pour soi et qui marqueront la destinée des enfants.

Ton ami n'avait eu ni père ni mère, cela ne lui avait pas manqué, c'était ainsi qu'il présentait les choses, mais on ne sait pas toujours identifier les manques et leurs effets, il avait vécu accroché au flanc de Héka, sa grand-mère, femme mystique, sage, il avait grandi à l'ombre de Shabaka, l'arbre tutélaire de son peuple, et ces êtres chers lui avaient été ravis alors qu'il n'était qu'un enfant, un sentiment d'injustice lui avait poussé dans le cœur, une blessure réclamant l'apaisement, je n'ai pas su le comprendre de son vivant, aveuglée par mes propres besoins, par la terreur inavouée d'être une mauvaise mère, moi qui n'étais pas si sûre d'avoir désiré l'enfant, moi qui n'ai pu me résoudre à interrompre la grossesse, de peur, là encore, que ma conscience ne me le reproche, et je me suis recroquevillée sur mon ventre qui s'arrondissait, puis sur le nourrisson, l'enfant, l'univers pour moi dorénavant, je me suis fondue en lui, ce qui était trop, j'en ai conscience, pour un si petit être, mais qu'étais-je moi-même alors, sinon une toute petite chose…

Oh, tu sais tout cela, je t'en ai parlé, en toute simplicité, la deuxième fois que tu es venu pour Kabral, le fils de ton unique ami, c'était un samedi après-midi, tu voulais l'emmener voir je ne sais quel film d'animation, je t'ai servi un thé, c'était tout ce que j'avais à offrir, le petit finissait de se préparer, j'en ai profité pour te parler, tête baissée tandis que je servais le thé, sans prendre le temps de respirer entre les phrases, ces confidences que tu n'avais pas sollicitées, je parlais comme qui craint de se voir couper la parole, comme pour épuiser la parole, tous ces silences contenus, vite, vite, sans choisir mes mots, mais tu as écouté avec calme, tu as tout saisi, ne m'as rien reproché, tu n'as pas lancé *C'est mon ami qui aurait dû entendre ces propos*, et parce que tu n'as pas dit cela, j'ai eu le sentiment qu'il les recevait lui aussi, cela m'a fait du bien de penser qu'il savait désormais que je ne nourrissais pas de ressentiment, j'avais juste honte de notre échec, de n'avoir pas mieux réussi que mes parents, de me voir finir comme ma mère seule avec mon enfant, de n'avoir jamais prononcé les mots *Va demander à papa*, forcément, quelque chose devait clocher en moi, pour n'avoir su garder ni l'homme, ni le père.

C'est ainsi que tout a commencé entre nous, tu venais voir Kabral, tu l'emmenais découvrir des activités qu'il n'avait partagées ni avec moi, ni avec son père, et tu lui parlais du garçon que tu avais connu, celui dont tu avais voulu devenir l'ami alors que vous étiez au lycée, je ne vous accompagnais jamais au cours de ces sorties, j'attendais dans l'appartement de famille monoparentale, un logement intermédiaire selon certaines classifications, un peu au-dessus de chez les pauvres, dans un quartier acceptable, c'est-à-dire un quartier avec des Blancs propres et socialement insérés, c'est là que je restais amorphe sans savoir pourquoi, incapable de me détendre, de m'occuper de moi-même, de mes affaires, n'ayant, je m'en apercevais alors, aucune amie à qui téléphoner pour lui proposer d'aller ici, là, ou qu'elle vienne prendre le thé, je me laissais choir sur le canapé, constatant, dans une sorte de froide désespérance, l'impossibilité de me concentrer sur les pages de mon journal, le magazine *Essence* qui ne m'intéressait pas toujours, il faut le reconnaître, mais que j'avais pris l'habitude d'acheter du temps de mes études de langues, par chance il restait la poésie, cela seul me touchait, suscitait en moi des images, l'intuition qu'une vie était là, en moi, j'aimais de ces textes l'impérieuse beauté, des phrases comme *my every waking was incarcerated* me troublaient, je les sortais de leur contexte pour tenter de comprendre ma vie, peut-être me préparaient-elles à cette nuit dont je me lèverai renouvelée, j'en suis certaine, parfois j'ouvrais un livre en plein milieu, il y avait toujours quelque chose pour moi, quelque chose pour le moment présent, je me suis attachée à certains auteurs, les ai fait connaître à mes élèves, même si le programme de l'Éducation nationale ignorait tout de ces poètes.

Il fallait vous entendre sonner à la porte, Kabral et toi, rire dans le couloir le temps que je vienne ouvrir, il fallait humer les senteurs sucrées qui vous auréolaient, de pomme d'amour et de barbe à papa, pour me remettre à vivre, à sentir l'air dans mes poumons, le poids de mon corps, la torsion d'un geste, il fallait vous revoir pour que mon cerveau reprenne place dans ma boîte crânienne, que mon sang se remette à couler dans mes veines, mon énergie également, il me fallait voir le visage de l'enfant sur lequel je m'étais repliée pour que la vie se réinstalle en moi, je n'étais pas une mauvaise mère, j'avais tout fait pour cela, je crois, mais qu'étais-je en réalité, je me suis posé la question lorsque, me ramenant le petit un soir, lui faisant la bise pour dire au revoir, tu as ajouté *Ixora, la prochaine fois, il faut vraiment que tu viennes avec nous !*

Ta proposition m'a ébranlée au plus profond, et ce rire dans ta voix, cette joie, oui, de la joie, j'avais oublié cela, le mot lui-même s'était perdu, évadé de ma vie pour n'y plus reparaître, et tu le faisais renaître, toi, le mélancolique, le misanthrope, j'ai bafouillé *Mais oui, bien sûr,* j'ai refermé la porte en souriant de toutes mes dents, me suis dirigée sans m'en rendre compte vers la fenêtre depuis laquelle on voyait la cour de la résidence, t'ai regardé marcher sur les pavés, te presque fouler une cheville avant d'atteindre la grande porte en bois qui nous isolait du boulevard, me suis demandé ce que je ressentais sans être en mesure de répondre, c'était cela, mon existence, au point que l'invitation à partager vos amusements, à Kabral et à toi, devienne un genre de révolution, je me suis regardée dans la glace, je ne l'avais plus fait de cette façon-là, après ton ami et avant toi je ne l'avais plus fait que pour moi, portant des tenues dites féminines, voire aguicheuses, exactement comme je lisais *Essence,* pour me projeter dans une autre réalité, jouer à la femme, pas être une femme, surtout pas, une mère c'était déjà pas mal, cela prenait de la place, du temps, c'était une bonne excuse, la meilleure même, on prétendait accomplir quelque chose en mettant au monde un humain, comme si cela marchait ainsi, comme si ce n'était pas tout l'inverse, en réalité.

Je me suis regardée dans la glace, me suis vue, svelte et bien mise, toujours parfaite à l'extérieur mais verrouillée quelque part, au point que cela devait se voir, tenir le désir, l'amitié à distance, consolider mon état de femme seule avec un enfant qui porte sa maternité comme une sainte mission lui ayant échu par une méprise du destin sans qu'elle puisse s'y dérober parce que cela ne se fait pas de refuser un enfant, c'est mon père qui disait ces mots-là, *On ne refuse pas un enfant*, une phrase lui servant à se persuader que ses maîtresses étaient des affabulatrices, des folles qui prétendaient avoir eu des fils de lui et, bien sûr, les enfants n'y étant pour rien, il n'avait pas le cœur d'opposer des dénégations à ces paternités, pas le cœur de permettre que ces femmes soient frappées d'opprobre sous prétexte de s'être laissées aller – au point d'ignorer qui était le père véritable, car s'il leur manquait une case, elles n'avaient commis aucun crime, *On ne refuse pas un enfant* disait-il, sans jamais me reconnaître vraiment comme sa fille, il ne m'a jamais appelée *Ma fille*, ni prononcé mon prénom, même par inadvertance, je n'étais qu'une parmi ceux que son grand cœur avait acceptés, il avait cessé de voir ma mère sitôt la grossesse annoncée, mais pas de *faire le nécessaire*, adolescente, j'allais le voir à son bureau, c'était maman qui m'y envoyait, je patientais dans la salle d'attente avec les malades venus le consulter, sous le regard perçant de sa secrétaire qui ne pouvait s'empêcher de me dévisager, de s'interroger, je le voyais bien, sur cette étonnante ressemblance, je ressemblais trait pour trait à l'homme qui ne m'avait pas refusée, j'avais son teint de bronze noir, son nez à larges narines, ses cheveux courts qui poussaient en boules serrées, pas plus haut que quelques millimètres, son regard de vague à l'âme, alors, cette bonne femme m'observait, si intensément que je craignais de voir tomber ses yeux, elle ne pouvait faire autrement, c'était systématique, jusqu'à ce qu'il vienne, m'invite à entrer comme il le faisait avec tous les autres, ses malades.

J'étais la seule à ne pas payer, à n'avoir pas à tendre ma carte de Sécurité sociale, la secrétaire ne posait pas de questions, peut-être lui avait-il dit que j'étais une nièce, une cousine venue de la petite île battue par les cyclones et la déveine, une nécessiteuse poussée non loin de son morne natal, ce qui m'autorisait à pénétrer dans le cabinet, quand je m'asseyais, je voyais les photos de sa femme blanche, de ses rejetons métis, savaient-ils que l'*On ne refuse pas un enfant*, savaient-ils que j'avais été acceptée, quoi qu'il en soit, j'ai grandi avec ces mots dans la tête, mon paternel me les sortait sans s'en apercevoir, d'abord il demandait des nouvelles de ma mère, *Comment va Colette*, alors, une lueur lui brillait au fond des pupilles, qui s'éteignait sitôt que j'ouvrais la bouche pour répondre, ma voix rappelait la fin de la relation, j'étais celle qui lui avait ravi Colette, apparemment chérie entre toutes ses maîtresses, ces femmes noires avec lesquelles il blasphémait les vœux prononcés devant celle qui demeurait tout de même sa légitime, une Blanche valant deux Noires et peut-être davantage si l'on est homme, je parlais pour lui dire que ma mère se portait bien, il me regardait, c'était à ce moment-là que la lumière s'évadait de ses yeux, pour ne laisser que deux trous obscurs dont le creux m'avalait, avant de soupirer *On ne refuse pas...,* puis de me tendre une enveloppe qu'il tenait prête dans un tiroir de son bureau, sachant à quelle date je passerais le voir, j'ai toujours voulu lui jeter au visage cette question *Comment se fait-il que tu ne portes pas de gants faire le nécessaire semble une corvée tellement salissante et il ne faudrait pas laisser sur cette enveloppe l'empreinte de tes doigts il ne faudrait pas laisser de traces il ne faudrait*

pas que ta femme le sache un jour qu'elle ait des soupçons
ou peut-être est-elle dans le coup peut-être est-elle à l'origine
de tout cela peut-être a-t-elle exigé que tu t'emploies seul à
nettoyer ta crasse ces excréments que tu as semés çà et là tes
enfants noirs non refusés mais pas conviés à partager ta vie,
je ne disais pas ces mots, je prenais le pli et me taillais,
plus morte que vive, jamais venue au jour.

C'est tout ce que j'ai reçu de mon père, de l'argent
pour mon entretien et cette espèce de maxime, si bien
que, enceinte de Kabral, il ne me vint pas à l'esprit d'interrompre le processus, même si j'étais encore étudiante,
même si le père était un immigré sans papiers, même si
je n'avais jamais rêvé d'être mère, il n'y a pas de mots
pour expliquer à quel point je n'en avais pas eu le désir,
je n'en reviens toujours pas d'être entrée dans ce système,
Kabral est un amour, ce n'est pas ce que je veux dire,
enfin, tu sais tout ça, je n'avais pas réfléchi à la question,
c'est ce que je veux faire comprendre, je l'aime plus que
tout, mais ce n'était pas simple, l'amour, ce n'est pas
simple, pas confortable, pas forcément, je n'étais pas certaine de m'aimer moi, d'avoir quoi que ce soit à offrir,
surtout lorsque ton ami s'est mis à parler des papiers qu'il
pourrait obtenir en devenant père, cela n'a pas facilité
la grossesse que j'allais mener à son terme, je l'ai vécue
comme une longue maladie, entre angoisse et dégoût de
mon corps, cela n'avait rien à voir avec l'enfant à naître,
mais il recevait cela, baignait dans mon trouble, il a fallu
qu'il sorte de mon ventre, que je le voie enfin, distinct
de moi, pour m'attacher à lui, laisser l'amour me remplir,
déborder, me découvrir capable d'amour, c'est-à-dire de
donner, d'essayer, au moins.

Ce soir-là, mon fils qui sentait le sucre avait des lampions de fête dans le regard, il s'est approché de moi, m'a enlacée devant le miroir de l'entrée, a dit que ce serait *Vraiment trop cool,* si on était plus souvent ensemble, tous les trois, tout le temps, pourquoi pas, ça devait être possible *Hein,* il n'avait pas osé nous le demander, à son père et à moi, qu'on passe plus de temps ensemble, tous les trois, il sentait bien qu'il y avait entre nous une douleur infranchissable, que ce ne serait pas possible, mais là, c'était différent, avec toi tout était tranquille, il n'y avait pas de passif, pas de griefs, il n'y avait, au fond, que ce que l'on voulait bien, je l'ai fait taire, mais j'ai continué d'y penser, comme ça, en dépit de moi-même, j'ai songé qu'il n'y avait pas de femme dans ta vie, apparemment, que personne n'y verrait d'inconvénient, que ce serait un moyen pour moi de sortir de cette claustration, l'enfermement dans l'échec du couple, celui des origines, celui que j'avais formé avec ton ami, celui même que nous étions Kabral et moi, par la force des choses, il n'y avait pas d'enjeu avec toi, pas de risque et beaucoup à gagner, certains aspects de ma solitude étaient devenus pesants, j'aspirais à m'en libérer mais ne pouvais y parvenir sans aide, tu étais une opportunité, pourquoi ne pas la saisir, nous irions donc tous les trois, chacun ayant ses motivations, aucun ne gênant les autres, c'était un jeu en somme, de mon côté il y aurait une sorte de comédie, je passerais une autre peau quelques heures durant, entrerais à nouveau dans le rire, dans la joie, cela laisserait bien quelque chose en moi, une empreinte, une base, comme la première pierre d'un édifice qui serait, un jour, ma vie.

La fois d'après, je suis venue avec vous, vêtue d'une robe choisie pour me plaire à moi-même, mais aussi pour que tu remarques le galbe de mes jambes, la finesse de ma taille, le bel arrondi de mes épaules, que tes yeux fassent exister la femme en moi, qu'ils lui permettent de s'ouvrir comme une fleur sous les rayons du soleil, c'est injuste, c'est idiot, c'est tout ce que l'on veut mais c'est comme ça : notre propre regard sur nous-mêmes, s'il est nécessaire, ne suffit pas à notre épanouissement, et j'avais envie que tu m'épanouisses, ne serait-ce que brièvement, me dises que j'étais jolie, ce que tu as fait, l'œil brillant d'une sincérité qui m'a émue, nous sommes allés au musée, il y avait une trotte en métro depuis l'appartement de famille monoparentale, ça ne faisait rien, ce n'était pas grave, ainsi nous avons passé du temps à rire dans le métro, à faire des jeux comme *ni oui ni non*, *pierre feuille ciseaux*, nous étions bien tous les trois, c'était le printemps, saison des éclosions, quelque chose en nous allait naître, je souhaitais ta compagnie, même si mon corps ne fut jamais en proie à cette espèce de tressaillement, cela non plus n'était pas grave, je n'avais jamais connu cette émotion qu'à travers mes lectures.

Même avec ton ami il s'était agi de tout autre chose, mon attirance pour lui avait été plus cérébrale que charnelle, peut-être même un peu politique, l'amour peut avoir cette coloration-là pour qui vit la condition de minorité, j'aimais ce que je voyais en lui, la représentation d'un monde perdu pour moi, l'incarnation d'un homme noir mythique, entre Bakari II et Kunta Kinté, l'un roi ayant renoncé à son trône pour s'en aller, par-delà les mers, connaître le monde, les habitants de la

terre, l'autre un rebelle chérissant le nom, l'épopée de ses
pères, au point de les chanter encore en pays étranger,
hostile, je voyais en ton ami une figure héroïque, capable
de m'enseigner la survie, de m'apprendre à déchiffrer les
énigmes de l'existence, de me guider comme mon père
aurait dû le faire, à travers l'épais brouillard qu'était ma
vie et, parce qu'il n'était que cela, une image, une création de mon esprit, il ne me semblait pas le tromper,
lui manquer de respect ou le manipuler en simulant la
jouissance, l'annonce de ma grossesse m'a fait prendre
conscience de la réalité de tout cela, ce que nous faisions
sous les draps n'était pas une fiction, ce n'était pas une
immersion imaginaire dans le passé des peuples noirs où
je devais trouver du père une image inviolée, non pas
tellement l'origine d'un groupe humain, juste la mienne,
ce que nous faisions au lit n'était pas un retour vers l'âge
d'or, c'était le présent, j'aurais préféré avoir joui lorsque
nous avons conçu Kabral, mais rien, il n'y a rien eu, je
ne pourrais pas dire quand cela s'est produit, il n'y a pas
eu de signe.

Après le musée où nous avions vu une exposition sur
les femmes dans les arts du Continent, nous sommes
passés par la librairie du lieu, je me suis offert le cata-
logue de l'exposition, tu as acheté des livres pour Kabral,
du type de ceux que lui apportait son père, des livres
pour enfants avec des personnages au teint noir, marron,
rouge-brun, des contes de la brousse, des histoires de la
Caraïbe, j'ai pensé qu'il avait besoin de lire autre chose,
des ouvrages légitimant sa naissance et sa présence dans
son pays, pas ces textes le renvoyant forcément à la savane
subsaharienne, aux mornes des Antilles, je me suis dit cela

sans le formuler, il ne fallait pas gâcher l'instant, Kabral semblait heureux, nous avons marché en silence dans la rue, comme si ne rien dire protégerait notre bonheur, le fixerait en un lieu à jamais préservé, près de la station de métro nous avons trouvé un café, y sommes entrés pour nous désaltérer, ne pas prendre tout de suite les transports en commun, ne pas précipiter le moment de la séparation, rester un peu dans notre bulle, passer aux yeux du commun pour une famille ordinaire, être, toi et moi, les personnes normales que nous savions ne jamais devenir.

Alors qu'un serveur à la mine renfrognée prenait à la hâte nos commandes, griffonnant à toute vitesse sur son bloc-notes, comme si cela seul suffirait à nous faire débarrasser le plancher au plus vite, parce que le musée se trouvant dans un certain quartier de la ville, les Noirs sont rares dans les cafés alentour, quand il y en a ce sont des diplomates ou des hommes d'affaires subsahariens, des touristes étatsuniens, les autres, les Nègres de tous les jours, ne s'arrêtent pas pour prendre une collation dans ces parages-là, la moindre infusion coûte la peau d'un certain endroit, les regards en coin vous empêchent de goûter un peu de tranquillité, alors donc que le garçon faisait glisser son stylo sur la feuille, d'un geste devant nous indiquer, de manière subliminale mais sans appel, qu'il nous invitait à déguerpir *illico presto*, Kabral m'a pris la main, attirée vers lui pour me dire un mot à l'oreille, son regard rieur rivé sur toi, il a chuchoté *Demande-lui maintenant, tu sais...*, de ton côté tu levais un sourcil affectueusement suspicieux, un sourire espiègle étirant tes lèvres, depuis que tu côtoyais cet enfant tu souriais beaucoup, tu n'étais plus l'ombre et le mutisme, à la limite de la misanthropie, tel que je t'avais connu peu de temps après la mise en terre de ton unique ami, le père de mon fils, le seul homme qu'il m'ait été donné d'approcher ou l'inverse, celui dont la stature de baobab, les traits de sculpture olmèque et le teint sombre m'avaient sans doute rappelé l'individu qui, ne m'ayant pas refusée, ne m'avait pourtant pas aimée, m'avait à peine connue en fin de compte, occupé qu'il était à *faire le nécessaire.*

Le garçon s'en est allé chercher notre commande, nous a quittés au pas de course, littéralement, il a tapé un sprint, a déployé ses ailes, ne s'est pas soucié d'autres attablés dont il aurait pu, avant de se rendre en cuisine, consigner les desiderata sur une feuille de son bloc-notes, il était concentré sur nous, le problème que lui posait notre présence, l'urgence de nous pousser vers la sortie sans en avoir l'air, en restant bien poli, en ne rechignant pas à encaisser notre argent, son attitude faisait monter en moi une colère mêlée de tristesse lasse, mais inutile de dire quoi que ce soit, c'était ainsi, les gens ne se rendaient même pas compte de leur comportement, ils ne voyaient pas, cela tombe sous le sens, les traits de leur visage se défaire en présence de Noirs, rester désunis quoi qu'ils fassent pour se recomposer une mine quand, sur leurs faces perturbées, l'embarras prenait diverses formes, celle de la culpabilité, celle de la condescendance, celle de la certitude de nous être supérieurs dans tous les cas, c'était cela par-dessus tout qui m'horripilait, cette chose désormais ancrée dans l'inconscient blanc, il n'y a pas d'autre mot pour désigner ce virus, cette maladie de l'esprit qui fait que, confronté à une différence superficielle, celle de la couleur, on éprouve le sentiment d'une altérité négative, l'inconscient blanc se reflétait dans les yeux, animait la gestuelle du garçon de café, c'était cette chose qui l'empêcherait toujours de voir en d'autres une image de lui-même, cette chose qui nous fait savoir, à nous, que la nation refuse que nous soyons, nous aussi, son visage, la République nous pousse à conter à nos fils, *ad nauseam*, des histoires de savane, de brousse, de mornes, de ravines, à leur redire sans cesse, pour qu'ils ne sombrent pas, le Fouta Toro, le Kanem Bornou, le Wagadu, les royaumes de l'homme noir, alors qu'au début, ce que nous voulions surtout, c'était nous sentir chez nous là où nous avions vu le jour, y exister sans être contestés, ne rien avoir à faire de spécial pour jouir d'un semblant de considération, pouvoir dire, nous aussi, l'histoire de notre présence dans notre pays.

Cet après-midi-là, devant pour la énième fois de mon existence affronter la détestation d'une partie de mes concitoyens, j'ai songé à l'homme, le père de Kabral, à nos disputes quand il se plaignait du racisme, d'un certain regard que je ne percevais pas tant alors, j'étais étudiante en ce temps-là, inscrite en faculté de langues, un lieu où le rejet de l'autre est rare, les enseignants ayant en général l'esprit assez ouvert pour transmettre une culture étrangère, qu'ils ont découverte, dont ils se sont épris, qu'ils habitent par choix, ce qui est beau, j'évoluais dans cet environnement-là, encore à l'abri, en dehors de la femme de mon père, personne à mes yeux n'était blanc, ce qualificatif ne s'appliquait qu'à elle, c'était même tout ce qu'elle était, mes parents et moi n'étions noirs que parce que cette femme ne l'était pas, elle était l'intruse, l'être haïssable donc haï, elle incarnait, à elle seule, la dimension raciale de mon existence, je n'ai pas su de quoi parlait ton ami avant de devoir trouver un emploi, par chance j'ai pu passer des concours, être recrutée par l'État donc, on se demande pourquoi les Antillais se sont agglutinés dans la Fonction publique, il y a eu le BUMIDOM mais il y a aussi le racisme, enfin laissons cela, j'ai songé à ton ami, aux efforts qu'il faisait pour tenir son rôle auprès du petit, ce n'était pas facile, je ne lui rendais pas la tâche aisée, il devait, à chacune de ses visites, subir mon amertume, mes reproches muets, c'était pire que tout, cela ne laissait aucune chance au dialogue, même maladroit, je ne lui ai jamais dit ce qui m'était pénible, le voir devenir, quelles qu'en soient les raisons, un type qui faisait *le nécessaire*, c'était ainsi que je vivais cela, j'avais d'ailleurs commencé à m'imaginer un calcul de sa part, qu'il s'était débrouillé pour me mettre enceinte afin d'être régularisé, cela s'était déjà vu, c'était même fréquent entre Noirs ayant *la nationalité* et Noirs ne l'ayant pas, n'ayant rien du tout, leur nationalité à eux comptant pour du beurre ici comme ailleurs.

Je m'étais mise à penser que sa connaissance du droit des étrangers ne lui servait pas à se protéger, à savoir éviter les embûches, mais à me tromper, à me truander, à m'utiliser, j'ai pensé à la manière dont je lui avais fait payer ce soupçon jamais tout à fait confirmé, comment je m'étais fermée à lui, rigidifiée, privant notre enfant de l'image apaisée de parents ayant au moins de l'estime l'un pour l'autre, je me suis souvenue d'un sentiment étrange, un jour que je conduisais mon fils à l'école, l'impression que son père, bien que décédé, était là, tout près, que son esprit me demandait pardon, je me suis rappelé ce cri me pénétrant, *Pardonne-moi Ixora, jamais je ne t'ai voulu le moindre mal,* c'était la vérité, je l'avais toujours su dans le fond, je n'étais simplement pas apte à l'admettre, pas capable de me pardonner à moi-même mon inconséquence, après tout, j'avais – de façon active – collaboré à la conception de l'enfant, j'ai songé à tout cela, à la fatigue aussi, au moment d'abaisser le glaive et le bouclier, au fait que Kabral ait besoin d'une présence masculine, que j'aie, quant à moi, fait le tour des solitudes, le sexe ne me disait pas grand-chose, mais cette vie solitaire, c'était une certitude, ne présentait plus pour moi aucun attrait.

Alors, j'ai souri, incliné la tête, plongé les yeux dans les tiens, cependant que le serveur venait poser devant Kabral une belle glace au chocolat coiffée d'un immense cône de chantilly, un cappuccino pour toi, un cocktail de fruits frais pour moi, j'ai souri pendant tout ce temps-là, puis, quand il a enfin tourné les talons après avoir laissé sur la table l'addition non encore réclamée, je t'ai dit, tout de go, sans ciller, sans bredouiller, *On devrait s'installer ensemble,* le souffle ne m'a pas manqué, mes yeux sont restés dans les tiens, c'était normal, c'était juste, tu as compris tout de suite que je ne te proposais pas la relation que recherchent les gens jusque dans le pré où serait le bonheur, le couple, cette grande affaire, je ne t'en offrais que l'apparence et, derrière tout cela quelque chose malgré tout, d'authentique, de sincère, d'aussi sain qu'inhabituel, nous en avions besoin, c'était ce que nous espérions, l'un et l'autre, en l'état de nos existences telles que ton ami les avait laissées, nous n'allions pas faire chambre commune, mais nous serions une famille à notre façon, tu élèverais Kabral, tu lui donnerais de l'amour, une figure masculine à imiter pour ensuite s'en affranchir, cela pouvait t'être accordé sans qu'il te faille transmettre ces gènes que tu croyais empoisonnés, tu n'as pas hésité, pas même eu l'air surpris, tu as dit qu'il faudrait sans doute déménager, la famille monoparentale habitait un trois-pièces, il en faudrait bien quatre, et puis, ce serait sympathique de choisir de nouveaux éléments de décor, tu as parlé en toute simplicité, un verrou en moi a sauté, je me suis sentie légère, si légère, qui pourrait dire pourquoi, enfin nous avons fait ce que nous avions dit, tout s'est déroulé assez vite, un tout petit trimestre, nous sommes restés dans le quartier où Kabral avait son école, ses copains, ses habitudes.

Nous coulions des jours tous doux dans ce nouvel appartement, nous y avions établi une espèce de colocation améliorée, faite pour le très long terme, je crois que nous éprouvions une forme de gratitude l'un vis-à-vis de l'autre, c'était bon, pour toi aussi, d'avoir rompu avec la solitude, avec la douleur qui t'avait fait renoncer à cette femme, ton Amandla, tu en parlais peu mais je savais, si tu avais pu aimer une femme de cet amour-là, alors, elle aurait été cette femme, mais tu te croyais néfaste pour elle, sans danger pour moi parce que les implications n'étaient pas similaires, entre nous pas de romance, pas de ce désir-là, jamais, cela ne nous venait même pas à l'esprit, avec moi tu ne craignais rien, tu n'aurais pas à refuser de me donner un enfant, tu n'aurais pas à craindre d'éprouver pour moi des sentiments dont la force pourrait réveiller le mal, cette sorte de tare nichée, tu en es convaincu, à l'intérieur de tes gènes depuis des générations, depuis les temps où l'histoire des tiens se perd dans un brouillard qu'aucun maître de la parole jamais n'aura levé, tu sens cela en toi, un héritage, tu ne sais tellement le dire, de secrètes forfaitures, de sang répandu, de haines recuites, d'humiliations dissimulées.

Parfois, au début de notre installation dans l'appartement pour trois, une fois Kabral couché, nous discutions de tout, de rien, je te racontais mes journées dans ce lycée où j'enseignais la langue d'écriture de Grace Nichols, je te faisais lire sa poésie, tu parlais peu de ton travail, te remémorais plutôt des scènes de ton enfance, nimbées de mystère, des moments durant lesquels tu avais entendu des phrases, aperçu des gestes, des échanges de regards, sans rien pouvoir interpréter, sans pouvoir interroger quiconque, on ne t'aurait rien dit, dans ce monde-là on ne parlait pas aux enfants, ce qu'il y avait à savoir demeurait au sein d'une classe d'âge, à vrai dire tu n'avais pas besoin d'explication pour savoir au moins une chose, que l'union de tes parents était une aberration, qu'elle ne pouvait, dans ces conditions, que pérenniser le mal, ils s'étaient mariés loin de chez eux, la famille de ta mère n'avait pas pris part à la noce, ne l'avait pas bénie, on la voyait seule sur les photographies, parmi des gens qui jamais ne l'accueilleraient comme une des leurs.

De tout cela, je ne peux rien dire, tes parents, ton ancestralité ténébreuse, il m'est impossible d'en parler, mais depuis notre arrivée ici, dans ton pays natal, l'autre en toi m'est apparu, celui dont toi seul ressentais la présence, le pouvoir de nuisance, celui que tu as fait taire des années durant, à travers un ascétisme confinant à la pathologie, tu étais au-delà de la sauvagerie, ton incapacité à mettre fin à tes jours rendait tout cela encore plus douloureux, tu pouvais endormir le mal, pas lui régler son compte, c'était déjà lui qui avait le dessus, il a commencé à s'exprimer dès que nous sommes descendus d'avion, que tu as humé l'air chaud et humide de cette terre, il a pris des forces au fil des jours, jusqu'à ce soir où tu m'as agressée, à présent il pleut des cordes, je suis étendue sur les berges du fleuve qui traverse cette ville, ce cours d'eau qui rejoint l'océan et, couchée à même la terre, je me dis qu'il n'est pas pensable, tout simplement pas pensable, que je sois venue sur le Continent, que j'y aie rencontré l'être que mon cœur espérait, pour que ma fin ressemble à cela, je ne suis pas venue jusqu'ici pour aller rejoindre les millions d'innommés qui résident sous les flots, ceux dont le souvenir n'est toujours inscrit sur aucune stèle, je refuse de mourir, je ne mourrai pas, une force en moi se lève tandis que je pense à elle, mon inattendue, mon insoupçonnée, surgie devant moi un jour.

Je la revois telle qu'elle m'est apparue alors, vêtue de bazin mauve brodé d'indigo, coiffée de nattes suivant un tracé complexe, lui dessinant, à même le crâne, des symboles mystérieux, une écriture encore indéchiffrée, elle a passé les grilles de l'entrée principale, n'a pas sonné, n'a pas appelé, elle a poussé du plat de la main et cela s'est ouvert, j'étais assise sur la véranda, c'était au cœur de l'après-midi, pas un souffle de vent n'agitait les feuilles des nombreux arbres et arbustes du jardin, les fleurs sur leurs tiges se tenaient au garde-à-vous, la nature immobile saluait l'avancée de la femme le long de l'allée, sa danse sur le gravier blanc, chaque pas lui découvrait un peu les jambes, la robe avait une fente à l'avant, une toute petite coupure pour un très grand effet, le mauve de sa tenue rehaussait la rousseur de son teint, je prononce mal mais cette carnation a un nom ici, on l'appelle *munanga ma mole*, on pourrait dire *la clarté rouge*, mais cette clarté-là, qui se dit *munanga*, ne s'applique qu'à la peau, ce mot ne s'emploie pas pour désigner l'éclat du jour par exemple, sur l'île d'où vient ma mère on dirait *chabine dorée* pour désigner cette complexion, moi je préciserais plutôt *cuivrée* et ne ferais pas usage du terme *chabine* par respect, étant donné l'origine animalière de cette appellation, je n'en reviens pas que ce langage continue d'avoir cours, enfin elle est arrivée à ma hauteur, a dit *Bonjour mon nom est Masasi, je viens coiffer Madame*, je suis restée là un moment, dans l'hébétude, le boy est arrivé, c'est ainsi que l'on dit chez Madame, *le boy* est venu sur la véranda, et c'est lui qui s'est chargé d'annoncer la femme de cuivre, je n'avais remué qu'en imagination et encore, au ralenti.

Je vais me lever, marcher vers elle, cette pensée me porte tandis que mes lèvres expulsent un délire où se mêlent l'absence du père, la rencontre inaboutie avec l'homme qui devait combler ce vide, celui dont j'attendais qu'il me regarde comme l'auteur de mes jours ne l'avait pas fait, qu'il me prenne dans ses bras pour que je sente la chaleur qui aurait dû venir du père, d'abord de lui, celui qui, ne pouvant comprendre cela puisque je ne savais le dire, avait vu en moi la femme que je n'étais pas encore, dans mes divagations il y a ces deux hommes, puis encore deux autres, Kabral et toi, de mon fils je peux dire qu'il est mon enfant, il suffit de ces mots pour définir le lien qui nous unit, mais comment parler de nous, de ce que nous sommes toi et moi devenus l'un pour l'autre, au point que tu t'autorises ce soir à lever la main sur moi quand tu n'en veux qu'à toi-même d'être venu t'égarer en ce pays où il n'y a rien pour toi, comment dire ce qui m'a poussée à refuser de laisser Kabral à ma mère, à te laisser l'adopter, à te suivre ici pour voir si je pourrais m'adapter à cette terre, m'y créer une vie, je ne trouve pas les mots pour exprimer cela, plus j'y pense moins notre histoire me paraît cohérente, mais tant pis, c'est ce que je me suis toujours dit, tant pis pour la cohérence, le bon sens, nous vivions quelque chose de vrai, qui nous faisait du bien, assez pour qu'il me soit devenu impossible de me séparer de toi, assez pour qu'il me soit devenu impossible de ne pas m'inquiéter de toi en ce moment, cette crise va passer, l'ombre qui s'est emparée de ton être va se dissiper, et tu seras seul.

La pluie a fini de ruiner ma petite robe de soie noire, ta mère n'aime pas mes toilettes, elle ne dit pas grand-chose mais elle le pense si fort, c'est un plaisir de lui sortir le grand jeu, de la voir écarquiller les yeux, il faut être attentive, elle a une telle maîtrise de soi, son effroi n'est pas longtemps visible, elle ouvre grands ces yeux qui ne sont d'ordinaire que deux fentes, puis elle retrouve sa contenance, elle ignore que cela ne m'amuse plus tant, que je rêve de robes amples en *adire* comme on en trouve dans un pays voisin qui les exporte ici, de jupes longues en *ndop*, de pantalons en *kente* à fond vert ou gris, je trouve ceux-là plus jolis que le *kente* orangé que l'on voit partout, ta mère s'imagine comprendre ce qui ne cesse pourtant de lui échapper, si elle me voyait en si fâcheuse posture, la petite robe noire taillée en pièces, sa première pensée serait pour ma tenue, pas pour moi, elle ferait bien sûr un geste, non par sollicitude mais pour ne pas déchoir à ses propres yeux, ce serait une faute, de la part d'une personne de son rang, un manquement grave à l'étiquette – plus qu'à l'éthique, de ne pas secourir un être inférieur.

Il n'y a pas âme qui vive dans ces parages, j'ignore où tu m'as laissée, mes promenades ne m'ont pas offert la joie de découvrir ce quartier, tu voulais prendre un raccourci, l'orage était sur le point d'éclater et nous étions en retard, ce dîner était prévu de longue date, il était important pour tes affaires, tu avais revu cet homme au prénom improbable, un certain Charles-Bronson que tu disais brillant, un scientifique, il avait inventé je ne sais quel système pour faire je ne sais trop quoi, tu pensais capital d'investir, non seulement l'invention serait-elle utile mais cela rapporterait, il fallait éviter que d'autres ne mettent la main sur le brevet, tu lui avais donné rendez-vous au Prince des Côtes, ce n'était pas si loin mais prendre de vitesse la pluie était impératif, alors tu t'es engagé dans ce virage et nous sommes arrivés ici, tu regardais à peine la route, c'est un peu ma faute il faut le reconnaître, je ne pouvais plus garder cela pour moi, il n'y a pas de bon moment pour annoncer qu'on a rencontré quelqu'un, que tout est changé, que l'urgence est maintenant de renoncer à la blague.

Les gens se terrent chez eux, cet orage hors saison est d'une rare violence, il n'y a que l'eau, la glaise sur laquelle je repose, non, sur laquelle je suis posée serait plus juste, j'essaie de tourner la tête, de voir un peu mieux ce qui m'entoure, de ne plus recevoir toute cette eau dans les narines aussi, ce serait bien, je n'y parviens pas, je voudrais me lever, je sens que je le pourrais, mais cela non plus ne se produit pas, alors j'attends, cette nuit n'est pas ma dernière sur la terre, je ne vois pas défiler les moments marquants de ma vie car beaucoup sont à venir, je ne vois ni tunnel ni lumière blanche au bout, mon esprit ne se détache pas de mon corps pour le contempler d'en haut, s'étonnant d'avoir été durablement contenu dans une si petite chose, s'il se livrait à cet exercice, mon esprit ne voudrait à aucun prix retourner dans sa cage, je ne vais pas mourir, quelqu'un va venir, la pluie va cesser, je vais marcher, même toute nue dans les rues, on me prendra pour une folle, on me prendra pour un esprit, une divinité extravagante, je serai la déesse S'en-fout-la-mort, nouvelle venue au panthéon mais prête à y prendre sa place, peut-être verra-t-on en moi une sorcière, une de ces femmes qui, depuis peu, se déshabillent dans les marchés, défient Legba en plein milieu des carrefours, se dénudent toujours dans des lieux très fréquentés, font alors leur toilette en public, prennent leur temps, frottent ici, frottent là, cependant que la foule les injurie, les accuse de vouloir soutirer aux autres les bienfaits qui leur étaient promis, on dira ce que l'on voudra sur mon passage, je traverserai la ville entière et j'irai la trouver.

Déjà, j'imagine l'instant où je serai devant la porte de sa maison, attendant que les battements de mon cœur se calment, scrutant de l'extérieur la faible lueur d'une lampe-tempête posée près de son lit, les ombres projetées sur le rideau alors qu'elle se déplacera dans la pièce, je finirai par frapper comme on le fait ici, en disant *kon kon kon* et pas *to to to* comme sur la terre natale de ma mère, elle ne m'entendra pas tout de suite, ma voix aura été affaiblie en raison de la nuit passée sous l'orage, de mes blessures, de la longue marche vers elle et vers moi-même, elle aura l'oreille tendue vers le transistor, la radio locale diffusera une émission musicale, un hit-parade tropical, le corps de la femme rouge tanguera au rythme d'un de ces airs chaloupés, elle aura dans le même temps les mains affairées à quelque tâche de dernière minute avant le coucher car j'arriverai après le crépuscule, il fera déjà nuit noire, une des maquerelles du voisinage l'appellera, criera son nom comme on donne l'alerte, *Masasi oh, Masasi, Masasi oh, il y a une personne devant ta porte*, elle tirera un coin de rideau, me verra, ouvrira, il sera tard quand je me glisserai dans ses bras pour y trouver l'apaisement et tout le reste, ce qui n'a de nom exact dans aucune langue, ce que le cœur humain désire pourtant, il sera tard et ce sera un commencement.

J'essaie de chasser toute autre pensée pour me concentrer sur celle-là, le visage de Masasi, le confort que j'éprouve en sa présence depuis le premier jour, quand elle est venue, comme elle le faisait déjà une fois par semaine avant notre arrivée sous le toit de ta mère, car c'est ainsi qu'il faut considérer votre demeure familiale, ton père ne logeant plus en ville, ta sœur ayant fui un pays qu'elle trouvait laid, la présence de Madame ta mère remplissant le moindre interstice laissé entre les briques formant cette bâtisse, ce fut le cas ce jour-là, bien entendu, les lieux étaient pleins d'elle, quand Masasi a été annoncée, quand le boy, c'est comme ça que vous dites, *le boy*, s'est précipité dans la pièce connue sous le nom de *salon ouvert* – pour dire que de larges baies vitrées offrent une belle vue du jardin et de la piscine –, le boy a donc traversé le

Castle Mususedi, il a gravi les marches de l'escalier, a baissé la tête sans reprendre son souffle pour dire : *Madame, la tresseuse est là*, il n'a pas dégluti une fois, n'a pas cillé, son corps entier avait oublié toute notion de mouvement, pendant qu'il attendait la consigne.

Ta mère a royalement répondu qu'on la fasse patienter sous la véranda, c'était quelques jours après notre arrivée, je n'avais rien à dire à Madame, mais j'étais souvent auprès d'elle, ne connaissant personne ici, n'ayant nulle part où aller encore, je devrais attendre la rentrée pour prendre mon poste au lycée nordiste, de ton côté tu plongeais le nez dans les affaires de la famille, apprenais sur quoi reposait concrètement le patrimoine, tentais de voir s'il te serait possible de gérer cela sans te fourvoyer, de t'en servir de façon à agir pour le bien commun, tu voulais y croire, en toute sincérité, c'était le moment, tu le sentais en toi, le Nord devenait de plus en plus difficile à vivre parce qu'il se sentait mourir et ne s'y faisait pas, nous ne comptions pas y retourner, des vents malsains y soufflaient, qui ramenaient la xénophobie, le racisme, l'impossibilité de n'être que soi, un individu tranquille dans son coin, et quelque chose dans ce climat incitait les uns et les autres à choisir leur camp, à découvrir qu'ils en avaient un, en fait, ils l'avaient toujours ignoré, certes, mais à présent, on les sommait de prendre parti, position, fait et cause, de faire bruyamment leur *coming out*, et dans tous les domaines.

Des Nordistes blancs souffraient eux aussi de ce climat, nous nous en apercevions, l'asphyxie les menaçait, ils nous auraient suppliés de ne pas les abandonner aux identitaires, de ne pas les livrer aux paniqués du *remplacisme*, ils n'avaient aucune envie de vivre dans un monde peuplé seulement de Blancs, *Whites*, *Blancos*, un univers qu'ils n'avaient jamais connu, ils avaient en horreur la suprématie blanche qui les privait du statut d'humains, d'ailleurs ils ne voulaient pas être des Blancs, ne supportaient pas ce mot qui était pourtant leur héritage et dont ils ne récusaient pas tous les avantages, on les entendait rarement se plaindre de ne voir que des Blancs quand ils allumaient la télé par exemple, on n'était pas certain qu'ils sachent le prix historique du sucre de canne, enfin, ils n'étaient pas à la fête mais bon, c'était la vie, chacun ses problèmes, il fallait se sentir des attaches puissantes avec une société pour lutter en vue de la réformer, cette bataille-là n'était pas tienne, tu parlais de plus en plus d'un retour sur le Continent, surtout avec Kabral qui grandissait dans un environnement où être un garçon noir tenait du délit, ce serait pire dès qu'il atteindrait la classe de troisième, il fallait prendre la tangente avant qu'il ne devienne la cible du profilage racial, le conduire dans un espace où nulle limite ne lui serait imposée en raison de sa race, tu avais pour lui les inquiétudes et les désirs d'un père, tu as proposé de l'adopter, lui et moi avons accepté, il t'appelle *Pops*, *Papa* est réservé au défunt que nous chérissons tous trois.

Le Continent n'était pas le paradis, les gens n'y étaient pas plus heureux contrairement aux idées répandues, ils n'avaient rien compris de plus que les autres à la vie, ils étaient aussi largués que tous les humains peuplant la planète, tu savais même lesquels de leurs travers il te faudrait affronter de façon régulière, mais la mort de ton ami avait modifié tes vues sur le sujet, quitte à souffrir le rejet, l'incompréhension, autant le faire là où on estimait avoir de bonnes raisons d'endurer la médiocrité intrinsèque de l'*homo sapiens*, et ce territoire, pour toi, se trouvait en zone subsaharienne, au cœur de cette région, dans un pays que tant de peuples nordistes avaient convoité, qu'il lui avait fallu faire face à la domination de trois nations impérialistes puis, se débrouiller avec ce qu'elles avaient laissé, on voyait le résultat, il n'était pas simple d'habiter le projet d'autres, et on n'avait pas le temps de s'en forger un, de trop nombreuses urgences pressaient, elles étaient de tous ordres, voir se lever le jour relevait de l'exploit dans de telles conditions.

J'ai refusé de laisser Kabral chez ma mère qui ne comprenait pas ma démarche, c'est normal, je suis sa fille unique, l'enfant qu'elle a eue d'un homme qui l'a éblouie avec sa culture, sa voix grave, son élégance et ses bonnes manières, qui ne lui a avoué être marié sans intention de quitter sa femme qu'en apprenant la nouvelle de sa grossesse, il ne lui a pas demandé d'avorter, étant donné que : *On ne refuse pas un enfant*, mais il s'est joué d'elle, en fin de compte, je pense que l'on peut dire les choses ainsi sans trahir la vérité, cet homme dont elle conserve encore des photos mal dissimulées dans le tiroir contenant ses sous-vêtements, je me suis toujours dit que ce n'était pas un hasard qu'elle les ait planquées là, elle le garde dans son intimité, empêche quiconque d'y accéder, j'ignore si elle y a réfléchi, mais c'est ce qu'elle a fait, elle a collé le nez du bonhomme sur le fond de ses culottes, et nul autre après lui n'a approché son museau de sa *koukoune*, elle n'a pas remarqué ceux qui auraient bien voulu, je la revois, le jour du mois où elle m'envoyait chercher l'enveloppe, *le nécessaire* dont, j'en suis persuadée, nous nous serions fort bien passées mais voilà, c'était devenu le lien nous unissant à lui, elle qui aurait dû l'oublier, moi qui aurais pu protester, dire *Non maman c'est votre histoire pas la mienne vas-y toi-même si tu y tiens tant quant à moi je ne veux rien avoir à faire avec un homme venu tromper son épouse dans ton lit comme si tu ne méritais pas mieux que d'être l'autre femme peu importe qu'il aime ou non sa légitime c'est elle qui lui est indispensable c'est ce qu'il a créé avec elle qui sous-tend son existence sans ça il l'aurait quittée mille fois tant il a été voir ailleurs et que fais-tu des autres mamans celles qui ont pris ta place en attendant d'être engrossées puis jetées parce qu'il ferait le nécessaire non maman je n'irai pas je n'ai pas le désir de connaître un tel homme,* j'aurais pu dire cela ou quelque chose d'approchant, je ne l'ai jamais fait.

J'étais prise à son piège moi aussi, prise dans les rets de cet individu, j'avais besoin d'une relation avec lui, même minimale, embarrassée et vaine, cet attachement vénéneux par lequel ma mère et moi avons fermé la porte à maintes possibles amours, cela représentait-il quelque chose pour lui, *Comment va Colette* avant l'enveloppe, l'échange qui ne durait pas plus d'un quart d'heure, je crois qu'il n'a pas su quelles études je faisais, il m'a seulement vue grandir, a dû constater que je ne venais plus solliciter *le nécessaire*, plus aucun rendez-vous noté dans la case *Fille de Colette* puisque je n'étais pas la sienne et que je n'avais pas de nom, il n'a pas téléphoné pour savoir ce qui s'était passé, pourquoi il ne me voyait plus, cela faisait une bouche de moins à nourrir, une page à tourner enfin, je ne connais pas ses autres enfants.

Maman ne comprenait pas notre relation mais disait me trouver épanouie, bien dans ma peau depuis toi, alors, pourquoi pas, pourquoi pas, pourquoi pas, tout de même, cette histoire d'aller vivre dans un pays même pas émergent, elle ne voyait pas d'où ça pouvait venir, attendu que, d'après des informations connues de tous, les habitants du Continent étaient prêts à risquer la mort pour le quitter, pratiquant, depuis des générations, la fuite des capitaux, des cerveaux, des corps, parce qu'on leur avait fabriqué des pays qui ne leur convenaient pas, parce qu'ils ne voyaient pas pourquoi achever une tâche dont ils n'avaient pas conçu le projet et, puisqu'il en était ainsi, puisqu'ils n'étaient pas venus au monde dans le seul but de regarder vivre les autres, puisqu'ils avaient droit eux aussi à la vie, et dans des conditions de confort acceptables, pas sur des chantiers dont on voyait qu'ils ne seraient jamais terminés puisque les plans changeaient tous les jours, eh bien, ils prenaient l'avion, la barque, le radeau, échouaient sur n'importe quel rivage nordiste – s'ils n'avaient pas péri en route –, prêts à prendre l'existence au collet, on voyait bien qu'on n'allait pas s'en débarrasser ainsi, on s'alarmait des troubles qu'ils causaient, morts ou vifs, dans les deux cas il y avait cette question morale, et puis les intérêts financiers, tout cela était de plus en plus compliqué, le caractère inextricable des relations Nord-Sud.

Ceux restés au pays étaient occupés à passer l'arme à gauche, avec une inventivité sans pareille, absolument inégalée, quand ils trouvaient le temps long, lorsque la Grande Faucheuse lambinait en chemin, ils l'aidaient un peu en prenant les armes les uns contre les autres, à croire que ces armes poussaient sur des baobabs, qu'il n'y avait qu'à les cueillir, tout ça pour dire que le Continent était le royaume de l'insécurité totale, ainsi parlait Colette, ma mère, il a fallu parfois l'inviter à se taire, la prier de bien vouloir cesser de débiter des fables inventées pour dénigrer des gens à qui l'on pouvait au moins reconnaître, quand ils *prenaient les armes* comme elle disait, qu'ils ne le faisaient qu'en famille, très peu d'autres populations avaient cette élégance, de ne se tuer jamais qu'entre elles, quant à ceux qui s'accrochaient à des radeaux dans lesquels ils emmenaient même leurs enfants, que s'imaginait-on après avoir suscité en eux toutes sortes de besoins, de désirs, pour engraisser le capitalisme, se créer des marchés, il ne fallait pas s'attendre à ce qu'ils se contentent de découvrir le monde par l'internet, ils voulaient l'explorer à leur tour, le monde était venu les trouver, s'imposer à eux, le Nord aurait dû réfléchir avant, et puis, ce n'était pas vrai, ce qu'elle disait, ce n'étaient que des vérités partielles, partiales voire parcellaires, on ne pouvait braquer l'objectif sur deux ou trois territoires en proie au désordre pour condamner tout un continent, je me posais les mêmes questions mais l'entendre les formuler sans prendre de gants m'insupportait, aussi fallait-il aller au bout de ma protestation, faire fi de mes appréhensions, te suivre en ce pays.

Je ne regrette pas d'être venue ici, me confronter à une complexité qui n'intéresse pas le Nord, je n'avais pas d'attentes, j'ai bien fait, si les gens d'ici avaient été aimables et aimants par essence, mes relations avec la Grande royale auraient été plus cordiales, elle ne m'aurait pas battu si froid, elle n'aurait pas pincé les lèvres et froissé la face dès que j'apparaissais, je ne me raconte donc pas d'histoires, j'aime toutefois ce que m'apprend ton pays, j'ai compris bien des choses, en suivant les chemins de Masasi, lorsque j'ai commencé à me glisser dans son ombre, posant mes pieds sur l'empreinte de ses pas le long des routes de terre qui la ramenaient dans son quartier de Vieux Pays une fois qu'elle avait fini de coiffer Madame à qui on peut au moins reconnaître une qualité, son attachement aux coiffures ancestrales des femmes de son peuple, elle ne porte ni perruques, ni rajouts, ne se défrise pas les cheveux, Masasi les natte, lui traçant d'ambitieux motifs sur le crâne, c'est une œuvre graphique qu'elle réalise, et avec quelle précision, c'est comme un langage, ces lignes qui se croisent, une forme d'écriture ou, peut-être, plutôt, d'art à la fois abstrait et tangible, cela renseigne sur le mouvement d'une pensée qui n'est pas seulement celle de Masasi, je veux parler d'une vision du monde, c'est ce qui se dessine lorsqu'elle sépare les mèches à l'aide d'un piquant de porc-épic après les avoir démêlées, au-delà de ce qui relève de la culture commune, il y a le caractère de la tresseuse, sa créativité, dès le premier jour cela m'a frappée, j'ai constaté qu'elle avait un projet, une idée, comme un schéma en tête, elle ne se lançait pas au hasard ni ne produisait les motifs dans le vent, elle façonnait sa propre mode.

Je m'étais installée un peu en retrait, assise sur un banc dans un coin de la véranda, après que Madame, vêtue ce jour-là d'une ample robe vert pâle, avait pris place sur un tabouret haut, permettant à Masasi de se mouvoir autour de sa matière, comme une sculptrice ayant besoin que tous les angles soient dégagés, ta mère était impressionnante installée là, pas du tout par sa taille, il s'agit d'une petite femme, *un petit bout de femme* comme aurait dit Colette, non, ce n'était pas sa stature qui en imposait, mais cette autorité naturelle, cette autre chose également, dans sa voix, une douceur qu'elle a dû brider, modeler pour en faire à la fois une lance et un bouclier, aussitôt qu'elle a pris place j'ai décelé cet élément, l'étrangeté de cette fragilité changée en pierre, et Madame ignore, jusqu'à cette heure où je rassemble mes forces pour refuser la mort que tu m'as presque donnée – sans le vouloir –, que je lui ai permis de me malmener, l'ayant sentie aux prises avec une souffrance plus immense encore, celles qu'elle pourrait infliger à quiconque n'était rien à côté de son propre tourment.

Et je me suis laissé mépriser, regarder de haut, pousser vers la sortie par respect de cette douleur, je dis bien par respect, Madame n'est pas, quoi que l'on ait su percevoir à son propos, femme à inspirer la pitié ou même la compassion, de plus il arrive qu'elle manque de finesse, je ne veux pas dire d'intelligence, on se rabaisse à insulter les autres, je n'irai pas sur ce terrain-là, mais que dire d'une femme qui se renfrogne en vous voyant passer le balai quand le vent vient de déposer un voile de poussière sur la véranda où elle compte s'installer, une femme qui vous expose, d'un ton docte, les bonnes raisons de ne pas faire la vaisselle dans la nuit afin de nourrir les esprits, alors que l'on traque les rongeurs venus du voisinage, oui, même l'imposant *Castle Mususedi* n'est qu'une maison ordinaire face à cela, la vie qui grouille au-dehors et qui vient prélever, chez les nantis, la part qui lui revient, si ces souris avaient été des ancêtres réincarnés, on ne leur tendrait pas tous ces pièges, on ne les écraserait pas à coups de bâton, tu en seras d'accord.

Il pleut à torrents maintenant, la rue est déserte, les fous, les errants, les mendiants, savent où se terrer par un temps pareil, je n'entends pas un bruit, rien que la pluie qui tambourine, la pluie qui joue *tak pi tak pi tak tak* sur les toits, la pluie qui groove sur la terre, dans le fond déjà débordant des rigoles, la pluie qui claque les détritus épars sur le sol, les boîtes de conserve, les tessons de bouteille, les morceaux de carton, c'est comme un orchestre de batteurs frappant un *rimshot* en canon, chacun sur le bord de sa caisse claire, il n'y a que la musique de l'eau se déversant, s'infiltrant, cognant, imbibant, je n'entends pas mon propre souffle, ni les battements de mon cœur, tu me diras, il n'est pas habituel de les entendre, je ne devrais donc pas m'inquiéter, tout de même, j'aimerais entendre, pas seulement sentir la vie en moi, alors, je tends l'oreille, savoir si le moteur tourne, me mettre en route, je commence à bien connaître cette ville, en tout cas, je sais où habite Masasi, je saurai demander mon chemin s'il le faut, je ne vois pas trop où je suis, je ne crois pas y être déjà venue, peu importe puisque c'est dans la ville, je saurai me diriger depuis ce point précis, ce que j'aimerais maintenant c'est recevoir le signe dont j'ai besoin, celui qui agira comme un coup d'éperon, il faut aussi que l'orage musicien s'apaise, passe des baguettes au *udu*, que l'eau tempère sa cadence, qu'elle lave mes plaies au lieu de les piétiner.

En y pensant, je nous revois tous deux en début de soirée, quitter la demeure de Madame, comme d'habitude, nous avions commencé à nous disputer, je t'avais reproché de ne rien me faire partager de ta vie d'ici, de commencer à céder aux pressions de Madame à qui tu avais annoncé nos fiançailles et qui ne voulait pas en entendre parler, *Surtout pas une sans-généalogie,* avait-elle dit sans se soucier de ma présence, elle avait ajouté *Pourquoi agis-tu toujours comme si tu ne connaissais pas ce pays cette femme que tu nous as ramenée du Nord n'est pas faite pour vivre ici on dirait qu'elle va s'envoler si on lui souffle dessus Amandla encore était différente mais tout aussi problématique,* Madame travaillait à te faire envisager des épousailles plus conformes à ton rang, aux mœurs de ton pays, saisissant la moindre occasion pour te parler de la fille d'untel, détentrice d'un MBA obtenu dans une université de l'Ivy League, et dont on savait qu'elle rentrerait au bercail si elle y trouvait un époux à sa mesure, c'était même la condition imposée à ses parents, bien entendu, elle avait dû faire les quatre cents coups, mais ce n'était pas un problème, puisqu'elle était revenue à la raison et que, surtout, son patronyme avait une signification et une histoire sous ces cieux, je n'ai même pas songé à émettre des protestations, pas une fois, tant j'étais admirative de la violence exercée par Madame, elle te faisait ses suggestions matrimoniales à table, nous étions tous trois ensemble, Kabral avait été excusé, il avait fini de dîner, Madame s'expliqua un jour sur cette attitude sans y être contrainte aucunement, me regardant droit dans les yeux, elle déclara qu'il ne fallait pas *prendre ombrage* de ses propos, *Mon fils est toujours par monts et par vaux je ne peux donc lui parler qu'au repas du soir et nous n'allons pas vous exclure puisque vous êtes là,* j'avais acquiescé d'un hochement tranquille de la tête, jugeant qu'il serait

On pourrait croire qu'ils t'ont ensorcelé, ont eu recours à des pratiques occultes pour asservir ton esprit, ton âme, ton cœur, te faire marcher à côté de toi-même, toujours un peu plus jusqu'à ce soir, la minute où tu m'as rouée de coups, ton regard m'était devenu étranger, j'y cherchais une lueur, une trace de toi, elle avait disparu, tu frappais sans avoir l'air de me voir, sans rien maîtriser, je me suis affalée là, au sol, incrédule, es-tu revenu à toi un instant, je veux dire en me voyant tomber, t'es-tu penché sur moi, te demandant ce que tu venais de faire, as-tu pris la fuite apeuré, je l'espère, autrement, c'en est fini de toi, plus rien ne pourra te sauver, à vrai dire, ce n'est pas ce qui m'inquiète le plus à cette heure, je ne voudrais que me lever, avancer, c'est tout ce qui m'importe, que l'eau ne pénètre plus dans mes narines, qu'elle ne m'inonde pas de l'intérieur, c'est peut-être pour cela que je n'entends pas ma respiration, je dois avoir les bronches pleines de flotte, ce serait terrible que tout s'arrête ici, qu'après avoir erré sans le savoir, en quête d'une place saine et paisible au monde, l'ayant enfin trouvée, je finisse noyée sans que l'on m'ait jetée d'un navire négrier, sans m'être moi-même précipitée dans l'océan pour ne pas vivre enchaînée.

Pardonne ces pensées macabres, l'idée de la noyade m'évoque toujours ces temps anciens, dès qu'il y a trop d'eau j'y pense, c'est mon inconscient caribéen qui veut ça, l'eau nous est matrice et sépulcre, je m'oblige à la pensée positive, me dis qu'il n'y aura pas de noyade mais une renaissance, si l'eau me submerge, ce sera pour me protéger, m'abriter, jusqu'à ce que je puisse me lever, m'élever, aller à la rencontre d'une vie pleine auprès de Masasi, une portière de voiture claque non loin de l'endroit où je suis étendue, je l'entends distinctement, je voudrais crier à l'aide, c'est impossible, je ferme les yeux, ça pique, de bouger les paupières pique un peu, c'est au visage que tu as frappé en premier, comme pour effacer mes traits, je t'ai annoncé notre rupture, nous allions dîner au Prince des Côtes, le restaurant de l'hôtel est le quartier général de l'un des cercles que tu fréquentes désormais, tu disais ne pas avoir le choix pour atteindre tes objectifs, venir en aide aux plus méritants nécessitait ce sacrifice, ce pacte avec l'obscur, il fallait avoir des relations pour que tout ne s'écroule pas d'un coup, dans le domaine scientifique il faudrait des autorisations, des appuis politiques, l'affaire à conclure avec Charles-Bronson était stratégique, il ne fallait pas la laisser filer au Nord, alors oui, le club était un passage obligé, qu'il se réunisse dans l'hôtel familial te donnait déjà un ticket d'entrée, tu t'y es coulé presque sans résistance, tu fais donc partie de ce milieu où des femmes instruites, autonomes sur le plan des finances, acceptent de se laisser marcher dessus pour conserver le statut d'épouse, préserver une vie sociale sans intérêt, où les hommes ne semblent occupés qu'à *faire des enfants dehors*, c'est comme ça que l'on dit ici pour parler des rejetons nés de leurs nombreuses infidélités, c'est là-dedans qu'ils font carrière, en réalité, les hommes de la haute, pour gagner de l'argent ils ne travaillent pas.

Dans ces entreprises qui les emploient, ils font des coups, montent des combines, nous sommes ici dans un grand casino, l'élite, ce sont ceux qui ont les moyens de jouer, tout est artificiel mais bon, ils sont contents, les épouses font avec, du moment que le petit peuple n'y voit que du feu, continue de leur envier la villa, la berline, les vacances dans les pays du Nord, je ne comprenais pas que tu t'abaisses à ce point, qu'en si peu de temps tu te sois réduit à n'être que cela, je te l'ai dit, ce n'était pas une riche idée après l'annonce de la rupture, il me faut bien le concéder, je pensais ainsi changer de sujet, alors je te l'ai dit, que ce revirement me décevait, j'ai ajouté que ce n'était pas ce que ton ami aurait fait, lui, s'il était rentré au pays, si la vie nordiste ne lui avait pas mis le cœur à l'arrêt, un soir, dans le métro, alors qu'il était dans la force de l'âge, c'est à ce moment-là que tu as coupé le moteur, m'as rugi à la figure : *Descends tout de suite de ma caisse*, je n'allais pas me faire prier, rien à fiche de ce dîner, je ne voulais pas y aller, j'avais assez vu ces gens, les rares fois où tu m'avais tolérée à tes côtés quand tu les rencontrais, une fois au cours d'un cocktail d'entreprise, une autre fois pendant un brunch dominical, peu avant une partie de golf, sport prisé de ces bourgeois patauds et inconscients de leur vulgarité, ne vivant que pour éventrer, piller cette société, on dit que ce sont les Nordistes qui font cela, on aime bien dire que ce sont les autres, les auteurs de nos actes, les responsables de nos choix, on aime bien refuser d'être libres.

Tu as été plus rapide que moi, tu m'as descendue de *ta caisse*, celle que Madame avait mise à ta disposition, tu avais refusé le chauffeur mais pas la tire, une berline gris argent, un peu ridicule sur les artères défoncées de la ville qui n'offrent aucun plaisir de conduite, tu es sorti le premier de l'habitacle, m'as empoigné le bras, la glaise a tout de suite aspiré le talon de mes escarpins, l'air était lourd à suffoquer, tu m'as boxée avant que je ne saisisse ce qui m'arrivait, dès que j'ai compris, je me suis servie de la seule arme à ma disposition, ma langue acérée, je t'ai insulté comme il fallait, comme tu le méritais, t'ai injurié de haut en bas, un nettoyage en règle, je t'ai traité d'homme en toc, toi qui avais quitté le Nord pour ne pas demeurer dans une société de plus en plus raciste, tout ça pour venir te plonger jusqu'au cou dans la poubelle où vivent les bourgeois subsahariens, cette benne à ordures où l'hypocrisie côtoie l'avidité, la violence, la dépravation, avec quels délices tu semblais te vautrer dans tout cela et, de plus en plus, prêter l'oreille aux paroles de Madame qui ne voulait pas d'une bru *sans généalogie*, cette dernière accusation n'était pas tout à fait fondée, c'était moi qui avais rompu, mais que veux-tu j'étais lancée, tu m'avais forcée à dégainer, à tirer plus vite que mon ombre, et j'opérais à l'aveuglette, ivre de mon propre verbe, me libérant au fond d'un poids sans rapport avec tout cela, l'objet des querelles est souvent au-delà, c'est pourquoi les mots débordent un certain cadre, on le sait mais c'est peine perdue, si la raison l'emportait toujours nous serions des dieux pas des humains.

J'ai donc dit ce que j'avais à dire sur le moment, sachant pourtant qu'une chose en toi n'avait pas changé, les femmes, le mariage ne te disaient rien, en dehors d'Amandla que nous avions croisée par hasard dans la rue, quelques jours après notre arrivée ici, je l'ai vu dans le regard que vous avez échangé, tu l'avais à peine saluée, j'ai tressailli de mon côté, gagnée par l'émotion qui émanait d'elle, perturbée par l'embarras que tu tentais de dissimuler, tu ne m'as pas présentée, tu as continué à marcher, nous allions faire des courses, j'ai traîné un peu derrière, curieuse sans doute, c'est bien normal, j'ai tendu la main, dit *Bonjour, je suis Ixora, Amandla,* a-t-elle répondu, j'ai vu combien nous étions différentes, son corps est aussi plein que le mien est sec, sa peau aussi claire que la mienne est sombre, ses cheveux aussi longs que les miens sont courts, coiffée d'une *front lace* au lieu de *locks,* elle serait le fantasme d'une majorité d'hommes noirs, il se dégage d'elle une puissance, c'est ce que l'on perçoit au premier abord, j'aurais voulu la connaître, l'inviter pourquoi pas, tu t'es retourné pour me presser, *Mais qu'est-ce que tu fabriques,* tu ne t'étais jamais adressé à moi sur ce ton-là, je n'ai pas relevé, tu m'en avais parlé, d'Amandla, tu ne t'attendais pas à tomber nez à nez avec elle ici, et en ma compagnie, il y avait de quoi être gêné, un poil agacé, je savais tout cela quand je t'ai accusé de te chercher une gonzesse pour la parade, une fille-échelle pour monter en grade, pourquoi pas une avec un MBA qui, lassée de se taper Lashawn, Jaleel, Tyrone et tous les *Boyz'n the hood,* serait prête à rentrer dans le rang, à venir ici, vivre comme ses parents avaient vécu, malheureux, sans substance, mais au-dessus des autres.

En échange de la respectabilité matrimoniale qui seule sauvait le destin des femmes de ce pays, elle t'offrirait la garantie de compter parmi les tiens, ce qu'une *sans-généalogie* ne pourrait te donner, ces mots-là t'ont rendu fou, tu t'es déchaîné, sans te soucier des gens qui nous observaient peut-être derrière les fenêtres de leurs maisonnettes, sous l'orage ou la canicule, quand ils voient une voiture comme celle que tu conduis, ils ne s'approchent pas sans y être conviés, sans être convoqués, ils regardent, ce n'est pas de leur ressort, la femme qui se prend une dérouillée, ils se disent qu'un gars sapé comme ça doit

179

bien savoir, après tout, pourquoi il la cogne sans pitié, lorsque je me suis écroulée, que tu as démarré en trombe, j'ai cru voir une fillette en soutane s'approcher de moi, elle était suffisamment chétive pour n'être qu'une hallucination, une vue de mon esprit secoué, mais j'ai senti sa présence tout près, je crois qu'elle s'est assise un moment, elle s'en est allée maintenant, qu'aurait-elle fait de plus que les autres, tous les adultes, les grandes personnes, qui n'ont pas mis le nez dehors, je la remercie de m'avoir accordé un instant, c'est peut-être son attention, comme un fil ténu, qui m'a gardée en ce monde, je me serais laissé aller, glisser vers l'Autre Rive, la fillette est restée, le temps que je me mette à penser, que le désir d'étreindre Masasi me vienne, encore plus impérieux, faut-il craindre de l'avouer, que celui d'embrasser Kabral, mon fils resté chez Madame, l'enfant que tu as adopté, celui que tu voulais voir grandir pour devenir, toi-même, un homme.

Je ferme les yeux, une portière de voiture claque dans mon esprit, je sais que je l'entendrai longtemps, d'autres bruits m'assaillent, de pas sur la terre détrempée, pourtant la gamine s'en est allée, une portière claque à nouveau, est-ce la même, deux personnes s'approchent, le souffle que je n'entendais pas se fait court, je le sens à mesure que monte en moi l'angoisse, que me veut-on, je sais que personne n'a appelé les pompiers, la police, une ambulance, la rue est déserte, depuis une éternité me semble-t-il, le véhicule qui s'est arrêté à ma hauteur est celui d'un particulier, de quelqu'un qui pourrait me ramasser ici, aller me dépouiller dans un coin, non pas de mon argent, je n'en ai pas beaucoup et peu m'importe, mais on pourrait me voler ma chair, mes os, on m'abandonnerait ensuite dans une rigole, on irait vendre mes parties à quelque sorcier, il paraît que les clitoris valent cher dans un pays voisin, une petite fortune, on en fait des potions pour acquérir du pouvoir, faire partie de l'élite, les prix flambent, dit-on, sur ce marché-là, si bien que de jeunes femmes pauvres sacrifient leur clitoris, il paraît que certaines se sont bâti des villas grâce à cela, je n'ai découvert qu'il y a peu l'usage concret du clitoris, j'avais bien lu des choses à ce sujet sans rien chercher à vérifier, n'avais jamais pris un miroir pour observer ma *koukoune*, ne m'étais jamais touchée là, cela ne m'attirait pas, ne m'était pas venu à l'esprit, je m'étais asexuée, peut-être pour ne pas me laisser prendre au piège comme ma mère, désirer un homme au point de m'oublier, je n'ai jamais aimé être pénétrée, toléré l'intromission en moi d'un pénis, rien su, avant Masasi, de toutes les autres possibilités.

Il faut néanmoins admettre que, même dans ces temps de raideur, de sécheresse sexuelle, je n'aurais pas aimé voir ce membre tranché, question d'intégrité physique, je me sens trembler, d'abord de l'intérieur, cherche en moi un cri, le pousser, que l'on m'entende au moins, ne pas me laisser enlever sans réagir, une main me touche le visage, doucement, elle essuie l'eau, mes yeux douloureux la perçoivent plus qu'ils ne la voient, c'est une femme, qui se penche en avant, écoute, elle est seule, quel était ce claquement qui m'a fait songer à un bruit de portière, quel choc causé par cet orage, une femme est là, je l'entends se parler à elle-même, dire *Au nom puissant d'Aset vous êtes en vie*, ces paroles me parviennent, mon souffle cesse de s'affoler, s'apaise, je comprends que l'on va m'aider, dans cette vie et pas dans l'autre, on va me donner une chance, accompagner la chance qui s'offre, ma main droite engourdie traîne lourdement dans la boue, jusqu'au poignet de celle qui, agenouillée, vient à mon secours, je voudrais l'agripper pour confirmer ses dires, je suis en vie et consciente, mais rien ne bouge, je suis une statue dans la glaise, cette pensée me blesse, elle se dissipe aussitôt, car l'inconnue sait mon nom, m'appelle, *Ixora m'entendez-vous*, et dit se nommer Amandla.

Telle est celle qui vient à mon secours, dans cet endroit sans nom, sous la pluie, alors que ton assaut m'a laissée pour morte, j'ai encore une fois envie de rire, si tu savais à quel point, pas pour me moquer, parce que la vie est drôle, la vie est une aventure extraordinaire et j'ai failli n'en rien savoir, Amandla s'excuse de la douleur qu'elle me cause en glissant les mains sous mes aisselles pour me traîner dans la boue, je voudrais plaisanter à ce sujet *Vous me traînez dans la boue que vous ai-je fait*, mais je suis sonnée, ça doit être ça, je peux penser mais pas dire un mot, rien de grave, il fera sec sous peu, je reprendrai des forces, me rattraperai, je songe que toi et les tiens serez informés de tout, mon sort, quel qu'il soit, ne sera pas couvert par le silence, je respire et, en dépit de la pluie, je crois sentir le parfum d'Amandla, il m'est impossible de le définir, c'est une fragrance végétale, une odeur de forêt, de bois brûlé aussi, c'est ce que j'imagine, nous voilà toutes deux, la femme à qui tu as tourné le dos parce que tu en étais épris, celle avec laquelle tu as choisi de vivre parce que tu n'en étais pas amoureux.

Nous n'aurons pas besoin de parler de toi, je suis heureuse que ce soit elle qui m'ait trouvée, secourue, nous étions déjà liées, et nous sommes deux *sans-généalogie* venues sur le Continent en quête d'elles-mêmes, nous sommes celles qui mettent au monde leurs ancêtres par l'imagination, la projection, celles qui redéfinissent l'ancestralité, rien ne nous manque, ce que nous cherchons est en nous, je me demande ce qu'elle en pense, serait-elle d'accord, nous aurons cette conversation plus tard, je lui dirai que les racines ne sont pas tout, qu'elles ne sont pas sans ce qu'elles engendrent, et que la graine devient racine, la senteur humifère de sa peau fait naître en moi cette réflexion que l'arrivée d'une autre femme interrompt, elle se joint à Amandla, je l'entends dire *Ma sœur je prends les jambes*, et ceci est un miracle, un fort heureux présage, ces deux femmes qui me soutiennent, unissant leurs forces pour me tirer des eaux assistent, sans en avoir conscience, au premier jour de ma vie, je ne suis pas inquiète du lieu où elles me mènent, j'ai confiance, je me remémore l'incipit d'un roman de Shange, des mots qui font sourire mon cœur, *Where there is a woman there is magic*, j'ai lu cela il y a des années, je me suis dit *bof*, cela ne m'impressionnait guère, cela me contrariait même un peu, ces femmes qui en faisaient tout un plat de leur féminité, comme si c'était un truc spécial, je voyais ma mère, je me voyais moi et ne comprenais pas, à présent je sais qu'il y a du vrai, pas au pied de la lettre, pas toujours pour le meilleur, mais il y a du vrai, le texte disait aussi qu'il fallait connaître sa propre magie pour la rendre effective, j'irai débusquer la mienne.

Je ne prie aucune divinité, cela non plus ne m'est jamais venu en tête, mais je pense qu'une servante d'Aset ne me fera aucun mal, ce n'est pas elle qui détachera mes os, mes parties intimes, Aset n'est pas une déesse qui tranche, c'est, au contraire, celle qui remembre, celle qui recrée les mondes défaits, celle aussi qui enfante la lumière, le renouveau, est-ce de cela, au fond, que tu t'es senti indigne, est-ce devant cela que ton sexe battait en retraite, demeurait mou, pendant piteusement – ce sont tes mots –, devant ce qui aurait fait se dresser la verge d'un moine, tu prenais prétexte de la malédiction familiale, mais ton mal, c'est toi-même, c'est toi seul qui l'as créé, je ne te juge pas, si j'avais été si parfaite, je ne me serais jamais approchée de toi, ne serais pas devenue ta compagne, nous n'aurions pas formé cet étrange assemblage, ce couple qui ne s'accouple pas et qui a toutefois prétendu convoler en justes noces, chacun cherchant auprès de l'autre un espace où enfouir son incapacité à vivre.

Je m'en remets corps et âme à ces femmes qui défient l'orage pour me secourir, des sensations me reviennent peu à peu, ma chair veut vivre, je sens la force d'Amandla, j'éprouve la puissance de sa compagne, j'ignore si elles se parlent mais je les sens et c'est bon, la cadence de leurs pas imprime un balancement à notre avancée, nous dansons toutes les trois, je voudrais les soutenir moi aussi, ces femmes surgies dans la nuit pour me venir en aide, les saluer en récitant ces vers, *Night is her robe, Moon is her element*, je les leur chante bien qu'elles n'entendent pas, je crois que nous pénétrons chez l'une d'elles et, à présent que je suis en sécurité, certaine d'avoir repoussé la mort, c'est de nouveau vers Masasi que vont mes pensées, je la revois, vêtue de cette robe mauve brodée de bleu qui a fait se lever le soleil dans mon cœur, m'a poussée à la suivre, me cachant derrière les passants, un jour qu'elle était, une fois de plus, venue tresser Madame, nous n'avions jamais échangé une parole elle et moi, nous contentant de noter la présence l'une de l'autre, nous adressant un long regard que nul geste n'accompagnait, ensuite, elle s'emparait du menton de Madame, s'en saisissait du bout des doigts, lui faisait lever le visage, tourner la tête de gauche à droite, de droite à gauche, semblait découvrir ses traits, se mettait à concevoir, examinant son matériau, un projet de création et, quand elle lâchait ce menton, qu'elle démêlait les cheveux avant de tracer la première raie à l'aide d'un piquant de porc-épic noir strié de blanc, c'était pour exécuter une œuvre que jamais encore elle n'avait créée, une sculpture éphémère dont il ne subsisterait de trace que si Madame se faisait prendre en photo.

Masasi travaillait pour le plaisir de faire apparaître de la beauté, ses doigts agiles glissaient sur le cuir chevelu de ta mère, croisant entre elles de fines mèches de cheveux, parfois si fines qu'on les voyait à peine, un jour, c'était pour dresser une crête aux pointes courbées, comme pour exprimer une autorité non agressive mais bien présente, une autre fois, elle lui faisait une frange nattée, tombant en biais sur le front, puis, ayant séparé le reste de la chevelure en deux, elle tressait, de part et d'autre du crâne, une série de renversées – c'est ainsi que l'on appelle ces nattes – parfaitement régulières, aboutissant sur la nuque de ta mère comme les couettes d'une fillette mutine, celles d'une princesse cheyenne ou apache, la tresseuse avait toutes les audaces, la tressée les acceptait sans jamais s'en

185

plaindre, c'était la seule fantaisie qu'elle se permettait, l'unique pouvoir auquel elle se soumettait, je me suis demandé comment elles s'étaient connues.

La coiffure de Madame révélait ce que j'avais perçu dans sa voix dès notre rencontre, cette joie bridée, cette excentricité réduite au silence, la femme qu'elle aurait dû être, celle qu'elle est, en réalité, celle que la vie dans votre milieu a étouffée, je regardais la coiffure se faire, parfois, il arrivait que Madame s'endorme, tant les mains de Masasi lui étaient douces, apaisantes, et le sommeil lui donnait un air vulnérable, abandonné, qu'elle n'avait jamais à l'état de veille, une émotion me coinçait la gorge, comme lorsque Liz McComb chante *Stand by me* et qu'il est inutile de comprendre les paroles pour se sentir déchiré, une fois elle a pleuré dans son sommeil, elle a murmuré *Eshe, Eshe te souviens-tu*, elle a pleuré puis elle a souri, comme si Eshe était là, non seulement dans sa rêverie mais à ses côtés, là avec nous sur la véranda, si tu avais pris, comme moi, le temps de regarder Madame dans ces moment-là, tu aurais tout su d'elle, tu aurais emprisonné sa main dans les tiennes pour qu'elle n'ait plus froid au cœur, ne se contraigne pas à tant de dureté, mais bon, je ne vais pas te reprocher de n'avoir pas su le faire, moi-même, il m'a fallu assister à ce spectacle pour commencer à comprendre ma propre mère, à lui pardonner, sans approuver ses choix, je sais qu'ils sont le fruit d'un amour blessé, d'une solitude, auxquels il aura bien fallu survivre, chacune faisant les aménagements qu'elle peut avec sa mélancolie, son blues, chacune cherchant, à sa manière, le lieu où son cœur pourra se reposer.

C'est en Masasi que mon cœur fera halte, en Masasi comme en une contrée opportune, je l'ignorais encore, alors que je poursuivais sa robe à travers les rues, m'ingéniant à dissimuler ma présence derrière les quincailleries ambulantes, les marchandes d'œufs plongés dans une eau plus très propre – elles y avaient trop trempé la main, alors que ses pas faisaient se lever un voile de poussière, elle n'était pas pressée, Madame lui avait remis un peu d'argent, elle s'est arrêtée pour acheter des bonbons haoussas, nous avions atteint le quartier musulman, le muezzin allait bientôt crier la prière du Maghreb, les commerces étalaient encore leur abondance de pagnes, de gandouras colorées, brodées avec art, j'ai failli la perdre devant tant de jolies choses, dans l'affluence aussi, comme si le pays entier s'était donné rendez-vous là, j'ai seulement eu le temps, une fois que l'on a emballé ses friandises roses et vertes dans du papier journal, de la voir bifurquer au coin d'une ruelle, elle a marché, marché, avant d'arriver enfin, dans un drôle d'endroit, des bicoques en bois y avaient poussé en rangs serrés, séparées par des artères aussi étroites que les lignes tracées par Masasi sur la tête de Madame, nous avions atteint le lieudit Vieux Pays.

C'était comme une alcôve en bordure de la ville, il y avait surtout des femmes, les mâles qui vivaient là étaient souvent leurs enfants, j'apprendrais plus tard qu'ils quittaient le village une fois majeurs, s'ils n'avaient pas été envoyés à l'internat dès leur adolescence, ne revenant auprès de leur mère que pour les vacances, sans être absents les hommes adultes étaient rares, on ne les identifiait pas toujours, ce jour-là, je n'ai vu que des femmes, lorsque Masasi est passée devant la première cabane à droite, après être entrée dans l'allée conduisant chez elle, un buste cuivré est apparu à une fenêtre, une jeune fille plongée elle aussi dans *la clarté rouge*, elle a reculé d'un pas, surprise, s'est mise à rire comme elle ne le faisait jamais sous le toit de Madame, j'ai ri aussi, de loin, touchée par quelque chose d'indéfinissable, ai continué à avancer, abandonnant toute prudence, à découvert, comme si ce rire m'avait été destiné, je courais presque, sans penser à ce que je dirais une fois en face d'elle, il a fallu qu'une petite albinos surgisse de nulle part, me barre la voie, me toise sans rien dire de haut en bas, de bas en haut, à plusieurs reprises, avant de me poser cette question inattendue, *Tu es la fille de qui*, mes yeux se sont rivés à son visage, sans cela je serais tombée, quelle était cette interrogation et comment une gamine pouvait-elle la formuler, même en ce pays étonnant, il me semblait que ce n'était pas normal, elle s'est croisé les bras derrière le dos, a ajouté *Je ne t'ai jamais vue ici tu n'habites pas le quartier c'est pourquoi je te demande qui tu es*, j'ai haussé les épaules, son ton était calme, intransigeant cependant, l'enfant allait perdre patience, cela se voyait, elle ne bougeait pas d'un pouce, mais cela se voyait.

J'ai répondu que c'était compliqué, que voulait-elle savoir au juste, mon prénom était Ixora, il me plairait de connaître le sien, ce serait bien que je le connaisse aussi, que nous soyons sur un pied d'égalité, elle a secoué la tête, déclaré qu'elle n'avait rien à me dire, c'était à moi de m'expliquer, on ne venait pas ici comme cela, c'était interdit, il revenait aux habitantes du quartier de présenter leurs visiteurs, *Ixora est un nom sans signification il ne peut aider à te situer et ne dit donc pas qui tu es,* je m'étonnai de ce qu'une petite fille s'adresse à moi en pareils termes, Masasi s'était soustraite à ma vue, je n'avais pas remarqué sa disparition, il aurait suffi de pousser un peu cette gosse, de poursuivre ma route, mais je n'osais pas, elle m'en imposait, une femme nous a rejointes, tout en me fixant du regard, c'est à la fillette qu'elle a parlé, lui demandant ce qui se passait, l'enfant a répondu qu'elle ne savait pas encore, qu'elle m'avait vue arriver de loin, mais ne pouvait dire d'où je venais, or, je refusais de décliner mon identité.

Fixant un instant la petite des yeux, la femme a dit : *Ayintcha ce n'est pas l'heure des esprits nous n'avons rien à craindre Les esprits n'ont pas d'heure et de toute façon c'est une étrangère*, les choses se déroulaient comme en mon absence, pourtant, elles ne s'exprimaient pas dans une langue locale ou, plutôt, si, dans la mesure où l'ancien parler colonial était ici renouvelé, bercé d'une autre musique, enrichi d'images du crû, violenté aussi, par toutes sortes de libertés prises pour y forcer une pensée différente, les coutures du parler colonial craquaient, il volait en éclats et ses restes, ramassés à la pelle puis rassemblés, formaient un idiome propre au peuple d'ici, mais qui ne se refusait pas à ma compréhension, pour peu que je garde l'oreille tendue, affûtée, j'en étais capable, ayant passé du temps dans la maison de Madame qui, si elle connaît les mots les plus obscurs du dictionnaire, les énonce, elle aussi, avec l'accent de ce pays, et puis, ses domestiques ignorent tout du vocabulaire policé des livres, j'ai découvert à leur contact combien la colonisation était tous les jours dépassée, pulvérisée, atomisée, à travers des tournures agrammaticales, asyntaxiques, qui étaient, plus que la rémanence d'un esprit jamais conquis, la prééminence même de cet esprit, il avait certes muté, appris le port de nouveaux oripeaux, mais il n'avait pas disparu, ce serait une belle chose de le voir prendre corps dans d'autres domaines.

Lasse, au bout d'un moment, de les écouter, craignant de les laisser jeter une ombre sur le soleil qui avait pris naissance en moi, j'ai levé la main pour rappeler ma présence, la femme s'est tournée vers moi pour dire qu'il me fallait excuser Ayintcha, la gosse avait ses raisons de protéger leur havre de tranquillité, le groupe lui avait confié la mission de guetteuse, elle s'en acquittait avec sérieux, dévouement, n'hésitant pas, quand il le fallait, à griffer et à mordre, mais bon, cela ne se produisait plus, dans la ville, tout le monde était au courant, *Souvent quand quelqu'un vient ici c'est pour chercher sa personne*, c'est par ces mots qu'elle a conclu, j'ai fait savoir que Masasi était *ma personne*, mais comme je n'avais pas été présentée à la communauté, elle a voulu vérifier mes dires, s'en est allée chercher Masasi, me laissant sous la surveillance d'une Ayintcha qui me regardait par en dessous, prête, je le sentais bien, à fondre sur moi toutes griffes dehors si j'avais eu le toupet de raconter des histoires, ce n'était qu'une gamine assez maigre, pourtant, je sentais qu'il ne fallait pas la chercher, qu'elle avait eu plusieurs vies, que son esprit en savait un rayon sur ce qu'il y a à connaître, un filet de sueur froide me coula entre les omoplates pendant un long moment, la petite sentinelle ne cilla pas une seule fois, ne bougea pas d'un iota, la plante de ses pieds nus collée au sol, les bras fermement croisés, je me mis à craindre que Masasi ne confirme pas être *ma personne*, qu'arriverait-il alors, je l'avais suivie jusque-là, n'avais aucune idée de la manière de rebrousser chemin.

Il en a toujours été ainsi, le sens de l'orientation n'est pas mon fort, lorsque je lis une carte, il me faut inverser la compréhension que j'en ai eue, si je fais comme j'ai compris je m'égare, je m'étais lancée à la suite de Masasi sans prévenir personne, sans prendre ne serait-ce que de quoi m'offrir un retour en moto-taxi, je n'en menais pas large, tu peux me croire, *ma personne* présumée et moi n'avions pas échangé une parole, elle ne connaissait pas mon nom, j'en étais persuadée, tout comme j'étais certaine qu'elle ne m'attendait pas, je lui avais chipé sa flânerie dans les rues, le voile de poussière sur ses pieds chaussés de sandales, la caresse de l'ourlet de sa robe sur ses mollets, sa fringale de bonbons colorés, les sourires adressés aux marchands de gandouras, son déhanchement tranquille jusqu'à cet endroit, et moi, qu'avais-je à lui offrir, j'ignorais comment engager la conversation, l'envie de m'enfuir à toutes jambes s'empara de moi sans pour autant que j'y cède, ne sachant où aller, quel chemin m'avait menée là, j'étais perdue quand elle apparut, accompagnée de la femme qui était allée la chercher, elle portait toujours sa robe mauve mais avait quitté ses sandales pour une paire de babouches en peau, j'en avais vu de semblables au marché artisanal, on les proposait avec des pièces de maroquinerie, les siennes étaient d'un rouge brun, un peu comme la terre de Vieux Pays.

Elle s'arrêta en me voyant, battit des mains pour exprimer sa surprise, d'abord la main droite en haut et la gauche en bas, puis l'inverse, elle fit claquer sa langue aussi, toujours dans la même optique, ce geste m'avait laissée dubitative chaque fois que je l'avais observé, je n'étais pas sûre de le trouver charmant, élégant, qualités que je prêtais jusque-là à Masasi, une fois près de moi elle m'étreignit avec une certaine brusquerie, je ne comprenais pas, me sentais presque flouée, où *ma personne* s'en était-elle allée, celle qui se conduisait ainsi n'était pas celle que j'avais suivie, sans réfléchir, dans les rues d'une ville que je connaissais à peine, se retournant elle fit un signe à Ayintcha et à la femme dont je saurais un jour qu'elle s'appelait Olo Iyo, leur dit *Il fait déjà nuit je n'aurai pas le temps de la présenter aux mères donc je vais d'abord la* rythmer *jusque chez elle*, et de me prendre par la main sans attendre de réponse, la nuit était tombée comme une demoiselle alanguie, on avait l'impression qu'elle s'était étendue en douceur sur la ville, dans un mouvement lascif, les cuisses entrouvertes, son parfum emplissait déjà les rues, l'odeur de la nuit montait dans l'air tiède, piquante, charnelle, tandis que des femmes faisaient griller des maquereaux marinés dans un mélange épicé, faisaient frire des beignets dans une huile brûlante, leurs mains changées en poches à douille pour saisir la pâte, la laisser tomber d'un geste expert, les gourmands sortaient de chez eux leur assiette à la main, devisaient en prenant patiemment place dans la queue, les rires fusaient, non loin de là, une vente-à-emporter diffusait des musiques diablesses, l'heure des esprits approchait, on ne pouvait savoir lesquels, mais ils allaient descendre sur la cité, sur la nuit, j'aurais voulu voir cela, mais j'étais sortie sans prévenir, on allait peut-être me chercher.

Des lampes-tempête avaient été allumées au bord des routes, nous marchions depuis quelques minutes, Masasi me tenant la main, quand elle murmura, *Je me demandais comment faire pour te parler jamais je n'aurais pensé que tu viennes me trouver*, il faisait sombre, les rues n'étaient éclairées que par ces lampes à pétrole posées sur les étals, par la lumière s'échappant des habitations, le profil de Masasi, comme fixé au pochoir, se détachait de cette peinture urbaine tout en contrastes, captait mon regard, me capturait le cœur, on aurait dit un relief astral se déployant à la frontière de l'obscurité et de la lumière, je ne sus quoi dire, elle ne m'avait pas interrogée, je ne faisais que l'observer, me demandant ce qui m'attirait tant, ayant aussi le sentiment qu'il n'y avait rien de plus naturel, de plus normal au monde, que le fait d'être auprès d'elle, de son côté, elle ne semblait pas se poser la question, je la laissai prendre la parole, la garder, au fond, je n'avais rien à dire, je l'avais déjà fait en bravant, pour n'être plus détachée d'elle, la foule et le tumulte de cette métropole incandescente, alors, elle parla, je l'écoutai, d'abord s'excuser de l'accueil qu'elle m'avait réservé, cela devait paraître étrange à une personne venue du Nord, mais ici, il ne s'agissait que d'une familiarité un peu villageoise, réservée aux personnes que l'on connaissait bien, elle se l'était permise pour rassurer Ayintcha et Olo Iyo, qu'elles n'aillent pas raconter n'importe quoi au reste du groupe, ensuite, elle m'expliqua que son quartier abritait des marginales, des réprouvées, ces règles strictes leur permettaient de préserver leur sécurité dans une ville en proie à tous les désordres.

La plupart des gens étaient convaincus que Vieux Pays avait été fondé par des sorcières, des femmes que l'on avait vues apparaître un jour, il y avait plusieurs décennies déjà, alors cette ville était considérée comme un joyau du Continent, même si le sang des indépendantistes en lutte avait coulé dans ses ravines, même si ses quartiers populaires gardaient le souvenir des années de braise, celles au cours desquelles le peuple avait cru tenir les rênes de son destin, elles lui avaient été arrachées, on connaissait la suite, mais en déambulant dans la zone où nous nous trouvions à présent, on rencontrait des populations venues de l'arrière-pays lors des soulèvements pour la liberté, or, en les croisant ainsi, on ne pouvait que se remémorer l'Histoire, la période où leurs pères avaient marché, depuis les montagnes jusqu'à la plaine côtière où s'étalait la ville, depuis les rives sud de ce fleuve long d'un millier de kilomètres environ qui prenait sa source dans la région des hauts plateaux et traversait le pays pour aller se jeter dans l'Atlantique, l'océan noir.

Masasi me contait son pays, sa ville, son peuple, rien dans le ton de sa voix n'indiquait un semblant d'intérêt pour quelque autre sujet ou, on aurait pu l'envisager, l'idée qu'il puisse être pertinent d'aborder certaine question, je me mis à rire, d'abord tout bas, puis, à m'en tenir les côtes, je craignis de perdre l'équilibre, de me rouler par terre de rire, des passants firent une halte pour rire avec moi, Masasi me regardait en souriant, une main posée sur la hanche, se tenant le menton de l'autre, elle s'approcha de moi, m'enlaça avec une tendresse infinie, comme elle l'aurait fait avec une personne souffrante, son souffle me fit l'effet d'une plume chaude appliquée sur ma tempe, *Il fait déjà nuit tu dois rentrer sans te faire remarquer sinon tu ne pourras plus sortir*, a-t-elle dit, je me suis calmée, ai repris sa main, nous sommes arrivées en silence non loin du *Castle Mususedi*, il était autour de vingt heures, tu n'étais pas encore rentré, Madame s'était retirée dans sa pièce favorite, elle ne m'a pas vue mais elle n'en a pas eu besoin, le lendemain, au petit-déjeuner, elle m'a dévisagée, son regard contenait les questions et les réponses, peu de temps après elle a compris, ayant passé sa vie, pour se protéger, à sentir ce qu'elle ne pouvait connaître par la raison, qu'une partie de moi n'était plus avec toi, qu'un projet nouveau s'était formé en moi, elle a dû se dire qu'elle avait gagné, j'allais rentrer au Nord, elle aurait le champ libre pour te trouver une épouse, je crois qu'elle ne pense pas à Kabral, il ne fait pas partie de son équation, Mademoiselle *Ivy League* te fera un enfant.

J'ai vu bien des choses dans ses yeux ce matin-là, dans sa manière de se montrer aimable, presque attentionnée, très franchement je m'en battais les couettes, je pensais à l'instant où, me quittant à quelques rues de la maison, Masasi m'avait serrée contre elle, s'était lovée contre moi, je ne sais pas décrire ce que j'ai ressenti, une paix joyeuse qui m'a donné envie d'enfouir mon nez dans le creux de son cou, de lui lécher la peau, je me suis, je ne sais pourquoi, imaginée, visualisée en train d'exécuter ces gestes, j'en ai été troublée, nous sommes convenues de nous revoir, l'avons fait, plus souvent que je ne l'aurais cru possible, tu ne t'en es pas douté, à aucun moment, tu ne me voyais plus, comment aurais-tu remarqué quoi que ce soit, tu n'as pas senti sur ma peau l'odeur de Masasi, tu n'as pas vu mes pupilles prendre *la clarté rouge* de sa peau car elle était en permanence sous mon regard, tu n'as pas imaginé que je m'étais abreuvée à ses fluides, que son sexe m'avait apporté l'ivresse et la clairvoyance, la première fois que nous avons fait l'amour j'ai joui dans un sanglot, heureuse de n'être pas passée à côté de moi-même, de m'être rencontrée, frissonnant à la pensée que cela aurait pu ne pas se produire, ce jour-là, tu m'as trouvée dans la rue, j'avais pris le chemin du retour que je connaissais désormais, ta berline gris argent s'est arrêtée à ma hauteur, tu étais content de me voir apprivoiser ton pays, que je m'y sente assez bien pour me promener comme cela, tu n'as pas demandé d'où je venais, nous sommes rentrés chez Madame.

Masasi et moi nous sommes promises l'une à l'autre, lorsque je commencerai à travailler, elle viendra vivre avec Kabral et moi, Vieux Pays sera toujours là quand elle aura besoin de s'y ressourcer, elle y conservera sa case, ira rendre visite à sa mère, une guérisseuse nommée Sisako Sone, sais-tu que c'est ainsi qu'elle a connu Madame, qui venait déjà consulter la *nganga* avant la naissance de Masasi et qui la voit toujours, sais-tu encore que Masasi, dans une légende du Continent, est le nom de la première femme, elle plaisante – à moitié – en disant *Je suis ta première c'est pour cela que tu parles d'amour pour la vie*, je lui prouverai l'inverse, mes yeux ne voient qu'elle, ma pensée ne nous enferme dans aucune catégorie, nous n'avons pas à lever le poing, nous n'avons à nous expliquer de rien, c'est notre vie et notre affaire, pas une performance, nous ne sommes pas nées à Mytilène, *I is a long-memoried woman* écrit la poétesse, et notre mémoire est plus ancienne encore que celle évoquée dans ses vers, car elle est celle de l'infini, c'est ce qui m'apparut lorsque mon corps, explorant celui de Masasi, se découvrait lui-même, c'est ce que je compris

lorsque des ondulations inconnues me vinrent naturellement, c'était ma place, ma tête entre ses jambes était à
la maison, il m'avait fallu le parfum entêtant qu'offrait
la clarté rouge à cet endroit précis de son corps, j'avais
attendu la texture crépue de ses poils pubiens sur ma
langue, traversé des années de sécheresse pour aboutir à
ce rivage, ce désir était inestimable, sa fécondité n'étant
pas celle de la reproduction mais de la création, à travers
chaque nouvel orgasme, d'une puissance cosmique, tel est
ce plaisir dont l'enjeu n'est jamais l'engendrement, cet
amour dont l'exigence est si grande parce que l'on ne
dira pas *Tu as pensé aux enfants*, ce sera d'abord nous,
une histoire entre elle et moi, qui pouvons enfanter si
cela nous importe.

Une fois remise de cette nuit, j'irai trouver Masasi, je
revêtirai une robe bleue dont la longueur conviendrait à
Madame, on l'aura coupée dans le plus joli *ndop* qui se
puisse tisser, je chausserai des samaras de la même couleur,
on m'aura accroché des cauris dans les cheveux, j'aurai
l'air d'une reine pour honorer ma reine, je lui porterai
une brassée de fleurs jaunes, les déposerai à l'entrée de
sa case, nulle à Vieux Pays n'y verra à redire, on y aime
le bonheur des autres, la joie des autres, leur épanouissement, des femmes sont en ménage à Vieux Pays, il en
est ainsi depuis la fondation de la communauté car il en
est ainsi depuis que vivent des femmes, rien de ce qui
les concerne n'est étranger à ce territoire, il s'y raconte
toutes sortes d'histoires de femmes, je suis servie, moi qui
ne voyais pas pourquoi en faire tout un plat, du genre
féminin, du sexe féminin, de l'être femme, à dire le vrai
je ne suis toujours pas persuadée que l'essentiel soit là,

que les limites de ces définitions me conviennent, Masasi viendra vivre avec moi pour que ce ne soit pas un truc de Vieux Pays, nous deux, même si j'adore m'y rendre, à Vieux Pays, et même si je sais que la ville ordinaire où nous résiderons dès la rentrée, lorsque j'aurai pris mes fonctions de professeur, ne nous sera pas toujours amicale, nous verrons bien, je ne veux plus passer une journée loin d'elle, j'ai trente-six ans, tu te rends compte...

Ce que j'ai à te dire aujourd'hui, alors que deux femmes m'entourent de leurs soins et me rendent ma vigueur, ce que j'ai à te dire depuis la couche qu'elles ont aménagée pour moi, c'est que j'ai trouvé ma tranquillité, *ma personne*, au coin d'une rue, là où la ville débouche sur le quartier des femmes sauvages, ce lieudit Vieux Pays, et, du fond du cœur, je voudrais que tu connaisses cela, mon ami, toi aussi, un jour, je voudrais que tu n'aies pas assassiné tes possibles.

IV

Tiki

*There are so many roots
to the tree of anger
that sometimes the
branches shatter
before they bear.*

AUDRE LORDE,
Who Said It Was Simple

On te cherche, Big Bro, tu t'en doutes. Ta mère est sur le sentier de la guerre, elle remuera ciel et terre, taillera en pièces l'univers s'il le faut. Pas seulement parce que tu as disparu, qu'il ne sera question pour elle de pleurer ta mort qu'une fois que ses yeux auront vu, que ses mains auront palpé – et giflé comme il convient – ton corps sans vie. Il y a autre chose. La nuit écoulée fut pour elle un tournant. Pour comprendre, il faut te représenter les événements auxquels tu t'es soustrait en prenant la fuite. De ta part, ce comportement n'a pas étonné, mais revenons à nos moutons, voilà ce qu'il te faut imaginer :

199

C'est le cœur de la nuit, l'orage tabasse la plaine côtière sur laquelle nous avons grandi. Des arbres sont déracinés, le plan cadastral de la ville s'enrichit sous la poussée des éléments qui creuse des artères neuves. Dans les quartiers populaires, des maisons voient s'envoler leur toiture, les habitants ne cherchent pas à sauver les meubles qui, déjà, voguent au loin. Ils se serrent les uns contre les autres, attendent que cela passe. Ils rebâtiront une fois de plus. Nul ne dit mot, dans ces demeures sans fortune, à propos du *balock* qui s'abat sur les vivants. Pourtant, chacun songe que cette pluie n'est pas simple, car c'est la saison sèche. Dans les foyers mieux pourvus, une coupure de courant interrompt le ronflement du climatiseur, le tournoiement des pales du ventilateur, tandis que les moustiques prennent le relais. Les veilleurs de nuit quittent leur poste, l'eau monte des rigoles, envahit les rues, une rivière coule bientôt dans la ville. Rares sont ceux, riches ou pauvres, qui échapperont à l'inondation. Elle sera plus ou moins grave selon les cas. Quoi qu'il en soit, cette pluie n'est pas simple, cette nuit pas ordinaire, personne ne dort.

Ta mère aussi garde les yeux ouverts dans l'obscurité. Le groupe électrogène fonctionne à la perfection, l'air conditionné lui évite d'entendre le bourdonnement des moustiques. Ces derniers ne s'aventurent pas sous le froid polaire de sa chambre, la température est réglée autour de dix-sept degrés, ce qui correspond à l'idée qu'on se ferait de l'hiver. Ta mère pourrait dormir, mais son premier-né, l'enfant qu'elle a baptisé Dio pour qu'il soit son ancre, n'est pas rentré. Elle s'est habituée, depuis le temps, à ce que tu t'évertues à trahir la signification de ton *dina la mundi*, ton *nom du village*. Cela ne l'empêche pas de craindre pour ta vie. C'est ta mère. Elle se lève, prenant pour prétexte d'aller voir si ton fils adoptif va bien, ce petit Kabral auquel elle s'attache sans le dire. S'il n'est pas de ton sang, il est l'enfant dont tu as choisi d'être le père. Cela a peut-être plus de prix. C'est ce qu'elle pense, ce qu'elle m'a confié une fois et qu'elle ne te dira pas. Que ton choix ait aussi été de ne pas engendrer toi-même de descendance gâche la beauté de l'adoption. Elle en souffre.

Kabral dort comme un bébé, elle remonte un peu le drap dont il s'est couvert, le regarde sourire aux silhouettes qui se promènent dans ses rêves, se dit que les enfants ne viennent pas au monde pour avoir des parents. Ils naissent pour vivre leur vie. Ils naissent parce qu'ils le doivent. Les parents ont l'honneur de les accompagner le long d'une partie du chemin. Kabral est sur sa route. Sa solidité, son intelligence, impressionnent celle qui voudrait être sa grand-mère. Il sait aimer les êtres sans en avoir besoin. C'est ce qu'elle admire le plus chez lui. Elle se dit que les enfants s'appartiennent à eux-mêmes ou peut-être à l'univers, mais cela ne concerne pas les siens, Madame n'est pas à une contradiction près. Ta mère s'apprête à retourner se coucher, sachant que l'aurore la trouvera les yeux écarquillés dans la pénombre. Peut-être rédigera-t-elle quelques phrases dans ce cahier qu'elle tient depuis peu. Ce n'est pas un journal, pas à proprement parler, même s'il lui arrive d'y exposer les faits du jour. Dans le long couloir qui mène à la *mistress' bedroom*, la sonnerie du téléphone la surprend, lui coupe le souffle. On dirait un cri. Une plainte défiant le tonnerre, les bourrasques, pour fendre la nuit. Il est tard. C'est la ligne fixe de la grande maison. Qui connaît ce numéro ? Il est dans l'annuaire, mais plus personne ne s'en sert. La police. Un hôpital. Elle se fige. On n'a pas installé de répondeur automatique. L'appelant se lasse. Puis, peu de temps après, cela reprend.

Madame se hâte vers le petit salon, décroche. Et là... Bon. Tu la connais. Tu l'as vue prendre des coups des années durant, se relever après avoir été terrassée par Amos, tant et tant de fois. Tu l'as entendue dire à ses enfants de se mêler de leurs affaires quand ils la suppliaient de quitter cet enfer. Tu te souviens qu'elle nous interdisait de pleurer devant les ecchymoses, les bosses, les dents cassées qui la défiguraient. Tant et tant de fois. Mais là... Cela n'arrive pas souvent, mais là, ta mère pose un genou à terre. À sa manière. *Shout, let it all out*, jamais ne fut sa devise, elle ne pousse pas un cri. Elle écoute cette voix qu'elle ne s'attendait pas à reconnaître, cependant que les événements de la nuit lui sont relatés. Chacune des scènes décrites par ton ex-amoureuse lui apparaît dans toute son horreur. L'échange s'achève en ces termes : *Madame, je devais vous en informer*. À quoi ta mère répond : *Je vous remercie. Je me présenterai chez vous demain à la première heure. Veuillez m'indiquer...*

L'oiseau du matin se racle encore la gorge avant d'entonner son premier chant. Madame est prête. Ayant préparé le petit-déjeuner de Kabral, elle le lui a porté dans sa chambre et l'a prévenu. Sa mère a eu un accident, mais elle est en vie, elle va de ce pas la chercher. On n'a pas de nouvelles de *Pops*, rien de grave n'a été rapporté le concernant. Elle a regardé l'enfant dans les yeux,

202

lui faisant promettre de ne pas s'inquiéter. Il a hoché la tête, ta mère a eu envie de pleurer. C'est ce qu'elle m'a confessé au téléphone. Ni elle, ni Amos, ne nous ont jamais parlé la langue ancestrale, celle qui aurait dû nous être transmise avant toute autre, mieux que toute autre. Chaque fois qu'ils l'ont utilisée en notre présence, c'était pour nous exclure de la conversation, évoquer des sujets réservés à ceux de leur classe d'âge. C'est néanmoins cette langue-là qui lui est venue, lorsqu'elle m'a appelée. J'ai dit : *Maman ?* Elle a soupiré : *Tiki, a mun'am. Na kusi lambo le na.* Quelque chose de grave lui était arrivé. Son recours à la langue ancestrale pour l'exprimer prouvait qu'elle faisait face à l'une des plus terribles épreuves de son existence.

Big Bro, voilà ce qu'il te faut imaginer :

Enoch, le chauffeur, se présente comme d'habitude au point du jour, alors que les veilleurs de nuit prennent le chemin du retour. Ta mère leur sert le premier repas de la journée, tout comme elle leur porte celui du soir. Ils sont trop âgés à présent pour ce travail de gardiennage, mais elle n'a pas souhaité s'en séparer. Ils ont besoin du salaire qu'elle leur verse. De plus, elle s'est attachée à ces hommes qui connaissent la face la plus sombre de notre intimité familiale. Elle partage quelque chose avec ceux qui ne lui ont pas repris leur respect, après l'avoir vue dans les situations les plus humiliantes. Alors, nous avons un système de sécurité dernier cri, des portes blindées pour chaque passage donnant sur l'extérieur, des grilles à certaines fenêtres, des gardiens pour la forme. Le chauffeur arrive à l'heure. Ce matin-là, il ne lave pas le véhicule.

Madame est dehors, assise sur son fauteuil en rotin pré-féré, celui qui ressemble à un trône, avec ses larges accou-doirs, son haut dossier aux bords ouvragés. Elle est là, vêtue d'un pantalon et d'un chemisier noirs. Elle se lève. Se dirige en silence vers le garage. Enoch lui emboîte le pas, lui ouvre la portière. Elle s'installe sur la banquette arrière du break – c'est toi qui conduis la berline –, lui fait connaître leur destination. S'il est étonné, l'homme n'en laisse rien paraître. En dehors de Makalando, les employés de Madame ont appris à calquer sur la sienne leur attitude. Le flegme est le maître mot.

Figure-toi, Big Bro, ce qu'a dû être l'irruption du véhi-cule dans cet *elobi* où ton amie a jugé bon de s'établir. Les voitures passent là, mais ne s'y arrêtent pas. Elles ne se garent pas devant une maison en planches, même assez bien bâtie pour résister aux intempéries. Si d'aventure cela se produit, nul ne s'attend à en voir sortir la per-sonne assise à l'arrière, cette dernière devant, en principe, envoyer son domestique à sa place ou héler un enfant du voisinage afin de lui confier un message à transmettre. On viendra alors à sa rencontre. D'autant qu'il a plu à tor-rents la veille, comme en attestent la boue, les caniveaux qui débordent, les déchets de toute qualité qui festoient à la surface, colonisant l'espace. Pourtant, les choses se passent ainsi : le chauffeur reste derrière le volant, tandis que la dame descend. Si son geste est prudent, on ne sent en elle aucune hésitation, au moment où la semelle des mocassins qu'elle a chaussés touche la glaise qui menace de l'aspirer. C'est ignorer que la femme était prête avant le premier chant de l'oiseau du matin. Elle ne se laissera pas impressionner par un peu de boue.

D'un regard, elle évalue la situation, pose à terre un pied, puis l'autre, avec autant de souplesse que de fermeté et d'élégance. Madame avance vers son objectif, la porte d'entrée d'une maison en *carabote*. Les témoins ne manquent pas. Les sans-titre se lèvent tôt pour arracher leur pitance au jour qui vient d'éclore, en particulier s'il succède au déluge, à une énième fin du monde que rien n'avait annoncée. Ils applaudiraient presque cette femme venue des beaux quartiers. Une digne enfant de ce pays. Elle ne craint ni la gadoue, ni l'odeur d'égout qui a envahi l'atmosphère, sait encore marcher sur un sol détrempé. Voyez comme elle se tient droite, la nuque dans le prolongement du cou. Les épaules semblent taillées dans la roche. Rien ne bouge en dehors des pieds qu'elle lève et repose sans variation du rythme. La cadence n'est pas binaire comme on pourrait l'imaginer. Cela ne fait pas un, puis deux. C'est un, puis trois, lorsque les pieds prennent appui sur la latérite gorgée d'eau. Le deuxième temps se niche dans la reprise du souffle, non pas au creux d'un silence, mais au fond d'un battement suggéré. On le sent. On le voit, à mesure qu'elle avance. Les observateurs voudraient fêter la femme qui danse pour ne pas déraper, lui lancer quelques paroles espiègles en signe d'amitié, de fraternité. Ils n'en font rien. Quelque chose en elle repousse la familiarité.

Comment sait-elle vers quelle maison se diriger ? Des indications lui ont été fournies, mais il aurait pu s'agir de la case voisine. Elle sait. Cependant, quand elle frappe à la porte, quand on vient lui ouvrir, ce n'est pas la personne qu'elle s'attendait à voir. Elle recule d'un pas. Ce visage ne lui est pas inconnu, mais cela fait si longtemps. Une bonne dizaine d'années qu'elle n'a pas revu cette femme, mais c'est bien elle. Les filles de Sisako Sone ressemblent toutes à leur mère. Elles sont trois. Chacune se distingue par sa morphologie, son teint, mais les traits ont été façonnés selon le même modèle. Celle-ci est l'aînée, la plus haute de taille, la plus sombre de peau. Elle a quitté Vieux Pays en accusant sa mère d'obscurantisme et de dépravation. Pour faire court. C'était en plein midi. Se tenant dans la cour de la concession familiale, la femme qui vient d'ouvrir la porte avait bruyamment manqué de respect à celle qui l'avait mise au monde. Elle avait abjuré la spiritualité de Sisako, n'y voyant que superstitions et maléfices.

En compagnie d'autres matriarches de Vieux Pays, Sisako s'adonnait à des pratiques que la morale réprouve, y mêlant les filles d'autrui sous prétexte de les initier à la féminité selon la tradition. En compagnie des anciennes de Vieux Pays, la *nganga* avait célébré des unions entre femmes, des abominations, invoquant, là encore, l'héritage ancestral. Succédant en cela aux fondatrices de la communauté, les aînées avaient autorisé leurs enfants à n'obéir qu'à des codes personnels en matière d'habillement. Parmi les filles, certaines, même après avoir atteint l'âge mûr, n'avaient jamais enfilé de robe. Quant aux garçons, tant qu'ils vivaient chez leur mère, toute liberté vestimentaire leur était aussi accordée. Ensuite, ils n'y renonçaient pas sans mal. Beaucoup essuyaient les quolibets lorsqu'ils quittaient la communauté, quand ils n'étaient pas soupçonnés d'être des *depsos*, ce qui provoquait des réactions moins amènes. Pour celle qui avait entrepris d'en énumérer les déviances, Vieux Pays était une matrice à scandale, une offense de chaque instant au Tout-Puissant.

La femme qui vient d'ouvrir la porte avait dit bien des choses, tenant des propos sans retour qui scellaient sa rupture avec l'origine. Elle n'avait pas voulu couper le cordon mais le hacher menu, le jeter aux pourceaux. Elle avait parlé de sacralité, tout en vomissant ce que d'autres entendaient par là. Nulle ne l'avait suivie sur cette voie querelleuse. On l'avait écoutée, se mordant la langue pour ne pas lui répondre, mais on s'était gardé de l'interrompre. Madame s'en souvient. Elle venait voir sa protectrice spirituelle, lorsque ces événements se déroulaient. À son arrivée, l'aînée des filles de la guérisseuse faisait le serment de ne vivre que pour se laver de la souillure dont sa filiation était la cause. Elle prononça un vœu de chasteté, jura de prendre soin de jeunes âmes, leur enseignant la crainte de Dieu et la véritable féminité qui commençait par la pudeur. À Vieux Pays, les filles non nubiles pouvaient aller dans le plus simple appareil, n'enfilant un vêtement que pour se rendre à l'école, par exemple. Ayant étreint ses petites sœurs, Sa Sainteté s'en était allée sans se retourner, n'emportant rien qui lui rappelle la vie passée à Vieux Pays.

Plus tard, on avait cancané dans les cases. On avait raconté que la grande fille de Sisako avait été éconduite par l'homme qu'elle fréquentait depuis quelque temps. Un soir, il avait été question qu'il vienne la chercher chez elle pour l'emmener dîner dans un circuit à la mode. En toute confiance, la femme avait indiqué le plus sûr chemin pour rejoindre Vieux Pays au crépuscule, peu avant l'heure des esprits. Découvrant d'où elle venait, son aimé lui aurait tenu ce langage : *Je ne peux pas marier une femme qui sort de là-bas. On connaît vos choses. Ah oui, oui, on a les dossiers. Et il semble que vous refusez la dot. Tu vas me causer trop de désordre. Dépose-moi, je descends ici.* L'amour du monsieur avait pris fin sur ces entrefaites, la femme avait plongé dans une dépression dont aucun remède n'était venu à bout. Puis, un jour, dans la cour de la concession familiale, elle avait dit ce qu'elle avait à dire. L'affaire avait fait grand bruit, à l'époque, au sein de la communauté. Madame salue l'enfant que Sisako a tant désirée qu'elle l'a baptisée Reine, car telle est la signification de son nom. *Kwin*, murmure-t-elle, *monen*. On lui apprend que Kwin n'est plus, qu'on s'appelle désormais Abysinia. Recevant cette information, Madame ne la commente pas.

Amandla rejoint Abysinia et constate la présence de ta mère. L'invitant à l'intérieur, elle s'apprête à refermer la porte, mais Abysinia prend congé : *Ma sœur, je reviendrai te voir. Mes filles vont bientôt se lever, si ce n'est déjà fait.* Se tournant vers la nouvelle venue, elle ajoute : *Madame Mususedi, ponda ni pepe, à une prochaine.* La décontraction du ton frise la désinvolture, ce qui indique, pour qui maîtrise nos codes sociaux, qu'on est loin du détachement affiché, qu'on se serait passé de cette rencontre. Amandla comprend que les deux femmes se connaissent, mais elle ne relève pas. Ixora est couchée sur une natte, la face cabossée. Elle dort, sa respiration est paisible. Elle devrait se remettre de ses blessures, a priori. Ta mère s'éloigne. Ce n'est pas cette femme, c'est elle-même qu'elle voit dans cet état. Il y a un banc dans un coin de la pièce. Elle s'y assied, se demandant quoi faire. Bien sûr, la première priorité est d'éviter les commérages. Il n'est pas question de la conduire à l'hôpital. Personne ne croira à une chute dans l'escalier de la grande maison. Pourtant, l'intervention d'un médecin est de rigueur. On ne sait jamais : s'il y avait un traumatisme crânien, une hémorragie interne. Elle baisse la tête, songeant que certaines victoires sont des défaites. La femme qui t'a ramené du Nord lui sera une charge, que tu l'épouses ou pas, que tu reparaisses ou non.

Elle accepte le verre d'eau que lui tend ton ancienne amoureuse. Elles ne disent pas un mot de toi. Le silence qui s'étire entre elles ne les sépare pas. Il consolide une relation aux contours encore brumeux. Madame aurait beaucoup à dire. Ce n'est pas le moment. Elle garde pour elle ce qui la bouleverse, fait ce qu'il faut, comme toujours. Ta mère analyse la situation. La prudence requiert de ne pas déplacer Ixora endormie. Elle attendra son réveil et avisera. C'est ce qu'elle annonce. Amandla ne tente rien pour la dissuader. La conversation est minimale. Elles ne se forcent pas, gardent un œil sur la femme sans laquelle tu ne serais pas revenu au pays. Ta mère a tant espéré ce retour, et voilà. Se méfier de ses désirs. À l'heure du déjeuner, Amandla propose de la patate douce et des légumes verts. Madame goûte le plat. Ce sont des *bewolę*. Son légume-feuille favori. La recette est parfaite. Le bon dosage de tomate, ce qu'il faut de crevettes séchées, l'arôme d'un piment qu'on a retiré à temps de la casserole. C'est presque un choc, pour ta mère. Elle ne dit rien. L'autre non plus, qui se contente de récupérer l'assiette vide. Au cœur de l'après-midi, elle proposera une tranche d'ananas. Ton Ixora s'étant mis en tête d'épuiser le sommeil, elles passeront ensemble un long moment.

Un homme vient rendre visite. Amandla ne le fait pas entrer, sort pour s'entretenir avec lui. Madame tend l'oreille. L'homme parle dans sa langue, la femme répond dans la sienne. Elle n'ose encore utiliser l'idiome local, mais elle le comprend à la perfection, en saisit les subtilités. Surprise, Madame continue d'écouter. Celui dont elle découvre qu'il s'appelle Misipo, est passé voir si l'orage n'a pas fait de dégâts. Amandla dit que tout va bien, il y a seulement cette femme blessée qu'elle garde. Madame réfléchit. Soupire. Non. Elle ne peut pas. En d'autres circonstances, elle aurait tenté ceci : payer Misipo pour qu'il conduise à l'hôpital cette femme qui t'a ramené vers les tiens. Auprès du personnel soignant, il se serait fait passer pour un membre de sa famille. Il lui aurait ensuite rendu compte, jusqu'au rétablissement complet de la malade. Elle l'aurait bien rétribué. Par ailleurs, elle aurait mené sur lui sa petite enquête, de façon à connaître son point faible. Cela aurait été, comme dans tous les cas de ce genre, une affaire pour les deux parties. L'implication et la présence d'Amandla interdisent cela. Madame soupire à nouveau. Elle s'interroge sur la folie du destin qui force dans sa vie deux femmes sans généalogie. Deux descendantes d'esclaves. Pas une. Deux. Elle écoute, perçoit, dans le ton de la conversation, l'intimité de son hôtesse avec le visiteur. Il ne l'appelle pas par son prénom, ne dit ni tante, ni sœur, comme le feraient la plupart des gens ici.

S'adressant à celle dont il a le souci, l'inconnu dit *muto,
femme.* Il se pose avant tout comme un homme face à
elle, ce qui conditionne et féconde toutes les modalités
de leur relation. La force de son attachement s'exprime
dans l'emploi d'un terme banal en apparence. Pour qui
sait entendre, les modulations de sa voix donnent au
nom commun le statut de nom propre. Misipo n'est pas
de ceux qui vous tiennent la main, vous embrassent en
public, mais il ne se cache pas non plus. Il est présent.
Il sera là chaque fois que nécessaire. Sans doute serait-il
venu plus tôt si des occupations ne l'avaient retenu, peut-
être une épouse ? Madame hausse les épaules. Cela ne la
concerne pas, elle ne juge pas, l'amour doit être cueilli
où il se trouve. Prenant congé, Misipo dit : *Waange so,
à tout à l'heure alors.* Le soleil ne se couchera pas sans
qu'il ait mis les pieds à l'intérieur de cette case, afin de
s'assurer que tout y est en ordre.

La voix d'Ixora la fait sursauter. La blessée n'a pas
ouvert les yeux, mais elle parle dans son sommeil. Elle
appelle : *Masasi, Masasi. Kon kon kon, je suis devant la
porte.* Madame s'approche, s'accroupit, se coupe un instant la respiration. Ixora répète ses propos, avec quelques
variantes, l'une d'elles faisant de l'interpellée sa chérie.
Madame est dépassée. Ce sont les mots qu'elle a employés
au téléphone. Elle n'a pas révélé la source de son trouble,
mais je la connais. Il y a un lot d'années, je suis tombée
sur les lettres d'Eshe. Tu te souviens d'Eshe, nous l'avons
connue lors de nos dernières vacances à l'étranger. Après
ce séjour-là, nous n'avons plus jamais pris de vacances
hors du pays. Tous nos amis partaient, nous restions entre
les murs de la grande maison. Notre chance fut d'être

ensemble. Nos parents étaient désormais trop occupés à tenir à distance le bonheur, consacrant toute l'énergie dont ils disposaient à parfaire l'échec de leur couple. Une telle détermination ne pouvait que mener au triomphe. Ce fut le cas, comme tu le sais, Big Bro, comme chacun le sait.

Les lettres d'Eshe m'ont appris une chose que ta mère ne confiera jamais à quiconque. Les dernières missives étaient le chant d'un oiseau blessé. Il n'y avait pas de colère, elles disaient la douleur d'avoir rêvé trop fort, de devoir se réveiller, réapprendre à respirer. Cette partie de la correspondance m'a fait penser à une chanson de Johnny Hates Jazz, celle qui parle d'amour déçu, de rêves brisés. C'est en farfouillant sans but dans les affaires de Madame que j'ai découvert ce courrier. Enfants, nous avions l'habitude de fouiner, quand les parents étaient sortis. Nous traînions notre ennui dans les recoins d'une penderie, dans les tiroirs des bureaux, tout en haut des meubles que nous escaladions, nous faisant la courte échelle.

C'est au cours d'une de ces équipées que nous avons découvert les fusils d'Angus sous le lit conjugal, ceux qui en avaient fait un héros de guerre. Ils étaient immenses, des armes de titan. Nous n'avons pas su tout de suite ce que renfermait l'imposant colis enveloppé d'épaisseurs de papier kraft. Nous ignorions que des feuilles de papier pouvaient avoir cette dimension, on aurait dit un corps, une momie, là, sous la couche des parents. C'est encore pendant une de ces expéditions que nous avons vu nos premiers films pornographiques. Les cassettes VHS étaient là, anonymes, sans étui ni inscription. Elles avaient été placées dans un carton contenant des embauchoirs abîmés, des chausse-pieds qui ne serviraient plus, des boîtes de cirage coagulé. T'en souviens-tu, Double Bee ? Nous avons souvent regardé ces films, sachant qu'ils n'avaient pas été cachés par hasard. La famille disposait d'une vidéothèque officielle dans laquelle nous étions autorisés à puiser à notre guise. Nous voulions savoir pourquoi ces exceptions.

La première fois, nous n'avions d'autre attente que celle de la nouveauté, nous connaissions par cœur les autres vidéos. Cinq minutes s'étaient à peine écoulées que nous bondissions, l'un vers la porte du petit salon pour la fermer à clé, l'autre vers la fenêtre pour tirer les rideaux. Baissant le son, nous nous étions rapprochés, presque collés l'un à l'autre pour regarder, le souffle court, ce qui s'offrait à notre curiosité. À vrai dire, nous étions plus choqués à l'idée de Madame et Amos se délectant d'un tel spectacle que par les images elles-mêmes, que nous observions de façon clinique. Nous riions devant certaines scènes, lâchions un *ich* appuyé devant d'autres, recourions à la touche *RW* pour revenir en arrière, mieux examiner un élément digne d'intérêt.

Tu t'es lassé de ce spectacle, on a vite fait le tour de la question, et tu étais un garçon. La société te permettait, si tel était ton vœu, de pénétrer avec précocité dans le domaine de la sexualité, de jouir sans entraves. À moi, elle imposait d'autres approches. J'ai plus que toi regardé ces cassettes, les images sans le son, ne m'arrêtant que le jour où l'une des bandes s'enroula dans le magnétoscope.

C'est à force de patience et de dextérité que je parvins à l'en déloger, dans un état tel que mon intrusion dans la chambre parentale risquait d'être découverte. Même tenue en joue, j'aurais *deny*. J'étais curieuse de ce qui s'exposait sur l'écran du téléviseur et, cependant, c'est parcourue de frissons que je regardais, voyant dans ces corps-à-corps une lutte d'où les femmes ne sortaient pas victorieuses. Leur plaisir dépendait de celui d'hommes qui n'étaient pas des partenaires mais des donneurs d'ordres, des rouleaux compresseurs. Je ne voyais là rien qui ressemblât à de l'amour, le sexe ne se pratiquant d'ailleurs, dans ces films, qu'entre personnes sans attaches affectives. Un jour, alors que nous rendions visite à la famille paternelle, je surpris des bribes de conversation entre nos tantes, Judith et Sulamite. Toi et moi étions assis sur la véranda, un pied dehors comme toujours, tant nous nous sentions mal en ce lieu où nous savions notre mère détestée, notre présence peu souhaitée.

Les deux abominables discutaient dans la cuisine, une bouteille de bière Beck's à la main, raclant, au fond de l'assiette qu'elles partageaient, les dernières miettes d'*Exeter Corned Beef*. Leurs rires fusaient de temps à autre, tels des vrombissements de moteurs. L'une d'elles fréquentait un pasteur. L'évangéliste décrivait le pénis comme un attribut dont le Tout-Puissant avait doté le mâle de l'espèce humaine afin qu'il s'unisse à son alter ego féminin, les deux formant ainsi une seule chair. L'homme n'aurait de ce fait qu'une épouse et une amante, son sexe étant plus qu'un vulgaire organe, une matérialisation de son âme. C'était cette partie qui faisait rigoler le binôme scélérat : la sacralisation de la quéquette. Les films pornographiques planqués dans la penderie de nos parents tenaient à se démarquer de cette lecture spirituelle, présentant des chairs dissociées ne devenant jamais une, étant donné la confrontation à laquelle on se livrait. La verge était ici glaive ou torpille, la fin du coït était rupture, déchirure. Après s'être affrontés, les corps allaient chacun de leur côté. Ce qui m'intriguait le plus était d'associer nos parents à la sexualité sans fard que dévoilaient ces films. Au bout d'un moment, je remplaçai presque systématiquement par leurs corps, leurs visages, ceux des acteurs. Le son étant coupé, les voix de nos parents s'imposaient à mon imagination. À quel moment regardaient-ils cela, dans quel but ?

Une fois, ce n'est arrivé qu'une fois, je vis Amos tenter d'étreindre sa femme. Elle s'est détournée en disant : *La petite nous regarde*, c'était il y a des siècles, je devais avoir cinq ans. J'aurais aimé les voir s'embrasser, cela m'aurait rassurée. Chacun appelait l'autre par son *dina la mundi* plutôt que par son prénom nordiste, ils partageaient la même couche, c'était tout ce qu'il nous était donné de percevoir de leur intimité. Même après avoir trouvé ces films pornographiques, jamais je n'imaginai Madame recevant sa giclée de sperme sur le visage ou entre les seins. Lorsque de telles scènes surgissaient, la substitution de ses traits à ceux de l'actrice demeurait une superposition mal aboutie, quelque peu incongrue. Il me fallut mieux me connaître pour mettre des mots sur le dérangement dont j'étais la proie à ce moment-là.

Mon trouble s'intensifia lorsque, passant devant la chambre de nos père et mère, je surpris une espèce de chahut. L'oreille désormais habituée à cette musique, je ne fis pas de confusion entre les cris, les gémissements perçus alors, et ceux dont la maison retentissait à d'autres occasions. Toutefois, je n'eus pas l'impression que le plaisir, même sous la forme pervertie qui me dérangeait dans les films, fût de la partie. La voix d'Amos n'était guère audible, on n'entendait que celle étouffée de Madame et, dans les souffles comme dans les silences, une douleur qui me glaça. On a parfois des intuitions, des émotions dont la ténacité met en branle un système de défense. D'abord, cela fonctionne comme un radar. C'est bien plus tard que les boucliers se dressent, que les missiles se parent pour tirer. Bien plus tard, mais cela se prépare là. Je venais d'avoir neuf ans, j'entrai dans un conflit de longue durée avec le sexe des hommes.

Il m'apparut que l'acte était imposé à Madame, le coït n'avait d'ailleurs aucune raison d'être, compte tenu de la nature de leurs rapports. J'aurais mieux compris que chacun ait une liaison extraconjugale, un espace où respirer, être apprécié, trouver la force de revenir dans la grande maison puisque, de toute évidence, ils pensaient l'un et l'autre devoir rester mariés. Je me suis toujours demandé comment ils pouvaient dormir dans le même lit, tolérer la peau de l'ennemi, son odeur. Ce jour-là, dans le couloir, alors que chaque cellule de mon corps se figeait, je sus combien l'amour pouvait se révéler abrasif et sale, s'infliger plus que se donner. Il était question d'une mesure punitive. Baiser pour détruire, y laisser soi-même sa peau, forcément. Une profanation. On n'entendait pas la voix d'Amos, il n'y avait que celle étouffée de sa femme, les souffles, les silences, les craquements du lit, soudain plus rapides, plus rapides, plus rapides, il jouit sans un murmure, dans la sécheresse. Quelqu'un descendit du lit, les ressorts grincèrent. Je songeai que c'était lui. La porte de la salle de bains attenante à la chambre claqua. Il n'y eut plus un bruit, comme plus de vie. La rigidité qui s'était emparée de moi ne se dissipait pas, je crevais de trouille à l'idée d'être découverte là, une statue, le pied gauche projeté en avant, le talon du droit levé, les bras comme des ailes qu'on avait voulu ouvrir. Un être en suspension, pour combien de temps…

Je ne parvenais pas à déglutir, la salive s'accumulait entre mes joues, cela commençait à faire mal. Pendant ce temps, mon cœur battait au ralenti mais avec la force d'un gong, sa vibration menaçant de me faire exploser la poitrine. C'est toi qui m'as tirée de cette paralysie. Tu as crié mon nom depuis la cuisine où Makalando venait de servir des crêpes, je me suis affaissée. Tu m'as cherchée, trouvée là. Tu m'as donné une gifle, t'es assuré que je revenais à moi. Ensuite, tu as fait venir la cuisinière pour t'aider à me porter. Vous m'avez couchée sur le canapé du grand salon, celui qui jouxte la salle à manger et qui reçoit tant de lumière. Celui où étaient accueillis les invités, les soirs où nos parents devaient montrer qui ils étaient, paraître, mériter leur place au soleil. Tu es resté près de moi. Du haut de tes onze ans, tu m'as réconfortée. Toi seul savais que nous étions deux enfants abandonnés au milieu d'un champ de bataille. La mémoire de notre petite famille évoque ce jour comme celui du malaise de Tiki. J'eus mes règles quelques mois plus tard, ce n'est pas Madame mais notre cuisinière qui m'expliqua ce qui m'arrivait, et je mis des années à le comprendre.

217

Souvent, je fus prise de court par le flot menstruel, ne sachant où me mettre lorsqu'il me surprenait en classe, tachant mes jolies jupes.

Jamais je ne pus te raconter ce que j'avais entendu, compris, en passant près de la chambre des vieux. Cela me transforma. Dès lors, j'allai vers notre mère chaque fois qu'elle avait été battue, je ravalai mes larmes, elle finit par accepter ma présence. Je regardai ses ecchymoses, le rouge sous le noir de sa peau, les dents qui bougeaient quelquefois, tout cela paraissait plus terrible que de sentir monter en moi la peur. J'avais quelqu'un à soigner, à veiller, je me surpassai pour faire honneur au nom qu'elle m'avait donné : Tiki, le trésor, la précieuse. C'est de cette façon que je domptai l'angoisse mêlée de dégoût que je saurais nommer avec le temps, lorsqu'il faudrait m'éprendre d'un homme, puisqu'il le faut, à ce qu'on dit. Je n'y voyais en conscience aucune objection, le problème résidait ailleurs, dans la sphère de l'impensé, de l'irrationnel. À quinze ans, je tombai amoureuse pour la première fois, d'un garçon qui n'en eut pas idée. Jamais il ne sut quelles conversations enfiévrées je nous inventais dans ma chambre, regardant le miroir de ma coiffeuse, voyant s'y dérouler les scènes d'une romance imaginaire. Jamais il ne se douta que je lui chantais *Suddenly*, une brosse à la main en guise de micro.

C'était la rude époque du gel dans les cheveux, des chemisiers à épaulettes, de la fluorescence et des synthétiseurs. Porter, en plein cagnard, le même blouson que Maverick dans *Top Gun*, était un devoir en ce temps-là. Nous apprenions les paroles des chansons dans les magazines nordistes qu'une machine à décérébrer faisait livrer jusque sous nos latitudes, au mépris de toute notion de rentabilité, étant donné la faible part de marché que nous représentions. Le monde se souciait beaucoup de nous, nos idoles tinrent à en apporter la preuve, invitant leurs compatriotes à se pencher sur notre cas : *There's a world outside your window, And it's a world of dread and fear,* chantait le Band Aid. Nous étions l'épouvante, nous le découvrions. Nous n'achetâmes pas le disque, ce n'était pas à nous de le faire. Les têtes d'affiches du Band Aid étaient des garçons blancs, toutes. Au moins les choses étaient-elles claires, parfaitement assumées : on savait qui commandait. J'avoue une certaine tendresse pour ces types. C'est compliqué de faire ces trucs-là sans se planter, tu te ramasses toujours un peu, quand tu es un descendant de colons désireux de fraterniser avec les damnés de la terre. L'opération était générationnelle, moins réussie que celle qui s'était mise en place outre-Atlantique, à partir d'un morceau composé par Lionel Richie et Michael Jackson. Les paroles n'avaient pas su se déterminer : rock ou guimauve, le Band Aid ne tranchait pas, ce qui faisait osciller sa chanson entre sollicitude et mépris. Tel était le contexte de mes premières amours.

Le visage pâle qui faisait battre mon cœur virait à l'écarlate lorsque le soleil s'exprimait, c'est-à-dire de huit à dix-huit heures, ce qui ne lui retirait pas tout intérêt. À cet âge-là, nous étions tous un peu rouges d'un certain point de vue, brûlants de tout ce qui croissait en nous et sur nous. Qu'il me parle de ses lectures, se démène pour me faire rire ou plaisir m'attendrissait, mais je n'en laissais rien paraître. L'idée qu'il pose la main sur moi était source de terreur, si bien que je ne lui laissai pas la moindre ouverture. Il se détourna de moi avant la fin du deuxième trimestre, la chasse n'offrant de séduction que si la proie consentait à se laisser prendre. Entre garçons et filles, les règles de l'art cynégétique sont ainsi faites qu'il ne s'agit pas de contraindre, mais d'obtenir la reddition, quelle que soit l'identité du chasseur. Je ne consentis pas à me rendre, mon soupirant alla se consoler en une prairie plus hospitalière. Cette histoire m'amena à prendre le taureau par les cornes. Je craignais l'intimité avec l'autre sexe sans éprouver d'attirance pour le mien, ni même de totale identification avec lui. Je ne voulais pas occuper la place de celle qu'on pilonnait en la traitant de salope, celle dont la peau accueillerait ce jet de sperme qui m'apparaissait comme une déjection. Je ne me sentais pas non plus un garçon piégé dans un corps de fille, mon aspiration était, dans le fond, de n'être ni l'un ni l'autre. Non pas entre les deux, mais quelque part au-delà.

J'avais seize ans lorsque je perdis mon pucelage, avec un garçon payé pour ses services. Il n'eut pas le loisir de me grimper dessus pour me pénétrer. Je le fis se masturber jusqu'à le voir atteindre la raideur qui me semblait convenir, il était nu, moi vêtue, il ne me toucha pas. Lorsqu'il fut prêt, je lui demandai d'empaqueter son matériel dans un préservatif, le regardai faire, l'invitai à s'étendre sur le sol. M'étant déchaussée, je posai les pieds sur le haut de ses cuisses, levai un peu le volant de ma jupe avant de m'accroupir pour que mon sexe gobât le sien. J'opérai d'un coup sec du bassin. Il n'y eut pas de va-et-vient, ni de sa part, ni de la mienne, ce n'était pas l'idée. Il n'y eut pas un cri en dépit de la brûlure. Il n'y eut pas d'échange de regards, je lui avais tourné le dos. Cet acte n'avait rien à voir avec le gars, cela ne se passait pas entre nous, il n'y avait pas de nous. Je voulais me défaire de la membrane, sans romantisme. C'était fait, je m'installai sur le bidet pour me laver le sexe, laissai la somme convenue, tournai les talons de mes *low boots cowgirl style*. C'était la mode d'en porter avec des jupes. Les miennes étaient blanches, comme les mitaines en cuir cloutées et le jupon en tulle que je portais aussi, ce jour-là. J'avais seize ans, c'étaient les années 80, j'étais un peu lookée.

Je ne t'embarrasserai pas de détails. Tout ce que je dirai, c'est que mon exploration du domaine sexuel s'effectua, au cours de cette période, avec assez de minutie pour que je sache comment me situer. Pour atteindre l'orgasme, je devais prendre et garder le contrôle. Jamais je n'éprouvai de sentiment amoureux pour mes amants, les garçons auxquels je tenais ne pouvaient me toucher, ce qui m'attrista parfois. La situation n'a pas tellement changé, mais je m'égare… Ce n'est pas de moi que nous parlions, je suis sans intérêt. La famille parfaite compte deux enfants, l'aîné devant être un fils, l'héritier par excellence. La fille n'est alors qu'ornementale ou utilitaire. C'est elle qu'on appelle lorsque, le mitan de la nuit franchi, on s'aperçoit que le monde s'est effondré. C'est ce qu'a fait Madame, pour me dire le basculement de ses jours dans l'inconnu. Elle n'a pas demandé comment j'allais, cela ne lui est pas venu à l'esprit. C'est à elle-même qu'il lui fallait conter sa longue nuit, le jour d'après aussi. Touchant le fond d'un abîme intérieur, elle n'a pris garde ni aux mots ni aux choses, a livré un compte rendu précis.

Tête baissée vers l'intumescence qu'est maintenant le visage d'Ixora, ta mère écoute la femme, comprend quelque chose. Disons qu'elle a un pressentiment, que sa compréhension émane plus du cœur que de la raison. Elle quitte la pièce quand Amandla revient à l'intérieur. Madame ne va pas jusqu'à la voiture, fait signe au chauffeur d'approcher. Elle lui donne pour consigne de se rendre à Vieux Pays, de revenir avec Masasi, la jeune femme qui se déplace à domicile pour la coiffer. Enoch s'écrie : *Donc la belle femme-là sort de là-bas ?* Le flegme n'est plus de mise, l'homme se renfrogne. Les habitantes de Vieux Pays sont des diablesses, il ne mettra pas le bout d'un orteil dans cet endroit. *Madame*, implore-t-il, *je vous respecte beaucoup, mais je suis chrétien.* Enoch ignore qu'elle fréquente Vieux Pays depuis des années. Quand elle désire s'y rendre, elle prend le volant. Madame ne va pas se mettre à discuter, elle tend la main : *Les clés*, ordonne-t-elle, *donnez-moi les clés*. L'homme la supplie de ne pas le renvoyer, dit qu'il ferait tout pour elle, mais pas cela, *Au nom de Dieu, Madame*. Elle lui demande ce qu'il n'a pas compris dans l'énoncé : *Donnez-moi les clés*, ajoute : *Rentrez chez vous, je vous verrai demain*. Se tournant vers Amandla, elle annonce qu'elle sera de retour sous peu.

Le véhicule qu'elle pilote ne roule pas, c'est une fusée qui traverse les artères défoncées de la ville, volant par-dessus des crevasses dont la circonférence autant que la profondeur attestent de la chute de plusieurs météorites. Ta mère slalome entre les voitures, les pousse-pousse, les gens. Elle appuie sur le champignon, gomme les kilomètres. Elle est à Vieux Pays en un rien de temps, dans la case où elle trouve sa coiffeuse assise sur un banc près de la fenêtre. Masasi la regarde et demande : *Ixora ?* Madame répond : *Je te conduis à ses côtés.* La jeune femme dit avoir eu une prémonition. Elle a passé une mauvaise nuit, n'a pas dormi. Lorsqu'elle évoque ces instants, la voix de ta mère est chargée, lestée du poids de ses silences, du chagrin de la perte. Ce n'est pas Masasi qu'elle mène auprès d'Ixora. Elle trouve le courage, après toutes ces années, de faire route vers la femme pour laquelle son cœur n'a cessé de se lamenter. Eshe, la part amputée de son corps. C'est un retour symbolique à soi, à sa propre complétude, une réparation. Il n'est plus temps de songer à la vie qui aurait été la sienne auprès de son grand amour. Elle ne me dit pas pourquoi, mais promet d'être l'alliée de ces deux amoureuses, une fois la blessée remise. Avec ou sans généalogie. Elle se le promet. Sa main sur le volant est sûre, son regard ne dévie pas du chemin, elle ne pose pas une question à Masasi, et toi, Big Bro, tu n'es pas au cœur de ses pensées. Tu es, pour l'instant, un sujet annexe, on verra cela le moment venu. Dans la voiture, c'est le silence. Vieux Pays est déjà loin, lorsque ta mère compose un numéro, fait fonctionner le haut-parleur, attend que son correspondant décroche. Nulle fébrilité dans la voix de Kabral, d'ailleurs, ce n'est pas lui qui téléphone. Il ne s'est pas manifesté de la journée, comme imperméable à l'inquiétude.

On ne peut lui parler comme à un enfant ordinaire. Elle lui dit : sa mère est blessée, cela pourrait être grave. Lorsqu'elle aura été admise à l'hôpital, il lui rendra visite. Le garçon est d'accord. Il demande de tes nouvelles, n'en obtient pas, devance toute interrogation sur la manière dont il supporte la solitude dans la grande maison : *Maka-lando est restée avec moi, les veilleurs viennent d'arriver. Je vais leur porter le repas. J'attends votre retour pour aller voir maman.* Ce n'est pas une requête, il n'acceptera pas qu'on le mette au lit sans l'avoir vue. Ixora est sa mère. Il prend congé, c'est lui qui le fait, en disant : *À tout à l'heure Madame.* Quelque chose se serre un peu dans le cœur de ta mère. Une minute s'écoule, peut-être deux, pendant lesquelles une lassitude l'assaille. Marre d'être une machine de guerre, une personne qu'un enfant ne peut appeler que Madame, alors qu'il réside sous son toit et qu'elle se rêve grand-mère. Cela ne dure pas, ta mère a quelques qualités. L'une d'elles consiste à ne pas se plaindre des conséquences de ses erreurs. Le jour va tirer sa révérence quand le break se gare à nouveau devant la case où repose Ixora. Près de la porte d'entrée, Abysinia est debout, tel un totem. Les yeux lui sortent presque du visage quand elle reconnaît la femme à peau rouge qui descend du véhicule, faisant claquer la portière.

Masasi s'avance, se tient à quelques pas, salue, disons-le comme ça : *Kwin, tu étais tombée en brousse.* Abysinia ne répond pas. Ce qui l'intéresse, c'est de savoir ce que vient faire sa plus jeune sœur dans cette histoire, pour quelle raison Madame est allée l'extraire de cette benne à ordures qu'est Vieux Pays. Il arrive, lorsque nous posons une question, que nous attendions une réponse donnée, même sans en avoir conscience. L'esprit d'Abysinia est préparé à entendre, par exemple, que sa frangine se pré-sente en ce lieu, porteuse d'un remède fourni par leur mère, guérisseuse dont la notoriété n'est plus à faire. Bien sûr, elle fera barrage de son corps, afin que cette diablerie ne soit pas appliquée à la femme blessée dont elle vient de prendre des nouvelles. Cependant, il n'y a pas de médicament ou, plutôt, la femme à peau rouge est l'onguent, la potion. Ces informations ne sont pas transmises par le verbe, tout est dans les regards. Celui de ta mère, celui de la femme dont la lueur d'une lampe-tempête, accrochée au fronton de la maison, souligne la clarté rouge. Abysinia rugit, sa sœur bondit en arrière, Madame s'élance en avant. Il n'y a pas de temporisation entre ces réactions, pas une seconde d'intervalle. Madame lutte avec la géante, roule avec elle sur le sol qui mettra des jours à sécher. Imagine, Big Bro, la force d'une femme ayant absorbé, année après année, une agressivité confinant à la démence.

Chaque coup vient de loin. Chaque coup est un de ceux que l'homme a su parer, un de ceux qui ont manqué leur cible ou n'ont pas fait le poids. Chaque coup rappelle le jour où, en ayant assez d'être tabassée, elle a collé le canon d'une arme de poing sur le ventre désormais rebondi d'Amos, lui délivrant le message suivant : *Tu sors de chez moi aujourd'hui, je te ferai porter tes affaires.* Oui. Il a suffi de quelques mots pour mettre fin à l'horreur, se saisir de la clé qu'on avait toujours détenue, ouvrir la porte, dire qu'on ne prendra plus part à sa propre destruction. Abysinia hurle au repentir, à l'abomination. Elle fustige l'impudicité, les relations sexuelles condamnables, en appelle à la population du quartier, espérant monter les gens contre les dépravées et leurs complices. On tchipe. La veille au soir, c'était le déluge. Dieu a repris le peu qu'Il avait donné comme Il le fait si souvent. On ira Le prier dimanche car on Le craint, Il a tout fait pour ça, mais là, tout de suite, on est un peu occupé. Certains ont tout perdu. Ils sont épuisés.

Madame est à califourchon sur le ventre d'Abysinia, la fixant des yeux, lui offrant une dernière chance de se taire, avant de lui envoyer une taloche sur la bouche, puis de l'assommer d'un coup de poing. *Bite the dust...* Lorsqu'elle pénètre dans la maison, couverte de boue des pieds aux épaules, ta mère informe les femmes qui s'y trouvent qu'il faudra prendre soin de Kwin. Il sera presque dix heures du soir lorsque Kabral verra sa mère, dans la clinique privée où on l'aura conduite. Il ne semblera pas étonné de trouver à son chevet la coiffeuse qui vient tous les huit jours dans la grande maison. Il regardera sans rien dire le visage d'Ixora, s'arrêtant sur chaque marque, chaque trace de ta violence. Il ne demandera pas quel accident a causé ces ecchymoses, n'exprimera pas ses sentiments. Ce n'est qu'à la toute fin de cette journée que, rendue à la solitude de sa chambre, Madame s'abandonnera à son angoisse te concernant. Comme moi, elle est persuadée que tu es en vie quelque part et, si elle évoque ta mort, c'est pour conjurer le sort. Cette conjuration n'est pas à comprendre comme l'anticipation de ta disparition, le refus de cette dernière. Ta mère ne veut laisser à aucune puissance le privilège de te détruire, d'en finir avec toi. Elle remuera ciel et terre, fouillera la galaxie, n'exhalera pas son dernier souffle sans t'avoir mis la main dessus, quelle que soit ta condition. Tu ne perds rien pour attendre, Double Bee. Laisse-la reprendre ses forces, laisse seulement. Tu lui rendras au centuple ce que lui ont coûté les mille quatre cent quarante minutes qu'a comptées cette journée de l'année 2010.

Dans la *mistress' bedroom* de la grande maison, Madame est aux prises avec les serpents tapis dans son jardin, ces choses qu'elle ne dit pas même à demi-mot, ces spectres qui la hantent, la poussent à agir. Elle et moi venons de nous parler au téléphone, j'ai écouté sa restitution des événements, me manifestant par des murmures afin d'accompagner le propos. Ce n'était pas un dialogue, je n'avais pas mon mot à dire. À présent qu'elle a raccroché, que l'enfant vaincu par la fatigue dort à poings fermés comme les veilleurs de nuit, ta mère est face à elle-même. Tu n'as pas idée des forces qui la soumettent depuis toujours, tu ne t'es pas suffisamment intéressé à tes parents pour savoir qui ils étaient, quelles personnes. Adolescent, tu t'es évertué à troubler leur confort, à piétiner leur mode de vie, à mépriser leur milieu social. L'année où tu as passé le baccalauréat, tu as pris conscience de l'inanité de ta rébellion. Te félicitant d'avoir réussi, ta mère a exprimé sa satisfaction pour tes désordres d'alors, te faisant savoir qu'elle en avait été rassurée. Elle avait craint que tu ne deviennes un adulte timoré. Chaque fois que tu as fait sauter les plombs, plongeant la grande maison dans l'obscurité pour te glisser en douce au dehors, chaque fois que tu t'es attablé dans un *circuit*, chaque fois que tu es rentré éméché – tu te forçais, tu n'aimais pas boire –, Madame a considéré que l'homme en toi s'affirmait.

T'ayant congratulé, ta mère sonna la fin de la récréation. Tu irais à l'étranger, au Nord, afin d'y poursuivre tes études, pour venir ensuite tenir ton rang. Là, tu te sentis floué, tu décidas de ne plus remettre les pieds au pays. Très vite, les parents cessèrent d'avoir de tes nouvelles… Parce que je n'étais pas un garçon, qu'on ne me permettrait pas les mêmes errements, j'optai pour une autre attitude. Plutôt que fréquenter les bas-fonds, ce qui n'aurait été compris ni de ceux que j'y aurais rencontrés ni de mon entourage, c'est d'abord au sein de la famille que je m'instruisis. Pendant que tu écumais les quartiers populeux, je sus ruser, trouver des prétextes, afin d'approcher notre famille maternelle. Madame n'évoque jamais les siens. Pourtant, elle les fréquente comme il se doit. Il en est ainsi pour chacun de nous au sein de la communauté : aussi fondés que soient nos griefs, nous nous connaissons nous-mêmes comme les fruits d'un arbre que nul ne prendra la responsabilité de scier. Parce que nous ne commettrons pas cette transgression, nous officions comme une branche de l'arbre, qu'elle soit parfois pourrie – par une souche toxique qui l'empoisonne ou par sa propre volonté de nuire – n'est pas la question.

L'année de mes seize ans – celle où je me défis de ma virginité –, j'élaborai une stratégie pour me rapprocher de notre grand-mère maternelle, Camilla Ebokolo, épouse de Conroy Mandon̲e. Le jeudi, mes cours prenaient fin à quatre heures de l'après-midi au lieu de six heures les autres jours. Jamais les parents ne se soucièrent du détail de nos emplois du temps, ils se fiaient à Enoch pour les mémoriser. Je fis affaire avec le chauffeur. L'argent règle pas mal de choses, chez nous comme chez les autres. Recevant quelques billets en plus de son salaire mensuel, Enoch accepta ma proposition. Tous les jeudis, il me conduisait chez Camilla, sans se faire remarquer. Il garait la voiture à quelques rues de la maison où avait vécu Conroy, me laissait faire à pied le reste du chemin. À six heures moins le quart, je le retrouvais, il me ramenait dans la grande maison. Il en fut ainsi jusqu'à la fin de mes études secondaires.

Bien sûr, nos tantes, nos cousines ou les membres de la tontine à laquelle prenait part Camilla me voyaient, me reconnaissaient. Toutefois, le secret fut gardé. On savait quelle considération ta mère témoignait à ceux de sa lignée, ne s'acquittant vis-à-vis d'eux que de ses devoirs, jamais plus, leur imposant de ne la rencontrer qu'au Prince des Côtes où elle occupait le bureau de son père. On dut apprécier que je m'autorise à braver l'interdit. J'étais l'affluent qui, connaissant la source du fleuve, y retournait. Camilla ne fut pas d'emblée très loquace, je dus m'armer de patience. Mes visites semblaient lui faire plaisir. Nous regardions ses séries préférées, *The Avengers* et *The Persuaders*, dont elle possédait des cassettes VHS. Nous dégustions des *Cabin biscuits* avec du fromage ou de la confiture. J'enjolive un peu les choses, l'épreuve à laquelle je devais me soumettre ne saurait porter le nom de dégustation. Les *Cabin biscuits*, qui provenaient d'un pays voisin, n'avaient pas été conçus pour être mangés par des humains, il aurait été cruel d'en offrir à tout être vivant. Qu'il m'en soit proposé chaque fois que je venais recelait peut-être un message, car la mémé se montra circonspecte, craignant, à mon avis, une manœuvre de Madame.

Leur relation était frappée du sceau de l'aigreur, voire de la rancœur, du côté de sa fille. Camilla n'avait mis au monde que cette enfant-là, après plusieurs fausses couches survenues à un stade assez avancé de la grossesse. Comme si toute âme à naître se refusait en fin de compte à s'incarner à travers elle, à se remettre entre ses mains. L'âme venait en elle, y résidait un temps et se disait : *Nan, mauvaise pioche*. On imagine ce qu'elle dut vivre, entendre, de la part de sa belle-famille, du reste de la communauté. Conroy ne consentit pas à prendre une seconde femme, ses valeurs chrétiennes le lui interdisaient. Il avait épousé Camilla qui était comme lui une protestante baptiste, parce qu'elle savait lire, écrire, et parce que sa condition non pas sociale mais généalogique la lui rendait accessible sans le rabaisser. Oui, je sais, tout cela est d'une grande complexité. C'est ici que nous commençons à entrevoir les ombres qui *boogie* dans l'esprit de Madame, alors que, le sommeil s'amusant à la fuir, elle se repasse le film de sa journée.

Camilla n'avait avec moi que des conversations futiles, esquivant mes interrogations, feignant de ne pas avoir compris ou d'avoir perdu la mémoire. Je ne la brusquai pas, entrant dans son jeu, me contentant de ce qu'elle était disposée à dire. Nous prenions une tasse de citronnelle sur la véranda, l'infusion n'était pas de trop pour aider la descente des *Cabin biscuits*. Nous regardions des catalogues importés dans lesquels il lui était agréable de choisir des modèles à faire coudre par son tailleur. Elle ne sortait plus que pour se rendre aux réunions des femmes de sa tontine ou à des enterrements, mais cela fournissait l'occasion de paraître, il ne fallait pas être vue deux fois dans la même toilette. De temps à autre, elle me glissait, entre deux bouchées de *Cabin biscuits*, une information sur son enfance, un souvenir de son époux. Puis, un jour où je n'attendais rien de spécial, elle me livra, en quelques phrases, une partie de ce que j'étais venue chercher. Madame était passée la voir la veille, elle le faisait une fois par trimestre. Elles s'étaient disputées, ce qui avait laissé Camilla fébrile. J'arrivai avec des brioches achetées pour son petit-déjeuner du lendemain, l'embrassai avant de les lui faire tenir. Elle n'eut pas pour moi un regard, j'étais là, lui faisant face, mais ce n'était pas moi qu'elle voyait.

L'ancienne parlait à voix basse. Ses phrases, entrecoupées de faibles cris ou de sanglots réprimés, ne m'étaient pas destinées. Tendant l'oreille, je reconnus le prénom de notre mère, au milieu de ce qui avait d'abord semblé n'être qu'un fatras de propos décousus. Personne ne l'appelait ainsi, depuis que Conroy s'en était allé sur l'Autre Rive. Le prénom inusité de Madame criblait la parole d'une Camilla dont l'esprit avait quitté l'instant présent pour revivre d'autres époques. Elle se parlait à elle-même, dans l'idiome ancestral que je comprenais déjà assez bien. Je m'assis derrière pour me faire oublier, tandis que le soleil de l'après-midi traçait des rais de lumière sur le sol en ciment brut de la véranda. Camilla se plaignait que sa fille unique eût un cœur de roche, refusât de lui pardonner, après tant d'années, une décision prise pour le bien-être de tous. Conroy n'aurait pas supporté d'avoir connaissance des événements, la famille en aurait été couverte de honte. Il fallait se taire, elle en était convaincue, encore aujourd'hui. Si elle avait eu tort, ce qui n'était pas démontré, Madame était désormais une adulte. Pourquoi était-elle incapable d'oublier cette vieille histoire ? Si cela s'était su, nul ne l'aurait épousée. Il fallait se taire à jamais, conserver entre mère et fille le souvenir du drame, car telle est la vie des

231

femmes. Camilla conclut par ces mots qu'elle avait dû adresser à sa fille unique, il y avait bien longtemps :

Les femmes doivent apparaître comme des fleurs dont rien ne gâte la délicatesse, la légèreté. La plupart découvrent la vie à travers une humiliation dont il faut se relever. Apprendre à se redresser est la première leçon à assimiler. Être femme, c'est serrer les dents à l'intérieur, s'accrocher un sourire sur le visage. C'est endurer chaque instant. Encaisser les coups du mari. Savoir qu'on lui appartient sans le posséder. Dans la chambre à coucher, elles sont silencieuses. Celles qui braillent au lit sont des satanes. Les femmes doivent donner du plaisir, pas en prendre. Ce n'est pas pour rien qu'on leur enseigne la mesure, dans le geste, dans le ton. Ne pas marcher trop vite. Ne pas élever la voix. Manger peu en public. Le bonheur n'est pas de ce monde. Pas pour les peuples du Continent. Chacun connaît l'Histoire. On sait ce que dit le Grand Livre. Dieu n'a-t-Il pas Lui-même envoyé ces bateaux ? Le dieu du Grand Livre n'a-t-Il pas béni ceux qui venaient du Nord par les eaux ? La vieille se leva d'un bond, se mit à réciter, hallucinée :

En ce jour-là, des messagers iront de ma part
sur des navires
Troubler l'Éthiopie dans sa sécurité
Et l'épouvante sera parmi eux...[1]

Elle se rassit, vidée par son éructation. Dieu Lui-même avait voulu que les nôtres vivent dans la crainte, dans la douleur. Il avait promis de semer la détresse, la mort, sur

---

1. Ézéchiel. XXX.9.

le Continent. Or, les femmes incarnaient la terre. Elles seraient les premières à souffrir. Il fallait se taire, Camilla insistait, mais elle ne disait pas à quel sujet. Tout ce que je comprenais, c'était qu'elle avait imposé le silence à sa fille. En ce temps-là, celle qui deviendrait ta mère et la mienne était tenue d'obéir.

C'est tout ce que j'appris ce jour-là. Lorsque je revins voir notre grand-mère, elle avait retrouvé ses esprits, ne se souvenait pas de ma visite précédente, m'accueillit avec ces mots : *Muladi mwam, ma petite fille, tu m'avais oubliée. Des semaines que je n'ai pas eu la joie de ta présence.* Elle s'attachait à moi, baissait de plus en plus sa garde, mais ne révélait rien de l'histoire qu'il avait fallu tenir secrète. Mon intuition m'invita à ne pas l'interroger, ce n'était pas avec son concours je le sentais, que mes investigations aboutiraient. Quelqu'un devait bien savoir ce que mère et fille n'avaient pas divulgué, le gardant entre elles comme une lame affûtée aux deux extrémités. Elles dansaient, depuis, un pas de deux mortel, se livraient une bataille d'avance perdue pour les deux belligérantes.

La famille avait engagé une dame de compagnie pour veiller sur Camilla. Je m'intéressai à cette femme que tous appelaient Anti Rosa. Lorsque je me présentais, elle installait la vieille dame dans le salon ou sur la véranda. Ensuite, elle servait une collation, s'en allait vaquer à divers travaux, sans négliger de continuer à veiller sur l'ancienne qu'elle venait voir de temps à autre. Jusqu'au moment où je décidai d'échanger quelques mots avec elle, le son de sa voix ne fut pour moi qu'un souffle enveloppant la salutation qu'elle m'adressait : *Tiki, bonsoir.*

Tu sais que nous disons *bonsoir* dès les premières heures de l'après-midi, peu importe que le soleil les enflamme comme il se plaît si souvent à le faire. Anti Rosa était, contrairement aux apparences, très désireuse d'être approchée. Je pris l'habitude de lui parler un peu à la fin de mes visites, avant de retrouver Enoch.

Une tâche quelconque l'occupait-elle lorsque je venais prendre congé, je l'y aidais en toute simplicité, imitant ses gestes, épousant son rythme. Nous écossions les *matobo* destinés à la préparation d'un *ekoki*. Nous faisions briller le fond des marmites à l'aide de poignées de terre dont nous les frottions avec vigueur avant le rinçage à grande eau. Nous pliions ensemble draps et nappes qui avaient séché au soleil dans le fond de l'arrière-cour, là où une corde, tendue entre deux arbres, supportait le linge de la maison. Anti Rosa était ravie de ma participation, répétant souvent que j'étais une femme accomplie, que celui qui voudrait me doter devrait se préparer en conséquence. Outre mes qualités, je n'étais pas issue de n'importe quelle lignée. Elle se mettait d'avance dans l'ambiance des festivités qui auraient lieu, chantant et dansant comme on le ferait durant le *tindibwe*, ce charivari qui escorte les jeunes mariés vers leur logis.

Plus encore que ces moments de partage, ce qui lui plut, ce fut d'être interrogée sur sa vie, auprès de Camilla ou non. De toute évidence, Anti Rosa n'était pas de ces femmes qui considéraient le silence comme une vertu. Elle aimait les *divers*. Lorsque, la sentant prête à s'épancher sur ce sujet, je m'enquis des absences de Camilla, le flot de ses paroles se fit d'une abondance telle qu'il ne

234

put être endigué. Anti Rosa parla, parla, et parla encore. Éveillée, notre grand-mère maternelle était sujette à ce que sa dame de compagnie qualifiait de voyages dans le souvenir. Cela ne durait pas, elle revenait au présent sans s'en apercevoir, sans aucune idée de ce qu'elle venait de vivre. Le plus spectaculaire se produisait quand elle dormait. Là, elle s'exprimait à voix haute, accompagnant son propos de gestes, de jurons que la décence interdisait de répéter. Quelque chose en elle cédait, elle devenait la femme qu'elle était en réalité. Sous des dehors lustrés avec soin, Camilla avait *la bouche sale*, selon la formule de sa gouvernante. Bien sûr, je voulus connaître ce qui l'agitait tant. Anti Rosa haussa les épaules, déclarant que c'était évidemment l'empreinte de Makake Mandone sur sa descendance. N'ayant jamais entendu l'histoire de cet homme, je savais néanmoins qu'il était le fondateur de la lignée des Mandone. Écoutant mon inspiration, je lançai : *Ah, le père de notre famille...* Cela délia la langue de la gouvernante, qui m'instruisit sur celui auquel notre mère devait de s'appeler Mandone, la grandeur.

Je sus pourquoi Madame ne nous avait jamais conté cela, pour quelle raison elle ne se satisfaisait pas de cette grandeur-là. L'homme qui fut nommé Makake alors qu'il n'était qu'un pré-adolescent, était un captif. Comme tous ceux de sa condition, il avait été rebaptisé une fois sur la côte. Il accepta son sort, maîtrisa vite la langue côtière, n'exprima pas – d'autres esclaves le faisaient – la nostalgie de sa terre natale. Son intelligence, son habileté en toute chose et son ardeur au travail le firent remarquer. Notre aïeul était encore un jeune homme, lorsque le *janea* du clan lui confia les affaires de la communauté en matière de commerce. Il fit des prouesses, amenant prospérité et prestige à ceux qui étaient devenus les siens. Le chef l'affranchit avec l'approbation du Conseil des anciens, mais son nom lui resta. Un événement marqua son parcours. Lors de tractations avec un groupe originaire des hauts plateaux, un homme quitta les rangs étrangers pour venir à la rencontre de Makake auquel il s'adressa dans sa langue. L'interpellé lui répondit : *Étranger, je ne connais pas ton langage, mais nous avons ici des interprètes...*

L'histoire dit que l'homme le fixa du regard, avant de se résoudre à confier sa parole à un intermédiaire. Il affirma que Makake était son frère, enlevé par des brigands ressortissants des montagnes. Enfant à l'époque, il avait assisté au rapt, n'avait pu que rapporter la nouvelle à leur famille. On avait recherché le garçon plusieurs mois durant, des cavaliers avaient été envoyés partout où l'on avait eu l'espoir de le trouver, en vain. Leur mère perdit le sommeil et la raison. Les cheveux de leur père blanchirent en une nuit. Il était heureux de pouvoir ramener chez lui ce frère dont la perte avait été une si grande douleur. L'histoire dit que notre ancêtre ne cilla pas une seule fois à l'écoute de cette parole, qu'il n'y eut pas un tremblement au coin de ses lèvres, que pas un tressaillement des narines ne vint trahir son émotion. L'histoire dit qu'il exprima sa compassion à l'endroit de l'étranger et de sa famille. L'histoire dit que sa voix ne chevrota pas lorsqu'il reconnut sa condition, puisque son nom la lui rappelait. Pourtant, c'était sur cette côte qu'il était devenu un homme, c'était là que vivaient ceux qu'il reconnaissait comme les siens. On dit que l'étranger se jeta aux pieds de Makake, affirmant que ce dernier avait été blessé au mollet lors de l'enlèvement, que la plaie, causée par un coutelas à lame incurvée, devait avoir laissé une marque en forme de demi-lune. On dit que cette cicatrice était visible, qu'elle l'avait toujours été, chéloïde sombre sur la jambe de notre aïeul. Notre ancêtre demeura aussi inflexible que l'arbre appelé *buma*, répétant qu'il appartenait à *sawa*, la côte.

L'honneur de l'homme des hauts plateaux avait été mis à mal, on dut trouver le moyen de tempérer l'humiliation. Une audience extraordinaire se tint, au cours de laquelle le *janea* reçut l'inconnu, en présence de Makake et d'un groupe de notables. Ce qui se passa lors de cet entretien resta entre les murs de la chefferie. L'homme quitta les lieux chargé de présents. Escorté par un porteur, il rejoignit ses compagnons qui l'avaient précédé sur le chemin du retour. Il avait refusé d'emmener un jeune captif offert pour apaiser le chagrin des siens, prévenir tout ressentiment. *Toi qui as été élevé*, avait-il dit au chef, *je loue ta générosité mais ne peux accepter. Ce garçon a une famille...* Il n'ajouta pas un mot, on ne le revit plus, le commerce avec les hauts plateaux ne s'effectua dès lors qu'à travers des intermédiaires, et en terrain neutre. Peu de temps après cet épisode, notre aïeul, qui avait renié son sang devant de nombreux témoins plutôt que d'exiger réparation, fut anobli par le Conseil des anciens. Il conserva son nom de captif, lequel témoignait de la manière dont il avait pris place au sein de la communauté. On y adjoignit Mandone, qui signifie : la grandeur. Le rang de prince qui lui était donné trouvait là sa confirmation.

Toutefois, le rang n'étant pas le titre, qui ne s'hérite que par le sang, l'esclave affranchi puis anobli ne pourrait prétendre au tabouret d'autorité, ni épouser de femme issue de la noblesse côtière. Sur toute la côte, la suite de ces faits est connue. Il demeura attaché à la chefferie jusqu'à son dernier souffle, fut un homme influent, posséda des terres, sut les valoriser, quitta cette vie couvert de richesses. Ses fils ne transmirent que le nom de Mandone. Celui de captif qui marquait l'origine de la lignée ne fut plus que rarement prononcé. C'est en laissant traîner mes oreilles que je l'entendis, un jour où Sulamite et Judith, ces deux vauriennes, voulant obtenir d'Amos une forte somme, l'invitèrent à *taper la postérité* de Makake Mandone. Sans tout comprendre, je sus qu'elles parlaient de notre mère. Avec les révélations d'Anti Rosa, les pièces du puzzle s'assemblèrent d'elles-mêmes.

Ne voyant rien dans tout cela qui fût de nature à provoquer des cauchemars, j'interrogeai Anti Rosa sur ce que disait Camilla, quand le passé venait perturber son repos. Elle baissa les yeux, répondit dans ce souffle que je lui avais connu auparavant : *Je n'ai pas le droit de te révéler cela, bien qu'il soit juste que tu le saches.* Elle me conseilla de me rendre à Vieux Pays, de demander à voir une certaine Sisako Sone. Si quelqu'un pouvait, sans danger, transgresser les lois de la transmission, ce serait cette femme. Je voulus savoir pourquoi. Après m'avoir fait jurer de garder le secret, elle m'apprit qu'il s'agissait d'une guérisseuse réputée dont elle avait sollicité le secours pour apaiser l'esprit tourmenté de Camilla. En principe, on allait la consulter chez elle, à Vieux Pays. Cependant, Camilla étant âgée, la *nganga* faisait une exception, se déplaçant de nuit. Depuis qu'elle intervenait, le sommeil de Camilla était plus paisible, les crises de moins en moins rapprochées. Je hochai la tête et l'étreignit pour lui dire au revoir, afin que nous ne nous séparions pas sur une note trop grave. Elle rit et moi aussi, il n'y eut plus entre nous que la douceur de bavardages sans conséquence, ceux échangés quand nos mains, plongeant dans l'eau, se saisissaient des *matobo* à écosser.

Comme chacun sur notre plaine côtière, j'avais entendu parler de Vieux Pays. On disait que des femmes avaient fondé cette communauté pour y vivre selon leurs propres règles, et je trouvais l'idée réjouissante dans un environnement où la domination du mâle est un carcan pour les individus des deux sexes. J'aimais le rêve de Vieux Pays, qui m'ouvrait d'autres voies que celles du modèle maternel. J'apprenais avec émotion que l'endroit existait, il fallait à présent trouver le moyen de m'y rendre. Je ne demandai pas plus d'informations à Anti Rosa, une voix s'éleva en moi pour me l'interdire, me suggérant aussi de me passer des services d'Enoch. La solution était toute trouvée : je sécherais la classe un après-midi, reviendrais au lycée à l'heure exacte de la fin des cours. Un taxi me conduirait à Vieux Pays.

Cela semblait simple et ne le fut pas. Aucun des taxis croisés dans le quartier résidentiel où se tenait le lycée nordiste que je fréquentais ne voulut m'emmener à Vieux Pays. À peine avais-je annoncé ma destination que les taximen démarraient en trombe, comme piqués par le dard d'une guêpe géante. Je m'éloignai de ce périmètre, pénétrai, le cœur battant, dans une ville jusque-là inconnue.

Je me coulai dans le mouvement des foules, me laissai porter par la musique des tripots, la harangue d'un fou, la danse d'une petite vendeuse de *lofombo* qui chantait son boniment. La gamine faisait un tabac, sa bonne humeur lui gagnait la bienveillance de tous. On ne se demandait pas quand sa tournée avait commencé, combien de temps elle durerait encore, parce qu'elle devrait avoir tout vendu avant de rentrer. On oubliait qu'elle aurait dû être à l'école, à réciter ses tables de multiplication. Nul ne songeait qu'il suffisait d'une mauvaise rencontre pour qu'on lui *kick* la recette du jour, seulement cela, avec de la chance. Elle se perdit dans la foule du Marché central que nous atteignîmes bientôt. Là, je repris ma quête d'un véhicule de transport, feignant de ne pas entendre les vendeurs à la sauvette m'interpeller. De la part d'une fille, la politesse est perçue comme un appel du pied. J'optai pour l'attitude *no hambock me*, affichant une mine congelée.

De nombreux chauffeurs de taxi déclinèrent mon offre, exprimant leur refus avec une certaine verdeur. N'ayant pas idée de la direction à prendre, je ne pouvais indiquer un quartier proche de ma destination, un endroit où je serais descendue pour faire à pied le reste du chemin. L'heure tournait. J'avisai une voiture jaune garée près d'une *bayam selam*, m'assurai qu'elle était immatriculée, qu'un carré noir indiquant son numéro de licence apparaissait bien sur les portières, que son état général n'en faisait pas un vecteur du tétanos. Je traversai la rue, évitant les flaques d'eau – disons que c'était de l'eau –, les épluchures de légumes et compagnie. Le soleil donnait le meilleur de lui-même, faisant chauffer l'existant, conférant aux odeurs que nulle légèreté ne caractérisait, un supplément de vigueur. Je combattais l'aveuglement et la suffocation, lorsque je me mis en marche vers ce taxi. Je n'avais pas vu le conducteur, le soleil m'éblouissait, la personne avait mis son siège en position allongée. Une fois sur place, je me penchai un peu afin d'entamer les pourparlers. J'indiquai ma destination, fit connaître la somme que je proposais pour y être conduite, me préparai à tout mettre en œuvre pour convaincre. La voix qui m'invita à *jum* dans le carrosse était fluette, mais je n'y prêtai pas attention, fis le tour pour prendre place côté passager. Nous avions quitté le Marché central lorsque je m'aperçus que le conducteur était une conductrice.

Elle portait les cheveux courts, avait revêtu un débardeur et un bermuda, n'était pas maquillée, s'était rasé les sourcils comme le faisaient bien des coquettes, mais ne les avait pas redessinés d'un trait de crayon selon l'habitude. Un petit anneau lui ornait la partie haute du lobe de l'oreille, elle avait une spirale tatouée sur le cou. Je me sentis en sécurité. Ce confort ne devait rien à son sexe, les êtres les plus abjects qu'il m'ait été donné de rencontrer, Sulamite et Judith, étant des femmes. Gardant les yeux fixés sur la route, la taxiwoman dit qu'en général, les personnes ne résidant pas à Vieux Pays s'y rendaient poussées par des motifs précis, parfois graves. *Je connais bien là-bas,* avança-t-elle. *Qui viendra t'accueillir sur la grand-route ?* Le sens de sa question m'échappa, ce que je résolus de ne pas cacher. La femme m'informa qu'on ne pénétrait pas dans le quartier sans y être attendue. Ralentissant afin d'éviter une crevasse, elle se gara sur le côté, se tourna vers moi, demanda ce que j'allais faire à Vieux Pays. Sans me laisser impressionner, je dis la vérité. Il m'avait été conseillé, pour résoudre un problème personnel, de rencontrer une guérisseuse de renom. Cette dernière habitant le lieudit Vieux Pays, il me fallait m'y rendre. La conductrice, qui s'appelait Siliky, rit de bon cœur avant de m'apprendre qu'elle était la jeune sœur de Sisako. Elle glissa une cassette dans le lecteur, le groove tranquille de *Penny lover* emplit l'habitacle de la voiture, nous reprîmes la route.

Lorsque nous fûmes arrivées, la conductrice descendit de voiture. Je remarquai ses chaussures, des baskets à talons. Elle s'accroupit à côté d'une enfant qui jouait au *jakasi* avec des cailloux blancs, lui dit quelque chose que je n'entendis pas. Je me sus toutefois concernée parce que la gamine, ayant attrapé le dernier caillou lancé en l'air, me fixa du regard. Toutes deux me rejoignirent. La fillette était nue, ne portant pour tout vêtement qu'une ceinture de perles colorées sur laquelle une amulette avait été fixée, lui battant la hanche gauche. A l'instar de certaines populations de l'arrière-pays, du côté des montagnes, elle avait les yeux gris-vert. Sa peau cependant n'était pas jaune comme souvent celle des personnes venues de ces contrées, mais d'un noir bleuté qui, dans notre pays, caractérise plutôt les habitants des basses terres du Nord. Elle était la sentinelle de Vieux Pays, secondée dans sa mission par d'autres enfants auxquels on ne prêtait pas attention. Siliky la pria de me guider à travers les ruelles.

C'était un de ces jours que la guérisseuse consacrait à la préparation de ses remèdes, onguents ou potions. L'enfant me mena vers l'arrière-cour de la case où l'ancienne réduisait en poudre des écorces, se servant pour cela d'une pierre à écraser. Elle leva la tête au moment où la petite fille commençait à la saluer, lui sourit et la renvoya à ses jeux. Je sentis l'énergie de cette femme, baissai la tête, ne sachant trop quoi dire. C'est elle qui parla, me regardant comme pour déchiffrer, sur les traits de mon visage, les motifs de ma venue : *La dernière fois que je t'ai vue*, dit-elle, *tu venais d'avoir trois ans. Fille de Mandonε et de Mususedi, sois la bienvenue.* La *nganga* me désigna un banc sur lequel je fus heureuse de me laisser choir, mes jambes ne me portaient plus. Je sus que les raisons pour lesquelles je me trouvais chez cette femme dépassaient le besoin qui m'animait de percer la clé des mystères familiaux. Elle n'était pas étonnée de me voir, ma visite était prévue, attendue, un jour ou l'autre. Je me sentis aussi nue qu'au jour de ma naissance, à la différence près que j'en avais conscience. La femme plongea ses yeux dans les miens : *Je sais pourquoi tu es ici. Tu es en droit de savoir de quel arbre tu es le fruit.*

Toutefois, la guérisseuse ne me donna pas satisfaction sur-le-champ. Elle m'instruisit de choses et d'autres, exposa sa manière d'opérer, le caractère confidentiel de ses consultations. Si elle se permettait de faire un pas de côté, c'était que la situation relevait du cas de force majeure. J'étais le produit d'histoires familiales complexes. Ce qu'on passait sous silence n'était pas sans incidence sur l'existence des individus, au contraire. Ces secrets étaient des serpents tapis dans le jardin. La femme ne me révéla rien ce jour-là, je ne posai aucune question. Pas même celle de savoir où et pourquoi elle m'avait vue enfant. Nous étions assises face à face, son regard ne me quittait pas. Elle soupira : *Tu es en colère et tu as peur. Je sais ce que tu vis. Piétiner les hommes comme tu as commencé à le faire est une erreur. Cela ne résoudra rien. Je vais te donner quelque chose.*

Elle se leva, pénétra dans sa maison, en ressortit au bout d'un moment, munie d'un objet en bois qu'elle me tendit. Je m'en saisis sans comprendre, craignant de comprendre. La guérisseuse poursuivit, expliquant qu'il n'aurait été possible de procéder autrement. Me défaire de ma virginité aurait pu être un acte souverain, n'appartenir qu'à moi. J'aurais eu le loisir de me servir d'un instrument comme celui qu'elle m'avait fait tenir. J'appréhendai alors l'objet, qui se révéla être un phallus sculpté. Devançant mes inquiétudes, elle précisa que le jouet avait été taillé dans un bois connu pour ne pas développer d'échardes. Elle m'invita à en user chaque fois que nécessaire, le temps pour moi de connaître mon corps, mon tempérament sexuel. *Sur les hommes également,* conclut-elle, *si tel est ton plaisir, tu peux utiliser ceci. Assure-toi de leur consentement, voilà tout. Ce qui se passe entre deux corps nus est une histoire aussi vieille que l'apparition de la vie. N'en fais pas une maladie, détends-toi, trouve ta jouissance.* Elle ajouta que c'était toujours mieux d'y mettre un peu d'émotion, lorsque se détendre et jouir impliquait la participation d'un partenaire. Regarder l'autre, lui donner quelque chose.

Levant les yeux au ciel, Sisako aperçut les premières traînées mauves annonçant l'affaiblissement du jour. *Tu dois rentrer à présent,* me dit-elle. *Reviens me voir aux prochaines vacances. Tu auras du temps libre. Siliky te*

conduira. Je pense que vous avez déjà fait connaissance ?
La guérisseuse me donna des tâches à accomplir avant
notre prochaine entrevue. La première était de retrouver
le gars dont j'avais utilisé le corps, de découvrir son histoire. Je devais l'amener à me parler sans le rémunérer, ce
qui ne serait pas aisé, puisqu'il se prostituait. La seconde
consistait à apporter réponse à deux questions qui n'en
faisaient qu'une : *Qu'attends-tu de la vie ? Qu'offres-tu à
la vie ?* S'agissant des interrogations qu'elle m'avait sou-
mises, il n'était pas attendu que j'y réponde une fois
pour toutes, mais que je me mette sur la voie. Je devais
commencer à me situer dans la continuité, dans la totalité
qu'était la vie, avant d'espérer une réponse à la question
qui m'amenait. Lorsque je serais prête, elle le saurait.
Sisako émit un sifflement. Un enfant apparut, qui n'était
pas la sentinelle aux yeux gris-vert et à la peau si noire
qu'elle paraissait bleue.

Celui qui nous rejoignit était un garçonnet à la carnation brune. On lui avait tressé les cheveux avec du fil de
couleur rouge, chaque mèche se dressant dans une direction, comme des antennes fixées sur son crâne. Cela lui
donnait l'air d'un petit soleil, il était Râ descendu parmi
les siens. L'enfant me préséda vers la sortie, tenant d'une
main un des pans de l'étoffe verte qu'on lui avait nouée
à l'épaule. Je me souvins que tu avais toi aussi revêtu un
tel pagne, je te revois dans cette même tenue. Tu venais
d'être circoncis. Par cette opération, tu étais devenu un
homme, nos parents l'avaient tous deux affirmé. Nous
n'avions pas obtenu de réponse à la question de savoir
comment le fait de t'avoir ôté le prépuce te faisait passer
du garçon à l'homme, tu n'avais que huit ans. Adossée à

son véhicule, Siliky m'attendait, dévorant à pleines dents un épi de maïs grillé, devisant avec des marchandes de rue qui avaient sorti leurs chaudrons. Le soir descendait doucement sur Vieux Pays et sur la ville, une angoisse me noua les tripes. Je songeai à Enoch, l'imaginai face à nos parents, leur expliquant qu'il m'avait attendue devant le lycée, en vain. C'était une époque sans téléphone portable, je ne pouvais appeler personne. Il n'y avait pas d'issue, je m'en aperçus, ce qui eut pour effet de me calmer.

Les veilleurs de nuit me virent descendre d'un taxi, régler la course. Ils ouvrirent le petit portail, celui qu'on destinait aux visiteurs à pied. Je les saluai d'un mot, ils répondirent de même, des remontrances dans les yeux. Ils se gardèrent de les formuler, mais un regard en dit long, surtout lorsqu'une moue un peu appuyée le souligne. Cela me fit presque rire. J'avais seize ans et n'étais plus une enfant. Mieux que quiconque, ces hommes le savaient. Leurs épouses n'avaient pas tout à fait mon âge quand elles prirent place sous leur toit, afin de les servir de mille et une façons. Le problème était celui-là, précisément : n'ayant été donnée à aucun homme, je me permettais quand même de me promener sans chaperon, pour ne rentrer qu'après le jour. La nuit était tombée, on avait allumé les lampes de jardin. Leur lumière éclairait les frangipaniers, hibiscus et arums que Madame avait tous choisis de couleur blanche. L'éclat des lanternes se reflétait aussi sur les allées couvertes de gravier. L'une menait à la porte d'entrée, l'autre au garage principal. Enoch y avait laissé le break. Je m'apprêtai à affronter le courroux maternel, à ne rien révéler. Je n'avais pas envie de mentir, dire la vérité n'était pas une option. Amos n'était pas rentré, la place de sa voiture restait libre, on ne le verrait peut-être pas. J'empruntai la première voie, la plus directe.

La grande maison était là, sa beauté dénuée de chaleur me serra le cœur. J'entendis des cris, me figeai un instant, puis me hâtai. Ta mère et toi étiez dans le vestibule. Tu avais *pigeonné* deux nuits plus tôt, Madame était remontée. On ne t'avait pas revu depuis, tu ne rentrais que maintenant, cette maison n'était pas un moulin, bon sang mais que t'imaginais-tu, tes parents avaient fait leur vie, ils avaient une situation, de ton côté tu étais parti pour n'avoir aucun avenir, on se demandait quel était ton problème, ce qu'on ne t'avait pas donné, de quoi tu pensais devoir te plaindre, tu n'étais pas heureux la belle affaire, qui rendais-tu heureux toi-même, ce n'était pas possible une telle inconséquence, un égoïsme aussi marqué, tu avais intérêt à passer ton bac, autrement il y aurait des sanctions, tu irais faire la démonstration de tes qualités dans un internat de brousse, elle ne parlait pas à la légère… Entre deux phrases, ta mère négligeait de reprendre son souffle, elle n'en avait pas besoin, sa douleur lui emplissait les poumons. Tu étais le fils aîné, venu au monde pour être son ancre. Tu aurais dû faire sa fierté. Me voyant arriver, elle dit : *Tu t'y mets aussi ? Quelle est la prochaine étape ? Une grossesse en pleine adolescence ? Dites-moi ce que je vous ai fait.* Sans un mot de plus, elle tourna les talons.

Ton comportement ne connut pas d'amélioration, mais tu fus reçu au baccalauréat cette année-là. Madame ne revint pas sur cet après-midi où le chauffeur ne m'avait pas trouvée à la sortie de l'école. Je fis en sorte qu'elle n'ait plus à se plaindre de moi. Que j'aie payé un prostitué pour m'affranchir de ma virginité ne lui serait pas venu à l'esprit. Jamais je ne manquai un dîner. Je pris l'habitude d'instaurer entre nous des rendez-vous, de proposer des activités, des sorties, de devancer ses attentes. Ainsi, elle n'avait pas à me chercher, j'étais toujours présente. Lorsque tu quittas le pays, cette façon de procéder me fut utile. Madame ne se douta pas de mes visites à Camilla, encore moins de ma rencontre avec Vieux Pays. Je devins une femme comme notre société contemporaine les aime, une tacticienne, un monument de ruse. Je mis toutefois un point d'honneur à ne pas recourir au mensonge, la dissimulation me pesait assez. J'aurais aimé pouvoir lui parler. Nous passions ensemble beaucoup de temps, mais elle me manquait. Madame mettait trop d'énergie à survivre à ses blessures, anciennes et actuelles, pour être une maman.

Ayant revu le prostitué engagé pour mon affaire, un garçon repéré au bar du Prince des Côtes où il racolait le migrant nordiste – cet oiseau de passage qui picore de pays en pays la chair épicée des démunis –, je fis ce que m'avait demandé la guérisseuse. Je lui donnai rendez-vous à la marina où je me rendais parfois pour manger des scampi ou une glace, pas pour nager. Nous devions tomber l'un sur l'autre comme par hasard, afin de ne pas éveiller les soupçons. Tout le monde se connaît, sur notre plaine côtière. Chacun espionne son voisin, quelquefois au sens littéral, comme dans tout État policier. Nous fîmes comme convenu, j'invitai le garçon à partager ma collation. Sans toucher son gâteau, il attendit que je lui propose de nous retrouver ailleurs, nous n'étions pas loin des grands hôtels. Je posai sur lui un autre regard, le vis pour ainsi dire vraiment, expliquai qu'il n'y aurait pas de *body body physical* cette fois-ci, que je ne paierais pas pour ce moment passé ensemble. Il rit à gorge déployée mais cela sonna faux, dit qu'il n'avait pas de temps à perdre, que chaque minute avait un coût. Je l'informai que je serais là les mardis et vendredis après-midi, lui indiquai une plage horaire. Les vacances de Pâques touchaient à leur fin quand il revint me voir.

Je découvris qu'il s'appelait Charles-Bronson, mais répondait plus volontiers au nom de Regal. Issu d'une famille paysanne, il vivait chez un oncle, fréquentait un lycée public, était plutôt bon élève. Le baccalauréat approchait, il ne se faisait pas de souci pour les résultats. Ce qu'il craignait, c'était de ne pas obtenir la bourse d'études qui lui permettrait de se rendre au Nord. Si l'État ne lui accordait pas d'aide, sa famille exigerait qu'il cesse d'étudier. On avait assez investi dans son éducation, il avait atteint l'âge d'homme, devrait prendre ses responsabilités. Or, il était passionné de sciences dures et pensait réussir, avec un coup de pouce. De plus, Regal était allé trop loin pour redevenir Charles-Bronson, le fils modèle de parents pauvres qui lui avaient donné le nom d'un acteur connu pour ses rôles de dur à cuire, espérant que cela lui porte chance. Il était déprimé, ne voulait pas d'argent, juste une oreille qui écoute, un cœur qui reçoive sa détresse. Un verre de *sky* aussi, sans glace. J'en commandai deux, histoire de l'accompagner.

Si Regal rôdait dans les grands hôtels de la ville en quête de Nordistes dont il satisferait les besoins sexuels, c'était dans l'espoir naïf que l'un d'eux, s'étant attaché à lui, l'emmène dans ses bagages. Bien sûr, il économisait chaque sou gagné, d'où son allure de traîne-savates. Des tenues élégantes, même cousues par un tailleur de quartier, auraient éveillé les soupçons de son oncle, de toute la maisonnée. De plus, il l'avait remarqué, les Nordistes aimaient ce parfum de misère, ce besoin qu'il semblait avoir d'eux. Ils aimaient qu'on ne dispose que d'une chemise, d'un pantalon, à peine d'un slip, et qu'on lave le tout chaque soir. Ils se sentaient puissants, autorisés à faire *tout et n'importe quoi*, tels furent ses propos. Ou alors, ils aimaient inverser les rôles, jouer un instant à ne plus être les bénéficiaires des crimes coloniaux, passés et présents. Ensuite, c'étaient eux qui payaient. Ils reprenaient le pouvoir, passaient à autre chose. Il eut un rire désabusé. Charles-Bronson dit Regal se sentait perdu.

Je demandai son pardon pour éviter de contrarier la guérisseuse. J'avais le sentiment qu'elle me voyait, m'entendait, où que je sois... Je ne fis pas connaître à Regal mon analyse de sa situation, ne pointai pas du doigt ses choix, ni ne l'interrogeai sur la jouissance tirée de son propre malheur. Mon avis était qu'il ne se prostituait pas par nécessité, mais pour vivre, sur un mode expiatoire, une sexualité mal assumée. De son propre aveu, il lui était impossible de se laisser approcher par des *Akata*, même quand il s'agissait d'étrangers. Je trouvai cela signifiant, mais n'ouvris pas de débat sur cet aspect de la question. Qu'il ait parfois des clientes n'était qu'un trompe-l'œil, aucun homme s'intéressant aux femmes ne m'aurait fait ces confidences. Si j'éprouvai de la sympathie pour ce garçon, j'avoue n'avoir eu aucun remords. Il lui appartenait de savoir pour quelle raison profonde il s'était lui-même jeté à la poubelle, permettant aux autres de le traiter comme un déchet. Encore aujourd'hui, je comprends mal ceux qui se plaignent d'être piétinés quand ils s'étalent de tout leur long sur la voie publique.

Nous ne nous revîmes pas, Regal et moi. Il ne vint plus au Prince des Côtes, je n'aperçus sa silhouette dans aucun autre lieu du même acabit, ces endroits où mes copines de la bonne société et moi nous donnions rendez-vous pour déguster ce qui nous était vendu sous les noms de *scones*, de *Victoria sandwich* ou de *strawberry trifle*. Tenir notre rang imposait une certaine intimité avec le ridicule. Tel est, sous nos latitudes, le privilège de la bonne naissance, sa damnation aussi. J'ignore si Regal fut bien reçu au baccalauréat cette année-là, ce qu'il advint de lui par la suite. Cela se passait il y a quinze ans au moins, le reconnaîtrais-je si nos routes se croisaient à nouveau ? Pas sûr. Je ne retournai qu'une seule fois à Vieux Pays, au cours de ces fameuses vacances. Je n'avais pas même un début de réponse à la question de savoir ce que j'attendais de la vie, ce que je pensais lui apporter. Je n'émis pas d'hypothèse, ce qui m'aurait paru prétentieux. La guérisseuse dit que ce n'était pas grave, dès lors que je ne me fermais pas à cette introspection. Le néant que je livrais pour l'heure avait ses causes. Il faudrait les traiter avant qu'il me soit possible de recevoir ce que j'étais venue chercher, je devrais prendre patience.

Dardant sur moi un de ces regards qui semblaient connaître mes incarnations passées et non encore supposées, Sisako pénétra de plain-pied dans ce que je pensais être mon jardin secret : *Tu n'as pas seize ans, mais neuf,* lâcha-t-elle sans préalable, m'épargnant tout de même les détails. *Le savoir auquel tu souhaites accéder ne peut être ouvert à une enfant, il nous faut faire de toi une femme avant tout.* La révélation, quand elle aurait lieu, ne se produirait pas comme j'avais pu l'imaginer. Le verbe, dont certains prétendaient qu'il était au commencement, n'aurait pas sa place en nos débats. Il serait question, dans un premier temps, de fumigations, puis d'inhalations. Ensuite – pas le même jour, tu rêves –, elle me prodiguerait un massage, utilisant pour cela une huile bénie par les ancêtres. Cette onction me ferait voyager dans la mémoire silencieuse de mes ascendantes les plus proches, du côté maternel. Sisako n'aurait pas à énoncer une parole. Non seulement la profération serait-elle d'une autre nature, mais elle émanerait d'esprits habilités. La *nganga* se contenterait d'ouvrir les voies, sans outrepasser ses droits. Le chemin serait plus ou moins long, selon la manière dont je réagirais à chaque étape du parcours. Chacune devant être comprise comme un moment d'initiation, il en était attendu un enseignement particulier. Si d'aventure ce dernier n'était pas maîtrisé, on n'allait pas plus loin.

Je recevais ces informations, tentant de les analyser les unes après les autres, lorsque nous fûmes interrompues. Quelqu'un avait besoin de voir Sisako, cela ne durerait qu'un instant, on présentait ses excuses pour le dérangement. La guérisseuse se leva, étreignit sa visiteuse qu'elle me présenta comme Sita Toko, une des doyennes de Vieux Pays. Je hochai la tête en signe de salut, les observant toutes deux tandis qu'elles s'éloignaient un peu pour parler. La tenue de Toko avait de quoi impressionner, tant l'étoffe dans laquelle la robe avait été coupée flamboyait, nimbant les lieux de reflets mordorés. Le corsage à encolure ronde dégageait le cou qu'on n'avait pas hésité à orner d'un brillant en forme de fleur. La jupe évasée descendait juste assez bas pour dévoiler des mollets au galbe parfait. Une fois qu'on les avait remarqués on n'en détachait plus les yeux, une forêt de poils s'épanouissant là, en toute quiétude. Une telle pilosité, lorsqu'elle prospérait sur un corps féminin, était une arme de séduction imparable. La femme velue passait, les hommes – souvent imberbes – trépassaient. La dénommée Toko devait en causer, des cataclysmes.

Les deux anciennes se furent bientôt dit ce qu'elles devaient. Elles revinrent vers moi, Toko se déhanchant avec art sur ses souliers à talon haut, épousant le sol de latérite, faisant vibrer la terre. Campant sur ses jambes puissantes, l'éclatante matriarche fit, à mon adresse, une déclaration dont le contenu m'échappa. Je ne pus en effet que me fixer sur la proéminence laryngée qui plaçait cette personne dans la catégorie mâle, incontestablement. Pas de quoi en faire un plat, je suis d'accord avec toi, Double Bee, mais c'était une surprise. Vieux Pays était, pour tous, une communauté de femmes. Tout autre que moi aurait été plongé dans la même perplexité, face à cette *shady dame*. Je ne sais de quoi j'avais l'air, Toko me tira la joue comme on fait aux enfants. C'est en riant qu'elle enlaça son amie avant de prendre congé. La guérisseuse reprit place à mes côtés, bras croisés sur la poitrine, une grimace lui tordant les lèvres. Elle demanda ce qui me dérangeait. *Rien*, répondis-je, *rien du tout, je pensais qu'il n'y avait que des femmes parmi les doyennes.* Sisako soupira. C'était une mauvaise interprétation des règles de la communauté. D'abord, des hommes en faisaient partie, il fallait qu'ils y soient nés ou qu'aucune famille ne les réclame à l'extérieur. Ensuite, ceux des natifs du lieu qui s'établissaient ailleurs pouvaient être des femmes aussi bien que des hommes.

Je me permis d'insister sur la curiosité que représentait l'admission d'un individu à pomme d'Adam dans le corps mythique des matriarches de Vieux Pays. Le féminin l'emportait-il en raison d'un faible nombre d'hommes au sein de cette instance – ce qui ne rendait pas moins troublant leur statut de matriarches ? Une lueur d'exaspération traversa le regard de l'aînée, qui ne s'adressa plus à moi que dans la langue ancestrale, laquelle ne féminisait pas plus ses désignations qu'elle ne les masculinisait. Si nos ancêtres n'avaient pas pris l'habitude de marquer cette différenciation dans le langage quotidien, ce n'était pas par méconnaissance des particularités, mais par fidélité à la nature de la divinité dont ils se savaient les reproductions. Nyambe, l'Être suprême, avait deux figures, l'une féminine qui s'appelait Inyi, l'autre masculine qui portait le nom de Bel̲e̲. Sans leur union pour former l'entité supérieure, Dieu n'existait pas. Quiconque avait l'ambition de manifester la puissance divine devait trouver, en soi, l'harmonie des deux énergies. L'assemblée des doyennes n'était constituée que de personnes ayant atteint ce but. Nombre de travaux spirituels requérant la participation des deux principes à tous niveaux, Vieux Pays s'honorait de n'être pas une société boiteuse.

Nous ne connaissons pas Adam, ce monsieur n'a jamais existé, martela l'ancienne. Notre mythe fondateur disait que Nyambe avait façonné l'être humain, pas qu'il avait créé l'homme, puis la femme. Elle n'aurait pas le temps de m'expliquer pourquoi, mais il était vrai que nous venions sur la terre des vivants pour faire l'expérience d'une incarnation à la fois. Cette loi de l'univers imposait à chacun l'obligation d'être femme ou homme, il ne fallait pas se dérober. Cependant, chaque sensibilité devait être respectée. Vivre dans un corps mâle, assumer les obligations sociales d'un homme, ne pouvait interdire à Sita Toko de se vêtir comme bon lui semblait. Les costumes nordistes que nous arborions désormais n'avaient, pour nous, aucune signification. L'habit, dans cette région du Continent, c'était la peau. D'abord la peau, et la décence était dans l'attitude.

J'avais des questions, ne les posai pas, craignant de passer pour effrontée. Je voulais bien admettre que Toko ait atteint le plus haut degré de l'harmonie entre les principes féminin et masculin. Ses audaces vestimentaires m'émerveillaient, mais il me semblait que les hommes entraient en symbiose avec leur part féminine de manière superficielle. Ils voulaient aller chez l'esthéticienne, se faire vernir les ongles, porter des robes chatoyantes, se déhancher sur des *stilettos*. Aucun ne se lamentait de n'avoir pas ses règles, de ne pas enfanter dans la douleur après s'être changé en montgolfière ou de ne pouvoir épouser trois hommes. On attendait toujours de les voir organiser des *sit-ins* afin d'être, eux aussi, contraints d'obtenir la permission de leur épouse pour tout voyage à l'étranger. Plus que cela, on espérait voir bientôt des cohortes d'hommes exiger du législateur qu'il ordonne, pour les épouses, un droit de correction sur leur mari. La divinité androgyne s'était révélée impuissante à empêcher la domination d'un sexe sur l'autre, ce qui ne datait pas d'aujourd'hui.

À l'inverse d'autres territoires du Continent, notre plaine côtière n'avait vu aucune femme occuper le tabouret d'autorité. Elles n'avaient été que les épouses d'un *janea* polygame, celles dont les corps devaient tapisser la tombe du chef décédé, avant que son honorable dépouille y soit déposée. Savaient-elles en ce temps-là ce que leurs descendantes ignorent à présent ? Se savaient-elles divines, révéraient-elles Inyi, la déesse-mère, l'autre moitié de Dieu ? Quand et comment avaient-elles perdu le lien avec l'esprit supérieur qui les habitait au départ ? Une voix hurla en moi tout à coup, ces paroles que nous récitons à l'envi pour fustiger l'hypocrisie nordiste, prévenir le Nord des conséquences de ses actes : *Une civilisation qui ruse avec ses principes est une civilisation moribonde.* Il y avait bien longtemps que nous avions commencé à mourir à nous-mêmes, nous n'en finissions pas.

En dépit de mes réserves, de mes interrogations, les propos de la guérisseuse ne me laissèrent pas indifférente. Je songeai au nombre de femmes ravies de porter des pantalons, qui crieraient à la sorcellerie si leur mari ou leur fils enfilait une robe. Le problème, hâtivement posé ici, ne concerne pas l'expression du genre. Il se rapporte à la domination, au pouvoir. Combien de messieurs, trouvant leur femme désirable en *blue jean*, ne voudraient à aucun prix revêtir une petite jupe pour aller au cinéma ? Le geste des femmes pourrait être qualifié de prométhéen, il ne prive les dieux d'aucun pouvoir. Elles sont séduisantes en tailleur-pantalon, cela ne fait pas augmenter leur salaire, elles demeurent enchaînées à la maternité, aux tâches ménagères. Les hommes, quant à eux, déchoient s'ils enfilent un habit perçu comme féminin. On comprend mal qu'ils renoncent, non pas à un marqueur symbolique de leur identité, mais au pouvoir et à ses attributs. Pour Vieux Pays, Sita Toko était un être accompli, quelqu'un qui, considérant comme arbitraire le signe vestimentaire, ne le laissait pas influer sur sa réalité. Pour le reste de la société, son comportement relevait de la maladie mentale, d'une inversion des principes.

Sisako me pria de noter ce qu'il restait de mes rêves au réveil. La prochaine fois que nous nous verrions, cela devrait m'avoir aidée à avancer. Elle se trompait. Je ne me souvins d'aucun rêve. Je ne fis pas non plus de progrès pour ce qui était de ma réflexion sur l'existence : mes attentes, mon apport, tout ça. Ce vide intérieur acheva de me convaincre que je n'étais pas un sujet spirituel. J'abandonnai la partie, retournai aux *Battenberg cakes* et *banoffee pies*, écumai les matinées des boîtes de nuit, lesquelles ouvraient leurs portes l'après-midi, afin d'accueillir des adolescents. Lorsque je quittai la côte à l'âge de dix-huit ans pour aller étudier au Nord, je n'avais pas remis les pieds à Vieux Pays. Je m'étais engagée avec plus de vigueur dans l'exploration d'une sexualité marginale qui ne cessa de s'affirmer. De la guérisseuse, je n'ai gardé qu'un phallus en bois, et de la tendresse pour l'étrangeté de Vieux Pays. M'étant rendue chez elle pour obtenir la réponse à une question, je n'envisageais pas le parcours de la combattante que cela supposerait. Remettons cela à ma prochaine incarnation, la vie d'après la mort de Tiki, le trésor, la précieuse. Dans cette existence, je suis la fille de mes parents. Dans cette existence, je suis une nantie subsaharienne se complaisant dans son aliénation, non par goût, mais parce que c'est son unique capital. Je n'ai pas appris la langue ancestrale pour me désintoxiquer du poison nordiste, c'est un mal incurable.

À qui réclamer l'héritage que nos parents prirent soin de ne pas nous transmettre ? Leur décision de ne pas en faire bénéficier leurs enfants témoigne du peu de considération qu'ils avaient pour cette culture. La défaite la frappait d'obsolescence, il valait mieux se ranger du côté des puissants, peu importait qu'ils aient gagné sans dignité. La victoire se remporte avec noblesse lorsque les règles sont claires pour les parties en conflit. Quand il en va autrement, sans doute faut-il dénier au plus fort la qualité de vainqueur. Je dis néanmoins qu'il y eut des vaincus, car eux seuls pouvaient livrer leur âme. Le colonisateur, qui n'en demandait pas tant, n'imagina pas un tel renoncement à soi. Il se gausse de la négraille évoluée, mais pour qui se prend-elle... Les enfants bleue et brun de Vieux Pays, sa guérisseuse dealeuse de godemichés, ses matriarches viriles ou sa divinité androgyne sont, à mes yeux, les habitants d'une autre dimension. Un rêve approché, un fruit défendu. Cet univers-là, quoi que nous fassions toi et moi, ne sera jamais nôtre. On ne conquiert pas sa propre culture, on doit la recevoir ou ne jamais la posséder, donc ne pas lui appartenir non plus.

Jouer à redevenir ce qu'on sait n'avoir jamais été est une absurdité à laquelle je ne me résous pas. Le pays de nos aïeux est perdu pour nous comme nous sommes perdus pour lui. Nous n'avons pas d'ancêtres. Ni sur le Continent, ni au Nord. En avoir, c'est sentir en soi leur présence, savoir quel nom sacré prononcer pour les appeler, ouvrir tous les jours les yeux sur ce qu'ils ont créé, en être dépositaire. Nous n'avons pas d'ancêtres. Non pas que nous nous soyons enfantés nous-mêmes. Nos parents ont jeté aux ordures la culture des anciens. Nous n'irons pas draguer le fond de la décharge. Nous sommes seuls. Sans esprits tutélaires, sans héros. L'héroïsme d'Angus appartient au pouvoir qui ordonnait que soient placés en première ligne ceux qui ne devaient pas passer l'hiver. Nous sommes seuls. Nous, ce n'est pas la population de ce pays. Nous, c'est notre engeance faisandée, minorité au sein du groupe minoré. Je dis cela sans passion, sans intention d'agir pour modifier ma condition. Inepte, notre existence raconte aussi ce pays, ce Continent. Le vide qu'il nous faut affronter avant d'espérer le combler n'est pas absence de matière. Il est le constat de l'inanité des matériaux mis à disposition, de part et d'autre, pour donner corps à ce que nous sommes au profond, s'il était utile que cela prospère.

On parle de métissage, il nous faut bien un nom. Là encore, devra-t-on aller le chercher à la déchetterie ? Jadis, ce mot désignait le croisement de races ovines, dans le but d'en améliorer une, pas les deux. Se décrire en ces termes – même sur le plan de la culture, puisqu'on prétend appliquer aux civilisations des critères biologiques – c'est affirmer le perfectionnement d'un des sujets par l'introduction en lui des gènes de l'autre. Ceux qui se disent blancs ne se targuent pas d'un métissage culturel, lequel s'apparente au port de la jupe par les messieurs. Ils s'envisagent comme celui dont le pouvoir est tel qu'il n'a pas besoin d'être nommé. Le principe actif, l'enculeur. Seul l'enculé a un nom, lequel est synonyme de couillon, voire de sous-homme. Nul n'est jamais traité d'enculeur, cela peut faire sourire, mais il n'y a pas de quoi... On prétend se tenir entre deux, tirer de chaque partie le meilleur, mais cela ne fonctionne pas ainsi. Ombre et lumière cheminent ensemble, s'enfantent l'une l'autre, ne se combattent que pour se faire valoir. Elles appartiennent l'une à l'autre, ne peuvent être séparées. Hériter, c'est prendre l'une et l'autre, endosser tout ce qu'un monde a produit. La volonté de faire un tri est l'apanage de ceux que frappe l'exhérédation. Issus d'un viol, ils ne peuvent étreindre les auteurs de leurs jours, mais portent en eux, quoi qu'ils fassent, ces ascendants peu glorieux. Le criminel n'a pas d'excuses, et ne s'en cherche pas, à vrai dire. Atteinte du syndrome de Stockholm, sa victime ne peut, au bout de tant de siècles, faire valoir son statut sans susciter l'hilarité du monde. Que faire alors ? Je ne me pose pas de faux problèmes. J'accepte l'obscénité de ce que nous sommes, notre monstruosité, et ne comprends pas les batailles qui te semblèrent nécessaires pour t'en extirper. Je n'ai d'aspirations que quotidiennes, joue la vie avec les cartes qui me furent distribuées. Je me détends, je cherche ma jouissance, c'est ainsi que j'occupe mon temps, que nul ne me plaigne.

Dans la *mistress' bedroom* de la grande maison, Madame est aux prises avec les serpents tapis dans son jardin, ces choses qu'elle ne dit pas même à demi-mot. Ces souvenirs qui la hantent, la motivation secrète de ses actes.

Sans m'être soumise au massage sacré, sans avoir passé la porte de sa mémoire, je devine ses pensées. Ta mère n'a vécu que pour faire oublier la condition un temps servile du plus illustre de ses ancêtres. Une chose terrible a dû lui arriver, peut-être une agression sexuelle. Aux yeux du violeur, elle était une esclave. La dentelle de ses robes, la bride à ses souliers, l'ombrelle que tenait une servante lors de ses promenades de jeune fille, les précepteurs nordistes, les voyages au loin et l'amour de son père ne devaient pas l'induire en erreur : son sang était sale, elle était une esclave. C'est une hypothèse, mais elle est plausible dans un contexte où des captifs furent affranchis sans que la servitude soit tout à fait abolie. Notre société côtière ne s'imposa pas de cérémonie, ne se soumit à aucun rituel collectif pour se dire à elle-même que cela avait pris fin. Que tous étaient libres.

Sur notre côte, la permanence symbolique de l'esclavage est attestée. L'indignité se transmet de génération en génération. On se le dit à voix basse, mais on se le dit tout de même. Les périphrases abondent, pour indiquer le rang social. Pas celui que confère la fortune, pas celui auquel les titres universitaires permettent d'accéder, pas celui qui s'acquiert dans les émissions de télévision ou sur les terrains de football. Le seul qui vaille, celui qui s'évalue à travers la réponse à une question simple : *De qui es-tu l'enfant ?* Le statut social coule dans les veines. Le triomphe de l'argent est sans éclat. Il suscite désir ou jalousie, mais n'assainit pas la généalogie, ne la purifie pas. Cela, Madame l'apprit très tôt. L'hôtel Prince des Côtes qu'avait bâti son père fut, dès l'origine, un joyau de notre ville. Elle en hériterait, comme de nombreux autres biens.

Elle aurait tout, elle n'aurait rien. Dès lors, l'appellation de ce lieu majestueux dut résonner à ses oreilles comme une insupportable raillerie.

Le Prince des Côtes ne fut plus l'hommage de Conroy Mandone à un héros national, cet homme que les premiers colons du pays avaient fait pendre avec ses compagnons, et qui s'en était allé sur l'Autre Rive au cri de : *Jemea, na te na o kwedi, L'honneur, jusqu'à la mort*. Ce que la future Madame devait entendre dans Prince des Côtes, c'était que l'ancêtre fondateur de la lignée n'avait pas de nom propre, qu'il était un prince de pacotille. Il avait été anobli, mais selon les conceptions de la côte et d'ailleurs, il avait mal agi en reniant les siens. La divinité avait mis sur sa route un homme de son peuple, pas n'importe lequel : son frère. Quelqu'un qui avait assisté à sa capture. Quelqu'un qui, se jetant à ses pieds, avait crié l'amour d'une famille, le deuil impossible, la joie de ces retrouvailles inespérées. Makake l'avait humilié. Il n'avait certes pas jeté à terre la face du *janea*, son maître d'alors, on lui en savait gré, il méritait d'en être remercié. Néanmoins, il avait versé son propre sang dans une rigole, comme s'il s'était agi d'un peu d'eau croupie. Le geste était indigne. On louerait donc sa grandeur, mais on lui trouverait un caractère féminin, elle porterait le sceau d'une sorte d'infamie. L'honneur, dans son expression masculine, aurait commandé d'étreindre le fils de sa mère, ce frère que l'Être suprême avait mené jusqu'à lui. Makake aurait ensuite demandé à revoir sa famille. Une fois revenu des hauts plateaux, il aurait exigé, en guise de réparation, que les deux communautés soient à présent parentes. Il n'aurait pas choisi entre la terre qui avait fait de lui un homme, et celle qui avait bercé son enfance. C'était ainsi qu'il se serait comporté s'il avait eu le cœur noble, ce qui ne s'apprend ni ne se décrète.

L'événement au sujet duquel Camilla imposa le silence à sa fille, cette chose qu'il convenait de taire à Conroy, avait dû se produire en raison de ce passé, en raison de la manière dont il était conté aux générations. Makake Mandone était un grand homme, oui, mais. Brutalisée, celle qui n'était pas encore Madame n'avait pu ni pousser son cri de douleur, ni demander justice. Dès cet instant, se laver de la souillure avait été son obsession. S'il y eut, comme je le crois, une agression, une troisième personne en était informée. L'agresseur. Quelqu'un qui pouvait ébruiter l'affaire. Quelqu'un dont on devait parfois croiser le regard entendu. Une menace constante. La peur, la honte, dorénavant gardiennes d'une citadelle tapissée d'amertume. Je me demande comment cela s'est déroulé. Camilla a-t-elle surpris l'acte ? Sa fille le lui a-t-elle rapporté ? Le violeur leur a-t-il ri au nez ? Camilla s'est-elle rendue chez un de ces êtres dont on ne prononce pas le nom, afin que périsse le criminel ? Mon imagination m'égare.

Au fond, cela n'a pas d'importance. Je n'ai pas besoin de détails. Je comprends l'essentiel. À la jeune femme qui deviendra notre mère, il faut un prince, au moins cela, pour se réhabiliter à ses propres yeux. La figure d'Amos s'impose. Voilà ce qui guérira la plaie, forcera le respect. Un autre nom. Le prestige que l'argent n'achète pas. Le nom de Mususedi est attaché à une chefferie côtière. Il est porté par des gens dont les ancêtres furent des esclavagistes, voire des trafiquants d'êtres humains. En principe, épouser une descendante d'esclave est une mésalliance, pour un homme de ce milieu. Bien des soupirantes entourent Amos, se pâment pour ses regards. Il a de l'allure, de la fantaisie, un diplôme obtenu au Nord, un nom. C'est elle qui le capturera, l'épousera. La femme, dit-on sur la côte, bâtit son foyer. Il lui faut, pour cela, s'unir à un homme, pas à son patronyme. Convaincue de ne l'avoir emporté que grâce à un patrimoine financier dont il avait besoin pour mener grand train, Madame parlera plus souvent d'argent que d'amour. Elle sera l'épouse fortunée, pas la femme. L'union ne sera pas heureuse. Tous deux ne feront qu'entrer en scène, donner à voir une performance, plus ou moins réussie dans les premiers temps, avant de comprendre ce que serait leur œuvre : la destruction mutuelle assurée. Ils ne sont pas morts, mais que reste-t-il des jeunes gens brillants qui choisirent de se marier loin de chez eux, comme s'ils étaient seuls au monde, comme s'ils étaient la naissance d'un univers. Peut-être auraient-ils dû demeurer au loin, n'être qu'eux-mêmes, des individus, autant que possible. En dépit de l'Histoire, écrire leur histoire.

Madame était une toute jeune personne, désireuse de prendre la clé des champs, de mettre de la distance entre sa mère et elle, de cautériser sa plaie intime. L'époux agirait comme un remède. Il serait le nitrate d'argent appliqué sur son identité blessée. Le fait de mettre au monde ses enfants la réhabiliterait, elle serait mère de, plus fille de. C'était omettre ses vulnérabilités à lui, méconnaître sa blessure à lui. Elle ne lui avait rien dit, comment aurait-elle pu ? Ils s'étaient rapprochés pour de mauvaises raisons, aimés pour de mauvaises raisons. Leurs solitudes n'avaient pu que s'affronter, leurs manques se heurter, laissant chacun échoué de son côté de la vie, plus incompris de jour en jour. Amos était le fils d'un prince contesté, cela ne le dérangeait pas. Notre père n'accorda jamais d'intérêt aux titres, à la gloire. Ce qui lui était plus difficile, c'était de faire reconnaître des mérites personnels aussi grands que ceux de son père, administrateur des colonies respecté, héros de guerre. Était-ce pour capter un peu de sa force, un peu de sa grandeur, qu'il avait glissé, sous le lit conjugal, les armes monumentales du colosse qu'avait été son père ? Toi et moi avons toujours trouvé bizarre le fait qu'ils couchent au-dessus de ces fusils. Nous n'avons pas osé les interroger à ce sujet. Les enfants ne se mêlent pas de l'intimité des parents, bien qu'ils en soient le produit, pendant et après leur conception.

Amos avait été écrasé par la figure de son père, par les biens de son épouse. La situation s'était détériorée lorsque Madame avait acquis la résidence familiale. La ville entière en avait fait des gorges chaudes. Il ne lui était resté que ses poings pour dominer Madame, pour se reprocher de n'être pas capable de renoncer au confort matériel qu'elle lui avait garanti. Comment supporter sa propre faiblesse ? Après plus de trente années de vie sur un ring de boxe, c'était elle qui avait sifflé la fin du combat. Il n'y avait pas eu de victoire. Amos ne l'avait pas revendiquée, se retirant à la campagne pour tenter de trouver l'homme qu'il lui plairait d'être, fils de personne, avec, face à lui, un horizon sur lequel faire pousser quelque chose. Savait-il encore quoi ? Cela changeait tous les jours, l'ombre d'Angus le pourchassant où qu'il aille. Madame payait pour les lubies, les rêves qui faisaient long feu. Madame payait pour un mal de vivre qu'elle identifiait enfin, qu'elle commençait peut-être à comprendre. Ils avaient failli se rencontrer. Trop occupés à dorloter leur blessure, ils ne s'étaient qu'à peine entrevus. Madame payait, c'était tout ce qu'elle savait faire, c'était tout ce qu'elle pouvait faire. Désormais seul en son domaine rural, Amos avait-il saisi le sens de cette unique compétence chez son épouse, jouait-il, afin qu'elle ne sombre pas davantage, le rôle attendu ? Ils ne se disaient rien, il n'était plus temps.

Dans la *mistress' bedroom* de la grande maison, Madame ne pleure plus de n'être ni regardée, ni étreinte. Elle se demande ce qu'elle a vécu. C'est à présent qu'elle pense à toi. Tu l'as beaucoup déçue, mais elle s'était réjouie de te voir rentrer chez toi, accepter de prendre les rênes de l'entreprise familiale. Tu rapportais une sans-généalogie dans tes bagages, elle en ferait son affaire, ne te laisserait pas tout saboter. Elle accepterait l'enfant, le seul petit-fils que la vie lui ait donné, mais pas sa mère. Madame se donnerait toutes sortes de bonnes raisons pour se montrer aussi exécrable que l'avait été sa belle-famille, la violence physique en moins. Il ne lui vient pas à l'esprit qu'elle reproduit ce dont elle a souffert. Ce qu'elle constate, ce qui lui déchire le cœur, c'est ta brutalité. En regardant le visage d'Ixora, elle s'est vue. Elle a su ce que nous voyions chaque fois qu'Amos l'avait battue. Dans les yeux de Kabral, elle a reconnu ce que tu exprimais au même âge, avant de lui tourner le dos parce qu'elle ne demandait pas le divorce. Elle se fiche des commérages qui iront bon train sitôt qu'on la dira proche d'un couple de femmes, amoureuses, amantes. Ce qu'on dira de son fils lui importe, en revanche. Tu as cogné ta femme. Dans la rue. Autant dire que tu t'es dénudé en public et que, ce faisant, tu as mis à poil toute une famille. Ensuite, tu as pris la fuite. Comme une demoiselle. Comme l'individu sans substance qu'elle avait craint de te voir devenir. Le dictionnaire ne connaît aucun terme qui s'applique valablement à ce que ressent ta mère en ce moment. Madame te trouvera avant tout le monde, avant que la divinité elle-même ne sache où tu t'es réfugié. Ce qui se produira alors n'est jamais arrivé sur la terre des vivants. Gars, *wait* seulement qu'elle te *hol'*.

Encore une fois, Double Bee, je te tire mon chapeau. Tu as placé la barre si haut que tout ce qui me concerne passe à la trappe. Notre mère n'a pas demandé comment j'allais, pas même pour la forme. Je vais toujours bien, la précieuse n'a pas de problème, a-t-elle une vie ? Il a fallu que l'un de nous quatre garde les pieds sur terre, que l'un de nous quatre tente de devenir une grande personne. Madame, Amos et toi, êtes trop accrochés à l'enfant inconsolable qui vous habite, pour que je me permette d'en faire autant. Il y a cependant, au fond de moi aussi, une petite fille. C'est elle qui m'a conduite ici. En partie. Elle est trop alerte encore pour que j'ose m'envisager mère et prenne, à mon tour, la responsabilité d'initier un humain à la vie. C'est ainsi que je conçois le rôle des parents, peut-être parce que, n'en ayant pas vraiment eu, j'appréhende mal ce dont il s'agit. Je ne te reproche rien, ou pas grand-chose. J'ai grandi avec toi dans les bruits de la fureur qui projetait l'un contre l'autre nos père et mère, grands blessés qui ne surent qu'ajouter du chagrin à la souffrance. Je les aime profondément, tous les deux, parce que je vois ce qu'ils portent en eux, ces possibles avortés. Très tôt, je me suis posé des questions. J'ai voulu comprendre comment l'association de deux êtres aussi exceptionnels à maints égards avait pu ne produire que du vide. Comprendre pourquoi l'intelligence, l'érudition, les diplômes, l'argent, l'élégance et la beauté n'élèvent pas au-dessus de l'abîme. C'est alors que j'ai songé au point de départ. La famille et les représentations qu'elle avait fournies. Quel modèle de femme, de mère ? Quel modèle d'homme, de père ?

Je t'ai parlé de Camilla, tu peux t'en faire une idée, mais Camilla fut elle aussi engendrée. Elle aussi vint au monde, précédée par d'autres. En disant cela, je songe à ce qui m'aurait été révélé, si je m'étais soumise au massage sacré de la guérisseuse, si la pratique avait eu les effets escomptés. J'aurais traversé la mémoire d'une lignée de femmes bousculées par l'Histoire comme par l'histoire, sans aucun doute. Car nos ascendantes les plus proches vécurent les temps troublés de l'intrusion nordiste dans un univers dont l'imperfection n'invalidait pas la cohérence. Elles quittèrent une soumission pour une autre. On ne jetterait plus leurs corps au fond des tombes devant accueillir la dépouille d'époux honorables, mais elles devraient rester vierges jusqu'au mariage. Le clan ne se réjouirait plus de voir naître l'enfant des promenades, celui qu'une jeune femme aurait avant de se marier, son corps n'appartenant alors qu'à elle, son apprentissage de la féminité étant aussi celui du plaisir. Les sociétés de femmes se réduiraient aux tontines, aux chorales du dimanche dans le temple baptiste. On apprendrait la bonne tenue, le silence, la crainte d'un dieu mâle. C'est dans ce monde que naquit notre grand-mère. Elle fut une mère rigide parce qu'elle fut une individualité contrariée. Devenue vieille, elle perdait le contrôle, sa personnalité véritable s'époumonait dans son sommeil, déversant des bordées d'injures, des flots de paroles inappropriées, peu chrétiennes. La voie est impraticable, qui mène d'une culture à l'autre.

Angus est respecté sur notre plaine côtière, parce qu'il fut l'égal des colons nordistes avec lesquels il travaillait, et le supérieur de beaucoup d'entre eux. Il fut néanmoins un homme isolé, un être qui ne sut préserver son autorité que par l'exercice d'une extrême froideur. Il fallait qu'il fût ainsi pour dominer sa douleur. Celle de n'avoir été aimé ni de ses parents, ni de ses frères. Jamais nous n'avons entendu Amos dire de son père le moindre mal. Pour savoir ce qu'il en avait coûté d'être le rejeton d'un administrateur des colonies, il importait d'écouter les conversations dont nous étions exclus. On apprenait alors que son fils aîné, plus que ses autres enfants, avait été battu à l'école, qu'il y subissait toutes sortes de brimades de la part de ses pairs. Parce qu'il était le fils d'un colon de la pire espèce : un colon couleur locale, dans un pays où les indépendantistes mouraient dans le maquis. Angus était un exemple complexe. Il s'était fait tout seul, avait agi selon ses convictions, laissant une réputation de probité que les décennies n'entamèrent pas. Toutefois, l'homme s'était trompé en matière politique. Sur le chemin devant mener d'un monde à l'autre, on avait beaucoup perdu et on ne savait quoi faire de ce qu'on avait gagné. D'ailleurs, qu'était-ce exactement ?

Tu détestes ce grand-père que nous n'avons pas connu, je le sais. Accrochés sur des murs de la grande maison, d'intrigants portraits de lui nous mettaient mal à l'aise quand nous étions enfants. Ses traits comme son attitude étaient austères, il posait seul, le plus souvent. Parfois, des collègues nordistes l'entouraient, le faisant apparaître comme un point sombre au milieu du cliché, accentuant la solitude qui le définissait. Telle était son identité. Tu as toujours pensé que nous n'avions pas à nous vanter d'être ses petits-enfants, tu méprises ceux qui brandissent l'image d'un aïeul ayant servi le projet colonial – de gré ou de force –, comme s'il y avait là quelque titre de gloire. Je te comprends et dis ni fierté, ni honte, nous n'avons pas choisi. J'ai pour lui une immense tendresse, car je songe avant tout au petit garçon qu'il fut. Celui que son père reconnut sans l'aimer. Celui dont la mère se détourna pour qu'il ne lui soit pas reproché de l'aimer. Dans mon imagination, Angus est un petit bonhomme qui tente d'avancer, les larmes lui brouillant les yeux. On n'aime pas les gens parce qu'ils sont bons, parce qu'on approuve tout d'eux, parce qu'ils ont eu raison et se sont bien conduits.

Après mes études universitaires, j'ai travaillé un peu au Nord, puis suis retournée auprès de nos parents, c'était ma place. Ils habitaient encore tous deux la grande maison. J'allais de l'un à l'autre, les regardant vieillir. Trente ans de castagne, c'est long. Ce n'est plus un problème de couple, c'est un système, un mode de vie. Madame en a eu assez. Elle s'était procuré une arme de poing, des agents de police mal rémunérés en faisaient commerce. Ta mère n'aurait pas tué Amos, je ne crois pas. Ils ne divorceront pas, ne se mettront en ménage avec personne d'autre. Lorsqu'ils se sont séparés, j'ai pensé avoir droit à des vacances. Ils n'avaient plus besoin de baby-sitter.

Disons aussi que les choses avaient changé. Les salons de thé, les bars des grands hôtels, les chaises longues de la marina, s'étaient plus que défraîchis. L'élégance avait déserté ces lieux où mon adolescence était venue apaiser ses angoisses, où j'avais fait ma crise à ma façon. Je n'avais pas d'appétit pour les jeunes adeptes du bodybuilding qui erraient désormais dans ces endroits, à l'affût du migrant nordiste, mâle ou femelle. Ils n'étaient pas tous repoussants, quoiqu'un tantinet ridicules avec cette surcharge musculaire déformant leurs chemises.

Les hommes à savourer étaient mariés, s'amuser devenait compliqué. J'étais libre, entendais le demeurer, supportais mal l'indisponibilité de mes amants, tous époux et pères, soumis aux obligations d'une vie de famille. Les femmes veillaient, les plus déterminées recourant aux services d'empoisonneurs ou de sorciers. Qu'on croie ou non à ces forces, il n'est pas bon de baigner dans une telle ambiance. L'air était lourd, Big Bro. Je n'étais pas éprise de ces hommes, il valait mieux les laisser à celles qu'ils avaient choisies, même s'ils regardaient déjà par-dessus leur épaule en ouvrant le bal, peu avant la nuit de noces. De plus, à l'âge que nous avions atteint, ils voulaient souvent faire l'amour de manière orthodoxe, moi non, toujours pas. À présent certaine que nos parents ne s'entretueraient pas, je trouvai insuffisant de gagner confortablement ma vie. Je n'étais pas de ces personnes débarrassées de leurs désirs. Je n'avais pas revu Sisako, n'en avais pas éprouvé le besoin, n'étant toujours pas un être spirituel. Je fis donc mes valises sans états d'âme, presque du jour au lendemain, pour revenir ici. Au Nord.

Je n'ai pas toujours partagé ton opinion sur ce sujet, mais j'abonde aujourd'hui dans ton sens : le Continent n'a pas besoin de tous ses enfants. Le niveau d'aliénation de notre caste faisandée nous disqualifie d'office, tu comprends ma grande perplexité devant ta décision de t'établir au pays. C'est vrai, tu es un homme, dorénavant un père. La notion de patrie peut donc t'émouvoir, faire sens à tes yeux. Les hommes sont d'une terre, les hommes ont une terre. Ils ne peuvent transmettre à leurs fils le pays d'autres hommes tant qu'il existe des nations, le citoyen du monde étant une vue de l'esprit, une petite fantaisie. Les femmes, elles, ne possèdent qu'elles-mêmes. Elles sont leur propre territoire, surtout lorsqu'elles ne comptent ni se marier, ni enfanter. Je suis revenue vivre ici, non pour appartenir à ce lieu qui ne sait rien de moi, mais pour ne gêner personne, n'être pas dérangée. M'envoyer en l'air sans alimenter les bavardages de Radio-trottoir, ne pas devenir la *freak* de service. Adolescente, je me suis assez cachée. Je veux maintenant hurler tout mon soûl les nuits de pleine lune, je l'ai bien mérité.

Le soir de mon retour, j'ai pris un taxi depuis l'aéroport, pour me rendre chez toi, dans cet appartement désolé qui abritait tes jours. Tu n'étais pas seul quand je suis arrivée, Amandla était là, avec son regard de Uzi. Nous n'avons pu parler, j'ai simplement dit que le pays était laid. Je me souviens de m'être moquée du langage non aligné que tu as employé, l'argot que tu m'as enseigné quand nous étions ados. Cela me touchait, au contraire, de l'entendre. Nous n'avions pas d'ancêtres, nos racines s'étaient asséchées, mais nous avions cela. Nous nous sommes à peine vus avant ta décision de quitter le Nord. Tout est allé si vite. Je sais que tu m'appelleras, toi aussi. Tu feras comme Madame, tu chercheras quelqu'un qui reçoive ta détresse, qui sache sur quel terreau ta douleur a poussé, et il n'y aura que moi. L'instant sera grave, je n'aurai pas l'occasion de te raconter ma vie, ce ne sera pas le sujet. Alors, je profite du silence pour dire ce que tu ne voudras pas encore savoir.

Quand le téléphone a sonné, après le milieu de la nuit, je me trouvais à la clinique, j'avais demandé à y rester. Ce n'était pas nécessaire, mais je n'étais pas pressée de passer la porte de mon deux-pièces, il me fallait un endroit neutre. Pour réfléchir, préparer ce que je dirais à cet homme. Bien sûr, il ne faudra pas lui apprendre que j'ai été enceinte − de lui − et que je n'ai pas gardé l'enfant. Je ne dis pas que j'ai interrompu ma grossesse. Si j'avais voulu le mettre au monde, j'aurais annoncé : *J'attends un bébé*, pas *Je prolonge ma grossesse*. La vérité a parfois les accents de la réaction, ce qui n'en altère pas la nature. Une chose n'a pas changé depuis mes années de lycée, je ne couche pas avec les hommes dont je m'éprends. Notre relation est cérébrale, je ne veux pas qu'ils me touchent. J'ai par ailleurs des amants, un seul ces temps-ci. Nos pratiques sexuelles ne nécessitent pas que je prenne un contraceptif, je n'en ai pas besoin. Mon amant du moment est une perle rare, le seul à qui je n'aie pas raconté d'histoires pour qu'il consente à ne pas me pénétrer. Non seulement se satisfait-il de me contenter du bout des doigts ou de la langue, non seulement me caresse-t-il le dos et les cuisses lorsque je m'allonge sur lui pour me frotter le clitoris contre son sexe durci, mais il se réjouit d'accueillir, dans l'orifice adéquat, le phallus en bois que je tiens de Sisako. Il fallut bien des aventures sans lendemain pour rencontrer un homme qui, recevant mon auriculaire dans l'anus, se retourna spontanément, se mit sur les genoux, se cambra comme il le fallait, en demandant plus. Cela me bouleversa. Je mis du cœur à l'ouvrage, pour saluer cette croupe offerte.

Peu de choses égalent en beauté les fesses d'un *Akata*, lorsque ce dernier exécute au quotidien ses séries de squats et de fentes. Je caressai ce postérieur, son pourtour, jusqu'à nous étourdir tous deux. Je m'étendis sur le dos de l'homme pour lui mordre le cou, lui chuchoter aussi que je préférais le regarder dans les yeux. Il sut quoi faire, le fit, leva la jambe, s'ouvrit, je crus jouir avant d'enfourner la verge de bois avec une infinie douceur, lui pétrissant les testicules de l'autre main tandis que des deux siennes il me malaxait les seins. Nos yeux ne se quittèrent pas un instant, chacun voyant chez l'autre le reflet de soi, chacun contemplant la métamorphose de ses larmes en une brassée de roses. Il voulait être un certain type d'amant, mais pour une femme. Je voulais être un certain genre d'amante, mais pour un homme. Nous n'avions pas besoin de nommer ce désir, ce plaisir. Pour la première fois, je pus m'endormir après l'amour, rester au chaud dans le souffle de mon partenaire, sans craindre que son sexe ne s'introduise dans le mien. Ne pas appeler un taxi au milieu de la nuit. Ne pas retourner dans ma chambre d'hôtel – on en loue deux quand on n'a pas confiance, on se sépare une fois l'affaire conclue –, ne pas fermer la porte à clé.

J'ai dit n'être pas éprise de cet homme. J'ai dit aussi que nous faisions l'amour, car ce qui nous lie n'en est pas éloigné, à mon sens. Nous ne sommes pas atteints de cette fièvre qui dure trois ans, cet état hormonal qu'a créé la nature, pour que le mammifère humain se reproduise. La chose qui se consume une fois consommée, bien qu'elle mette parfois du temps à nettoyer la cendre, à faire place nette. Nous nous aimons sans être amoureux, nous nous voulons mutuellement du bien. Nous n'échangeons pas de paroles romantiques mais les mots d'une camaraderie un peu bourrue, nous avons de la pudeur. Au fond, cela me convient, cela pourrait peut-être me suffire, tant qu'il ne sera pas question de vivre ensemble. La cohabitation ne m'attire pas, je ne cherche pas à fonder de foyer. Nous en avons eu un, et passerons le restant de nos jours à nous en remettre.

Longtemps, je crus qu'il me faudrait deux hommes, l'amant et l'amoureux, pour trouver mon équilibre. Celui qui connaîtrait mon corps, et celui qui connaîtrait mon esprit. Bien qu'ayant trouvé l'amant idéal, je voyais donc quelqu'un. Avec cet autre, il y avait des sorties, des visites d'expositions, des conversations érudites, un flirt impliquant surtout nos cerveaux. Il aimait mon intelligence, c'est-à-dire environ un cinquième de moi. Nous avions quelques références communes, les années 80 étant passées par nous, ce qui correspondait à un autre cinquième. Le total lui valait une note honorable. Il y a un peu plus d'un mois, j'acceptai son invitation à dîner. Chez lui. Je pensais le quitter avant qu'il ne soit tard, retrouver le confort de mon lit, ma bougie parfumée au santal. Je songeai bien qu'il tenterait quelque chose, mais je me dis qu'il n'insisterait pas, qu'il n'y avait pas de risque. Je me revois appuyer sur la sonnette, devant son appartement. J'avais fait un *Victoria sandwich* sans crème sur le dessus, juste un peu de sucre glace, le gâteau avait été plus facile à transporter ainsi. Lorsqu'il ouvrit la porte, les paroles d'une chanson oubliée m'attrapèrent, me replongeant dans ces années 80 ridiculement attifées. Hors de la grande maison, me laissant happer par l'air du temps, j'oubliais le drame familial, vivais avec intensité une vie dont nul n'avait idée, et rentrais avant la nuit. Ce qui me rappelle cette époque a sur mon intellect un effet émollient, mes radars ne captent plus.

C'est ce qui se passa lorsque cet homme me fit pénétrer dans son appartement, et dans les notes languides de l'album *Diamond life*. Il portait un t-shirt improbable, rayé de rouge et noir, son 501 lui allait bien, il était pieds nus. Je ne l'avais jamais trouvé beau, me sentant peu concernée par ce qui se rapportait à son corps. Cependant, j'avais pour lui de l'affection et, ce soir-là, nous étions dans une certaine atmosphère. À l'habituelle décontraction de nos échanges, s'était ajouté un soupçon de romance, je n'y étais pas préparée. La cuisine ouvrait sur le séjour, je m'étais affalée sur le canapé, le regardant placer dans des verrines homard et concombre, trouver dans le placard le siphon dont il se servirait pour faire monter une mousse. D'habitude, je ne consomme aucune chair animale, mais j'aime qu'on prenne soin de moi, cela change de la vie dans la grande maison, avec vous trois. L'heure était *sweet as cherry pie*, l'homme cuisinait pour moi et me parlait, riant, me faisant rire. Il servit du vin. Quand il m'attira à lui, je n'agis pas comme prévu, jugeant fort impoli de le repousser, un baiser ne nous entraînerait pas loin. Ce n'est pas uniquement en faisant usage de la violence que les hommes du Nord soumirent jadis le monde, même s'ils franchirent tous les caps en la matière, damant pour longtemps le pion aux autres.

S'il n'y avait eu que la brutalité, la domination se serait exercée sans pour autant que la soumission fût obtenue. Soumettre son semblable, c'est lui faire reconnaître votre grandeur, ce qui impose de recourir à des méthodes plus fines que l'envoi de tartes dans la figure. Il faut séduire, éblouir si on a de quoi. Et il faut rassurer. Nous n'en étions pas là, je n'étais pas conquise, mais tout de même sous le charme. La profondeur du baiser me fit tourner la tête.

Je sais ce que tu vas dire, c'est aussi ce que je pense. Une partie de moi, celle qui n'a pas fini de grandir, celle dont les émois sont primaires, n'est pas en mesure de contrôler la situation. Il suffit qu'on l'embrasse de cette façon-là, comme si l'humanité n'avait cessé de répéter ce geste, comme si cela n'existerait plus après cet instant, pour qu'il lui vienne une chaleur entre les jambes qui la projette loin, vers le point de non-retour. L'épouvante qui s'emparait de moi à l'idée que l'amour de mes quinze ans me touche, n'était pas sans rapport avec ce dessaisissement de soi dont je me sentais capable, cet abandon qui me mettrait en danger. Je finirais pilonnée, couverte de sperme, tout ça, parce que j'avais soif de tendresse. Alors, je m'étais fabriqué une ceinture de chasteté mentale, un dispositif qui se mettait en place dès lors que la présence d'un garçon suscitait certains affolements. J'eus une chance, une petite mais une vraie, lorsque sa voix, me ramenant ici et maintenant, prononça les mots : *Ne te déshabille pas, je veux te parler avant.* Car, la chaleur s'étant propagée au-delà de mon entrejambe, j'étais bel et bien sur le point d'ôter mes vêtements, la pensée en exil. Nous étions sur ce canapé trop mou, il se redressa, prit appui sur un coude, me regarda pour dire qu'il ne voulait pas jouer, ne savait pas jouer, qu'il m'aimait.

Bon. Que veux-tu, Double Bee, c'est comme ça. J'ai la vie entière pour me traiter d'idiote, me promettre que cela n'arrivera plus. Je me suis retrouvée enceinte comme une collégienne, parce que l'homme qui dit t'aimer n'a jamais de préservatif, parce que avec ou sans vin, ne sachant comment dire que tu n'es pas certaine de partager ses sentiments, qu'il te faut un peu de temps, tu ouvres lâchement les jambes. C'est lui qui m'a déshabillée, mais je suis restée. Il ne m'a pas forcée, le reste est mon problème. J'étais plutôt crispée, il a senti que quelque chose n'allait pas, ne s'est pas retiré, tu m'étonnes. C'est après que nous avons parlé, j'ai dit ce que je pouvais, que son amitié n'avait pas de prix pour moi, que donner cette orientation-là à notre relation la mettrait en péril. J'ai dit que moi non plus je ne savais pas jouer, que je ne le détestais pas, que je dormirais dans mon lit s'il n'y voyait pas d'inconvénient.

Quelques semaines plus tard, je découvris mon état, pris ma décision. J'aurais pu mettre au monde cet enfant, le laisser à Madame. Elle aurait regretté la naissance peu honorable, hors mariage. Puis, elle aurait pris sous son aile, sous sa coupe même, le nouveau-né portant mon nom. Oui, mais pour cela, il aurait fallu exclure le père, et surtout, endurer neuf mois de grossesse. J'aurais pu mettre au monde l'enfant, le laisser à son père qui s'en serait chargé, puisqu'il ne savait pas jouer. Oui, mais pour cela, il aurait fallu présenter Madame au père, sans doute connaître ce gosse, le voir, et, surtout, être enceinte pendant neuf mois. J'aurais pu mettre au monde l'enfant, former un couple avec l'amant qui l'aurait adopté, les droits de l'autre père eussent été respectés, ceux des grands-parents aussi. Oui, mais encore une fois, cela serait passé par mon corps, par ma personne entière, au-delà de la chair. Pas glop, dans tous les cas. Un accident était vite arrivé, chacune de ces personnes pouvait perdre la vie, me laisser le gamin sur les bras. Si même j'avais voulu être mère, ce n'est pas volontiers que j'aurais fait venir en ce monde un être qu'on aurait qualifié de métis. Ce mot a une mémoire, je la lui laisse, il y a assez d'Histoire dans ma vie sans en rajouter. Quelqu'un a écrit : *Il est incroyable que la perspective d'avoir un biographe n'ait fait renoncer personne à avoir une vie.* Nous n'aurons pas de biographes, nous n'existons pour personne, cependant, nous non plus ne renonçons pas. Nous vivons, toi et moi.

Ma sexualité hors norme résulte de la manière dont ma psyché régurgite ce qui nous fut offert dans la grande maison. J'y vois mon héritage, mon patrimoine trouble, et ne cherche nulle part de réconfort. Quand j'étais plus jeune, il était assez aisé d'amener les garçons à renoncer à la pénétration. Dans certaines familles, la virginité des filles faisait l'objet d'une surveillance aiguë, on leur glissait des œufs dans le vagin pour s'assurer que la membrane n'avait pas été rompue. Sans être généralisée, la pratique ne connaissait pas de distinctions sociales. J'eus la chance de ne pas rencontrer de mâle dominant. À dix-sept ans, le 69 semblait plus transgressif que ne l'était le missionnaire. Pour assouvir mes désirs, je passais outre aux conseils de la guérisseuse, payais pour faire usage de la verge sculptée. Elle avait beau dire, les garçons prêts à se laisser sodomiser manuellement par une fille n'étaient pas légion. Lorsque je leur dévoilais mes intentions, ce que je faisais toujours – tu embarques l'individu sur *Funny how time flies*, tu lui murmures à l'oreille pendant toute la chanson –, il n'était pas rare que la peur soit plus forte que la curiosité. Écumer les matinées que proposaient les boîtes de nuit pour que les jeunes s'amusent avant le couvre-feu n'était pas toujours payant.

Dans la *mistress' room* de la grande maison, Madame déplore mon célibat, espère que sa précieuse trouvera chaussure à son pied. Lorsque nous nous voyons, je suis aux petits soins pour elle, j'évite les questions trop précises sur l'épineux sujet de ma vie amoureuse. Qu'elle ait aimé une femme ne lui permettra pas de comprendre ma façon d'aimer les hommes. C'est ma vie, mon affaire. Je suis propriétaire de cet appartement dont les fenêtres du séjour donnent sur le fleuve et ses péniches, mon emploi n'est pas déplaisant, j'ai fait mon deuil du *356 speedster* que conduisait Kelly McGillis dans ce vieux film, mais je reste une privilégiée. C'est tout ce qu'il lui faut savoir. Je m'apprête à congédier l'amoureux qui me manquera. Après ce qu'il s'est passé, une relation chaste ne se peut concevoir. Je ne sais que faire de l'amant seul, qui ne remplit pas tous les espaces, est-il possible de m'en satisfaire ? Lui aussi s'accorde avec deux cinquièmes de ma personnalité. Nos besoins sexuels sont en harmonie, nous aimons la naturopathie et sommes végétaliens… J'ai un peu le cafard, mais on n'en meurt pas. Tu vas téléphoner, Big Bro, je serai là.

GLOSSAIRE

Akata (camfranglais) : personne noire d'ascendance subsaharienne.

Anti (douala) : adaptation de l'anglais *auntie*, tante.

Balock (pidgin English) : malchance, altération de l'anglais *bad luck*.

Boogie (camfranglais) : faire la bringue.

Bordelle (familier) : putain.

Carabote (douala) : s'applique aux maisons en planches, vient de l'anglais *cardboard*.

Deny (camfranglais) : nier.

Depso (camfranglais) : homosexuel.

Dépose-moi (familier) : laisse-moi tranquille.

Divers (familier) : causette.

Elobi (camfranglais) : quartier populaire, assez misérable.

Ich : interjection exprimant le dégoût.

Janea (douala) : le chef, celui qui dirige.

Jum (camfranglais) : sauter, de l'anglais *jump*.

Kick (camfranglais) : voler.

Koukoune (créole) : sexe de la femme.

Lofombo (camfranglais) : beignet à croûte épaisse et croustillante, souvent saupoudré de sucre.

283

Monen (douala) : salutation du matin, adaptation de l'anglais *morning*.

No hambock me (pidgin English) : ne me dérangez pas.

Radio-trottoir (familier) : la rumeur.

Rythmer (familier) : accompagner.

Samaras : babouches en cuir, parfois teintées, spécialité artisanale du Nord-Cameroun.

Sita (douala) : adaptation de l'anglais *sister*, sœur.

Sky (camfranglais) : whisky, se dit skaï.

Tu étais tombée en brousse : Tu avais disparu de la circulation.

Wait seulement qu'elle te hol' (camfranglais) : Attends seulement qu'elle t'attrape.

NB : Le camfranglais est un argot camerounais mêlant des termes empruntés au français, à l'anglais et à diverses langues du pays. Le pidgin English est une langue véhiculaire à base anglophone. Le texte emploie celui du Cameroun.

Univers d'Amandla

Agbo : femme-buffle, en langue fon du Bénin. Le terme désigne les membres du corps de guerrières fondé par la reine Tassi Hangbe.

Agoodjie : espoir, en langue fon du Bénin, désigne les membres du corps de guerrières fondé par la reine Tassi Hangbe. Elles sont aussi appelées *mino* par leurs homologues masculins. Ce terme signifie : nos mères.

Rouge Noir Vert : couleurs du drapeau panafricain créé par Marcus Garvey (1887-1940).

Cités antiques : *Iunu* est le nom originel d'Héliopolis et *Mennefer* celui de Memphis.

Divinités : Amandla utilise les noms originels des divinités égyptiennes. Ainsi, elle dit *Nebt-Het* pour Nephtys, *Het-Hru* pour Hator et *Nut* pour Nout. Sekhmet est le visage guerrier de *Het-Hru*.

Edward Kamau Brathwaite : Amandla cite ce poète originaire de la Barbade :
God is dumb until the drum speaks/ Dieu est muet tant que le tambour n'a pas parlé.

Ital : régime observé par certains rastas. Il bannit les produits carnés, l'alcool, les laitages, le sel et toute substance chimique. Certains adeptes le poussent jusqu'au végétalisme. Le mot *ital* dérive de *vital* auquel une aphérèse a été appliquée.

Kwanzaa : créée en 1966 par l'activiste africain-américain Maulana Karenga, cette fête qui se déroule du 21 au 26 décembre témoigne du lien qu'entretiennent les Afrodescendants avec leurs racines subsahariennes. Kwanzaa repose sur sept principes devant régir la vie de ceux qui le célèbrent.

Maât : il est difficile de dire en quelques mots ce qu'était la Maât dans l'Égypte antique. Présentée comme la divinité de l'ordre et de l'équilibre, Maât se comprend aussi comme un principe dont l'action se reflète sur tous les plans : cosmique, politique, social, etc. Elle est justice et vérité, mais aussi harmonie universelle. Le concept acquiert une certaine élasticité dans la lecture qu'en font les penseurs subsahariens contemporains, mais les éléments fondamentaux d'ordre, d'équilibre, de justice et de justesse demeurent.

Per Ankh : en *medu neter*, la langue des anciens Égyptiens, *per ankh* signifie *maison de vie*. Il s'agit d'un lieu d'étude.

Per-Isis : en donnant ce nom à la ville de Paris, Amandla accrédite la thèse selon laquelle le culte d'Isis/Aset y aurait été célébré, au point que le nom de la ville en découle.

Umoja : unité, en langue swahilie. C'est un des *nguzo saba*, les sept principes de *Kwanzaa*.

Lectures d'Ixora

Ossuaries, par Dionne Brand
Roots, par Alex Hailey
L'aventure ambiguë, par Cheikh Hamidou Kane
Night is her robe, par Grace Nichols
I is a long memoried woman, par Grace Nichols
Sassafrass, Cypress & Indigo, par Ntozake Shange

Bande-son de Tiki

Shout, par Tears for Fears
Suddenly, par Billy Ocean
Shattered dreams, par Johnny Hates Jazz
Shake the disease, par Depeche Mode
Take my breath away, par Berlin (B.O. du film *Top Gun*)
Do they know it's Christmas, par le Band Aid
We are the world, par USA for Africa
Another one bites the dust, par Queen
Penny lover, par Lionel Richie
Body physical, par Buzy
The shady dame from Seville, par Julie Andrews/Robert Preston
   (B.O. du film *Victor Victoria*)
Until a tear becomes a rose, par Loose Ends
Sweet as cherry pie, par Sade
Funny how time flies, par Janet Jackson

TABLE

Cet ouvrage a été imprimé par
CPI BUSSIÈRE
pour le compte des Éditions Grasset
en juin 2016.

Mise en pages PCA
44400 Rezé

Grasset s'engage pour
l'environnement en réduisant
l'empreinte carbone de ses livres.
Celle de cet exemplaire est de :
700 g éq. CO₂
Rendez-vous sur
www.grasset-durable.fr

PAPIER À BASE DE
FIBRES CERTIFIÉES

N° d'édition : 19479 – N° d'impression : 2023624
Dépôt légal : août 2016
Imprimé en France